新 潮 文 庫

ジェーン・エア

下 巻

C・ブロンテ
大久保康雄訳

新 潮 社 版

598

ジェーン・エア 下巻

22

ロチェスター氏は、わずか一週間の休暇しか下さらなかったけれど、わたしがゲーツヘッドを立ち去らぬうちに、早くも一カ月はたっていた。わたしは、お葬式のあと、すぐ発《た》ちたいと思っていた。しかし、実妹の埋葬の指図や、死後のいろんなあとしまつのためにやってきた、叔父のギブスン氏に招かれて、やっとロンドンへ行くことになったジョージアナが、出発するまでわたしに泊っていてくれるようにと懇願したのである。ジョージアナは、エリザと二人きりになるのがこわいのだという。失望にも同情してくれず、恐ろしいときの支えにもなってくれず、旅仕度の手伝いもしてくれないというのである。そこでわたしは、できるだけ彼女の気の弱いすすり泣きや、わがままな悲嘆を我慢して、縫物をしてやったり、着る物の荷造りをしてやったり、できるかぎりのことをしてあげた。わたしが働いているあいだ、いつも彼女がなまけているのは事実であった。わたしはこう思った。（従姉妹《いとこ》よ、あなたとわたしが、もしいつもいっしょに暮すような運命にあったら、わたしたちは、いまとちがった立場に立って仕事を始めたことでしょう。わたしは、ご無理ごもっとものお相手役をじっと、おとなしく、務めてはいなかったでしょう。あなたに仕事の分担をあてがい、いやでも、それをやりとげさせるか、さもなければ、中途半端《はんぱ》のままに、うっちゃっておかしたでしょう。それからまた、あなたの退屈そうな、あのいい加減な不平を、黙って胸のなかにしまっておくように、とも言ったでしょう。こんなふうに素直に、我慢強く用を足してあげているのは、わたしたちの関係が、ほんの一時的なもので、悲しい取込みの場合のことだからにすぎませんよ）

やっとわたしはジョージアナを送り出したが、つぎはエリザの番で、こんどはエリザが、もう一週間いてくれというのであった。自分の時間も注意も、すっかり例の計画の方にとられているのだというのである。彼女はいま、ある未知の目的地に出発しようとしており、終日、自分の部屋に閉じこもったまま、内側からドアに錠をかけ、トランクをつめたり、引出しをからにしたり、書類を焼いたりして、一切外部との交渉を絶っていた。家事も、訪問客との応対も、お悔み状に返事を書くことも、わたしに任せきりだった。

ある朝、彼女は、わたしに向って、もうどうぞ自由にしてほしい、と言った。「それに」と彼女はつけ加えた。「いろいろお手伝いしていただき、また行き届いたお世話をして下すって、どうもありがとう。いっしょに暮すにしても、あなたのような方とジョージアナとでは、ずいぶんちがいますわ。あなたは、自分の役目をちゃんと果たして、人に負担をかけない方ですわ。あす」と彼女は言葉をつづけた。「わたしは大陸へ出発します。そしてリールの近くの修道院――あなた方は尼寺とお呼びになりますけど――に住居をさだめます。そこでわたしは、静かに、誰《だれ》からも妨げられずに、すごすことができるでしょう。当分のあいだ、ローマン・カソリックの教義の試験のためと、その教義による組織の運用の研究に専念するつもりです。もしそれが、たぶんそうではないかと思っていますけれど、わたしの考えているように万事を礼儀正しくちゃんとやっていくのにもっとも適した組織だということがわかりましたら、わたしはローマ教の教義に帰依《きえ》して尼僧《にそう》になるつもりです」

わたしは、この決心を聞いても、別に驚いても見せなければ、思いとどまるようにとすすめることもしなかった。「そのお仕事は、あなたに、とてもしっくり合っているように思います」とわたしは言った。「それによってあなたが幸福になれるよう祈っていますわ！」

別れるとき彼女は言った。「さようなら、従姉妹のジェーン・エア、ご機嫌《きげん》よう、あなたは話のわかる方ね」

そこでわたしは答えた。「あなたも話のわからぬ方ではありませんわ、従姉妹のエリザ、でも、あなたの持っていらっしゃるものは、もう一年もすれば、フランスの修道院の壁のなかに閉じ込められてしまうでしょう。でも、それはわたしにかかわりのあることではありませんし、あなたにはお似合いのことなのですから、大して気にもかけませんわ」

「おっしゃる通りだわ」と彼女は言った。そして、この言葉とともに、わたしたちは、それぞれの道へ別れて行った。この後もう二度とエリザについても、その妹についても言及する機会はないと思うので、この際、ジョージアナは道楽もし飽きたような上流社会のお金持と有利な結婚をしたこと、エリザは実際に尼僧になり、今日ではかつて彼女が見習い僧としての期間をすごし、のちに自分の財産を寄付した修道院の院長になっていることを、言っておいた方がいいだろう。

長いにせよ短いにせよ、しばらく留守にしていた家へ帰って行くとき、人は、どんなふうに感じるものか、わたしは知らない。いまだかつて、そのような気持を味わったことがないからである。子供のころ、長い散歩ののち、ゲーツヘッドへ帰るのが、どういうことであるかは知っていた。それは寒そうにしているとか、陰気な顔をしているとか言って叱《しか》られることであった。その後、教会からローウッドへ帰るのが、どういうことであるかも知っていた。それは、暖かい火と十分な食物を渇望《かつぼう》することであり、しかも、そのどちらも満たすことができないことであった。このような帰途は、どちらも、楽しくもなく、望ましくもなかった。近づくにつれて引力を増しつつ行くべき場所へ、わたしを引きつけて行くどんな磁気もなかった。ソーンフィールドへ帰るのは、まだ経験のないことであった。

わたしの旅は退屈な――まったく、飽き飽きするようなものであった。一日に五十マイル、一夜を宿屋ですごして、つぎの日に、また五十マイル。最初の十二時間は、臨終のリード夫人のことを考えていた。醜く変色したその顔が見え、奇妙に変った声が聞えた。お葬式の日、ひつぎ、ひつぎ車、小作人や召使たちの黒い行列――親類の人は、ほとんどいなかった――ぽっかりと口をあけて待っている地下の納骨堂、静まり返った教会、おごそかな礼拝のもようなどが、心に浮んできた。つぎにはエリザとジョージアナのことを思った。一人は舞踏室で人々の注目の的となっており、一人は修道院の一室に住んでいる。わたしは、彼女たちの姿や性格の、それぞれちがった特徴を考え、分析してみた。その日の夕方、大きな××町に着くと、こんな思いは、みな散りうせてしまった。夜は、わたしの思いを、まったく別の方向に向けた。旅の床に横たわると、わたしは追憶をすてて、前途に思いをめぐらしはじめた。

わたしはソーンフィールドへ帰って行こうとしている。けれどもわたしは、いつまで、あそこにいられるのだろうか？　長いことはない。それはたしかだ。不在中のことについては、フェアファックス夫人から、便りがあった。館《やかた》のお客様たちは解散して、ロチェスター氏は三週間ほど前ロンドンへ出発したが、あと二週間以内には帰館するはずであった。新しい馬車を買い入れると話していたから、彼は婚礼の仕度を整えに行ったのであろうとフェアファックス夫人は想像していた。ロチェスター氏がイングラム嬢と結婚するという考えが、自分には不思議に思われてならない。しかし誰もがそう言っているし、自分が目にしたところからみても、近く式をあげるだろうことは、もはや疑いの余地がないと、夫人は書いてよこした。（もしそれが信じられないのでしたら、あなたは、ずいぶん疑《うたぐ》り深い方ですわ）とわたしは心のなかで言った。（わたしは疑いはしませんよ）

まだ疑問はつづいた。（わたしは、どこへ行けばいいのだろう？）わたしは一晩じゅうイングラム嬢の夢を見た。なまなましい明けがたの夢のなかで、彼女がわたしをソーンフィールドの門から締め出して、別の道を行けと指さしているのを見た。ロチェスター氏は、腕組をしたまま――イングラム嬢とわたしに、いかにも皮肉な笑いをあびせながら、この光景をながめていた。

わたしは帰りの正確な日取りを、フェアファックス夫人に知らせてはいなかった。

二輪馬車や四輪馬車でミルコートまで迎えに来られるのが、いやだったからである。わたしは、その道のりを、一人で静かに歩いて帰りたかったので、六月のある日の夕方、六時ごろ、できるだけ目立たぬようにジョージ亭《てい》を抜け出すと、ソーンフィールドへの旧道――おもに畑地のあいだを通っていて、いまは、ほとんど人の通らぬ道――を選んだ。

かがやかしく壮麗な夏の夕べではなかったけれど、晴れた、和《なご》やかな夕暮れであった。干《ほ》し草をつくる人たちが、道々ずっと仕事をしていた。雲一つないとはいえないが、空はあすの好天を約束しているようであった。空の青い色は――青い色の見えるところでは――穏やかに落ち着いており、層雲は高く、薄かった。西の空も、暖かであった。水のような光が空を冷たく見せることなく、まるで火が燃えているようであり、また大理石のような雲のとばりの陰で燃えている聖壇のように見え、雲の隙間《すきま》からは黄金色《こがねいろ》の光が差していた。

わたしは、目の前の道が、だんだん短くなるのが、嬉《うれ》しかった――あまりに嬉しくて、わたしは一度、ふと歩みをとめ、この喜びは、なにを意味するものかと自分にたずねた。そして、自分の帰って行くのが、わが家でもなければ、永遠の休息所でもなく、また、いとしい友だちが、わたしを求め、わたしの到着を待ちわびている場所でもないことを思い出した。（きっとフェアファックス夫人は、穏やかに、ほほえんで、おまえを迎えてくれるだろう）とわたしは自分に言った。（また小さなアデールは、おまえの姿を見て、手を打ち、飛び上がって喜ぶだろう。けれども、おまえは、おまえが、あの人たちとはちがう人のことを考えているのを、よく知っている。しかも、その人が、おまえのことなど考えていないことも、またよく知っているのだ）しかし、若さほど強情なものがあるだろうか？　無経験ほど盲目なものがあるだろうか？　この二つが、たとえロチェスター氏がわたしを見ようと見まいと、彼をふたたび見ることのできるのが、どんなに嬉しいことであるかを、はっきりと肯定してくれたのである。そして、この二つは、つけ加えて言うのであった——（急げ！　急げ！　いられるかぎり、あの方のそばにいるがよい。あと何日か、せいぜい数週間もすれば、おまえは永遠にあの方と別れなければならぬのだ！）そしてわたしは、生れたばかりの苦悩——自分のものと認める気にもなれず、育てる気にもなれぬ不具の子——をおし殺して道を急ぎつづけた。

ソーンフィールドの牧場でも、人々は、干し草をつくっていた。というよりも、わたしが着いたときには、農夫たちは、もう仕事をやめ、熊手《くまで》を肩に、帰りかけているところだった。あと一つか二つか畑地を越えさえすれば、道を横ぎって門に着くはずであった。生垣《いけがき》に、なんとまあたくさんのバラが咲いていることだろう！　しかし摘んでいる暇はなかった。わたしは一刻も早くあの家に着きたかった。葉が茂り、花のついた枝を道へ突き出している、丈《たけ》の高い野いばらのそばをわたしは通りすぎた。石の段のある狭い階段が見えた。そして、手帳と鉛筆を手に、そこに腰をおろしているロチェスター氏の姿が見えた。彼は、なにか書いているようであった。

そうだ、彼は幽霊ではない。それなのに、わたしの張りつめていた気持は、すっかりゆるんでしまった。しばらくのあいだ、わたしは茫然《ぼうぜん》としていた。これは、どうしたことだろう？　彼を見て、こんなふうに震えようとは、彼の前に立って声も出ず、身動きもできなくなろうとは、思いもかけぬことであった。動けたら、すぐにも引きかえそう。なにも、馬鹿なまねをして、物笑いのタネになることはあるまい。わたしは家へ行く別の道を知っている。しかし、家へ行く道を、たとえ二十も知っていたにしても、それが、なんの役に立とう。すでに彼がわたしを見つけてしまったからである。

「やあ！」と彼は叫んで、手帳と鉛筆をしまった。「帰ってきましたね！　さあ、こちらへいらっしゃい！」

わたしは自分が行くだろうと思った。けれども、自分の動作には、ほとんど気がつかず、ただもう落ち着いて見えるようにと願い、わけても、隠すことにきめている感情を生意気にもわたしの意志に反して表わそうとかかっている顔の筋肉の動きを抑えようと願うばかりで、どんなふうにして行ったものか、一向にわからなかった。しかしわたしはヴェールをかぶっている――ヴェールは垂れている。なんとか平静な態度をとることができるかもしれない。

「これがジェーン・エアだろうか？　ミルコートから、しかも歩いて帰ってきたところなのだね？　そうだ――いかにも、あなたらしいやり方だ。馬車を迎えによこすようにも言わず、普通の人のように、町中や街道を車で帰ってこようともせずに、まるで夢か影のように、自分の家の近くへ、夕やみにまぎれて、こっそりと忍びこもうとする。いったい、この一カ月のあいだ、あなたは、どうしていたのです？」

「亡《な》くなった伯母のところにいました」

「いかにもジェーンらしい答えだ！　守護天使よ、われを守りたまえ！　この人は、あの世から――死人の国から来たのだ。そして、こんなたそがれのなかで、ただ一人わたしに会って、そんなことを言うのだ！　もしわたしに勇気があったら、あなたが実物か影か、さわってみるのだが。小さな妖精《ようせい》さん！――いっそ沼地で青い鬼火をつかまえようと言った方がましだ。この無断欠勤のなまけものめが！」ちょっと黙ってから、また彼は言い足した。「まる一カ月も、留守にして、すっかりわたしを忘れてしまったのだろう」

彼が、もうすぐ主人ではなくなるという不安や、わたしが彼にとって、なにものでもないという自覚のために傷つけられてはいたものの、ふたたび主人に会うのがどんなに嬉しいことか、わたしはよく知っていた。わたしのような道に迷った旅の小鳥には、彼がまき散らすパンくずを味わうことさえ、楽しいご馳走《ちそう》であったほど、ロチェスター氏には、いつも幸福を伝える豊かな力があったのである。彼の最後の言葉は、わたしにとって一つの鎮痛剤であった。その言葉は、わたしが彼を忘れるか否《いな》かが、彼にとって、なにか重要性を持つもののように聞えるふしがあった。それに彼は、ソーンフィールドをわたしの家ででもあるかのような言い方をした——ああ、これが、ほんとにわたしの家であったなら！

彼は踏段をはなれなかった。そこを通して下さいと頼むのは、むしろいやだった。そこでわたしは、ロンドンへは行かなかったのか、とたずねた。

「行きましたとも。あなたは千里眼でわかったでしょう」

「フェアファックス夫人が手紙で知らせて下さいました」

「わたしが、なんのために行ったか、そのことも知らせましたか？」

「もちろんですわ。なんのためにおいでになったか、誰だって知っておりますわ」

「あなたは、あの馬車を見なければいけませんよ。そして、それがロチェスター夫人にしっくりと似合うかどうかを、言ってくれなくてはいけませんよ、ジェーン。それに、あの紫色のクッションに背をもたせたら、彼女がボーアデシア女王（訳注　古代ブリテンの女王。ローマ軍の暴力的な支配に反抗したが、敗れて服毒自殺した）のように見えるかどうかもね。あの人と似合いの夫になるには、もうちょっとわたしが奇麗だといいのですがね、ジェーン。言って下さいよ、あなたは妖精なのだから――わたしを美男にするために、魔力か、媚薬《びやく》か、なにかそういったものをわたしに授けてくれませんか？」

「それは魔法の力も及びませんでしょう」とわたしは答え、心のなかで、こう言い足した。（あなたの目こそ、あなたを慕わしいと思って見る人にとっては、魅力ですわ。その点では、あなたはとてもお美しい方です。それとも、むしろ、あなたのいかついお顔が、美しさ以上の力を持っているのかもしれません）

ロチェスター氏は、ときどきわたしの言葉に出さない考えを、わたしには理解もできぬ鋭さで読みとることがあった。この場合にも、無愛想なわたしの返事など気にもかけずに、彼独特の、ある種の微笑を浮べて、わたしを見たが、それは、ごくたまにしか見せぬ微笑であった。ありふれた目的に使うには、あまりにもったいないとでも思っているようであった。それは真実、日の光のような感情の放射であった――彼はいま、この微笑をわたしに注ぎかけたのである。

「通りなさい、ジャネット」とわたしのために踏段を越える場所をあけてくれながら彼は言った。「家へはいって、友だちの家で、その小さなさすらいの足のつかれを休めなさい」

このときわたしにできることは、ただ彼の言葉に黙って従うことだけであった。これ以上話す必要はなかった。わたしは、何も言わずに踏段を越え、静かに彼のそばをはなれ去るつもりであった。ある衝動が、しっかとわたしを捕えた――ある力がわたしを振りかえらせた。わたしは言った――というよりも、わたしの内部にあるなにものかが、わたしに代って言ったのだ、わたしの意志に反して――

「親切にしていただいて、ありがとうございます、ロチェスター様。ふたたび、あなた様のところへ戻《もど》ってまいりましたことが、奇妙に嬉しゅうございます。あなた様のいらっしゃるところは、それがどこであれ、わたしの家――わたしの唯一《ゆいいつ》の家でございますわ」

仮に彼が追いつこうとしたところで、とても追いつけなかっただろうと思われるほど急いでわたしは歩き去った。小さなアデールは、わたしの姿を見ると、気違いのようになって喜んだ。フェアファックス夫人は、いつもの気どらぬ親しさでわたしを迎えてくれた。リアは、にっこりと笑いかけ、ソフィでさえ、嬉しそうに、「お帰りなさい」と、挨拶《あいさつ》してくれた。これは、とても気持のよいことであった。仲間の人たちから愛され、自分の出現が、その人たちの楽しみを増すと感ずることほど、幸福なことはない。

その夕べは、わたしは未来に対し、きっぱりと目を閉じた。間近に迫った別離と、近づいてくる悲しみとを絶えず告げ知らせる声に対しても、耳を閉ざした。お茶が済み、フェアファックス夫人は編物をとりあげ、わたしは夫人のそばの低い椅子《いす》に腰をおろし、アデールは、絨毯《じゅうたん》に膝《ひざ》をついてわたしにより添い、互いの愛情が黄金のような平和の輪でわたしたちをとり囲んだとき、わたしは、わたしたちがやがて遠く別れ別れになるようなことのないよう、無言の祈りを捧《ささ》げた。しかし、そのとき、そうしてわたしたちが坐《すわ》っているところへ、ロチェスター氏が、前ぶれもなくはいってきた。そして、わたしたちをながめて、このいかにもむつまじそうな光景を、楽しんでいるようすであった——それから彼は、老婦人（フェアファックス夫人）は、ふたたび養女が戻ってきたのだから、もう心配はないでしょうと言い、さらに、アデールは、またイギリスのかわいいお母さんに思うさま甘ったれようとしているところだねと言い足した——わたしは、彼が結婚してからも、わたしたちを、どこか彼の庇護《ひご》の下に置いてくれ、陽光のような彼のそばから追いやることはしないと彼が思っているのではないかと、うっかり希望を持ちそうになった。

わたしがソーンフィールドへ戻ってから、なんともつかず静かな二週間がすぎ去った。主人の結婚については、なんの話もなく、婚礼の準備が進められている様子も見えなかった。毎日のようにわたしはフェアファックス夫人に、なにか、きまった話を聞かないかとたずねたが、その返事は、いつも「いいえ」であった。いちど彼女は、ロチェスター氏に面と向って、いつ花嫁をお迎えになるのですか、とたずねてみたが、その返事に彼は、ただ冗談を言い、妙な目つきをして見せただけで、夫人は、それをどう考えていいものやらわからなかった、と言った。

わたしを驚かしたことが、一つあった。それは彼が、あちらこちらへ旅行することもなく、またイングラム荘園《しょうえん》を訪問することもなかったことである。なるほど隣の州の境にあるイングラム荘園までは二十マイルもはなれている。しかし熱烈な恋人にとって、そのくらいの距離が、なんであろう？　ロチェスター氏ほどの疲れを知らぬ練達の乗り手にとっては、それくらい、ほんの朝のひとときの乗馬にすぎないであろう。わたしは、結婚が中止になり、噂《うわさ》はまちがいで、どちらかが、それとも双方が、心変りしたのかもしれぬという、いわれのない希望をいだき始めた。わたしは、いつも主人の顔を、悲しみを浮べていはしまいか、けわしい表情をしていはしまいかとながめるのであったが、このごろのように、それが曇ってもいなければ不快な感情を見せもいず、常に晴れやかであったことは、ほかに記憶がなかった。わたしとわたしの生徒とが彼といっしょにすごすとき、わたしが元気をうしなって、どうしようもないめいった気分におちいっても、彼は、いっそう快活になるのであった。このごろほど、彼が、しげしげとわたしをそばに呼びつけることもなかったし、そんなときほどわたしに優しくしてくれることもなかった——そして、おお！　そのときほど深く彼を愛したこともわたしは、かつてなかったのだ。

23

まばゆいばかりの真夏がイングランドじゅうに照り渡った。そのころ毎日のようにつづいた澄みきった空やかがやかしい太陽は、そのどちらか一つでさえ、波に囲まれたこの島では、めったに恵まれることのないものであった。それは、まるでイタリアの日々が、壮麗な渡り鳥の群れのように南方から飛んできて、翼を休めるためにアルビオン（訳注　イングランドの古名）の崖《がけ》の下にとどまったかのようであった。干し草は、すっかりとり入れられ、ソーンフィールドの周囲の畑地は青々とかがやき、道は白く焼けていた。木々は濃緑の盛りであり、豊かに茂って色の濃くなった生垣や森は、そのあいだに散在する、奇麗に刈りとられた跡の牧場の日に映えた色と、好個の対照をなしていた。

　六月二十四日のヨハネ祭の前夜、半日もヘイ・レインで野いちご摘みをして疲れたアデールは、日没とともに寝床へはいった。彼女が寝つくのを見届けてから、わたしは、そのそばをはなれ、庭へ出た。

　二十四時間のうちもっとも気持のよいときで、『日はその熱き火を燃やし終った』。露は、あえぐ野にも焼けた山頂にも、涼しく降りていた。太陽が飾りけのない姿で――はなやかな雲のよそおいもなく――沈んでいったあたりには、赤い宝石の光と炉の炎にかがやきつつ、丘の上は高く広く、淡く、さらに淡く、空のなかばをおおって、荘厳《そうごん》な紫色が、棚引《たなび》いている。東の空は美しい濃紺で独特の魅力を示し、のぼりくるただ一つの星の、慎ましやかな宝石を見せている。やがて、そこは誇らかに月を浮べるはずだが、しかし、彼女はまだ地平線の下に潜んでいる。

　わたしは、しばらくのあいだ、敷き石道を歩いた。ほのかな、かぎ慣れたにおい――葉巻きのにおい――が、どこかの窓から漂ってきた。書斎の両開き窓が手の幅ほど開いていた。そこから見られるかもしれぬと思ったので、わたしは果樹園の方へ歩み去った。邸内で、ここほど人目につかぬエデンの園のような隠れ家はないのだ。樹木が一面に茂り、花々が咲き乱れていた。片側は、非常に高い塀《へい》が中庭とのあいだをさえぎり、片側はぶなの並木が芝生からここを隔てていた。つきあたりには低い垣があって、それが人気のない畑地との唯一の境めになっていた。両側には月桂樹《げっけいじゅ》が並び、つきあたりに根元を腰掛けにとり囲まれた巨大な栗《くり》の木がそびえ立っていた。曲りくねった散歩道が、その垣の方へ下りていた。そこなら人に見られずにさまよい歩くことができた。このような甘い露がおり、このような静寂が支配し、このようなたそがれが忍びよるとき、わたしは、永遠にこのような暗がりに住みつづけていられるように感じるのであった。けれども、折から上ってきた月が、このひろびろとした場所を照らし、その月の光に誘われて、花壇や果樹床のあいだを縫って歩いて行くうちに、ふとわたしの足はとまった――物音のためでもなく、なにかを見たためでもなかった。ふたたび、あのなにかの前ぶれででもあるかのような、よいにおいをかいだからである。

ハマナスやカワラヨモギやジャスミンや石竹やバラなどは、もうかなり前から、夕べのかぐわしい供物《くもつ》を捧げていた。だが、この新しいにおいは、灌木《かんぼく》や花から生れたものではなかった。それは——わたしがよく知っている——ロチェスター氏の葉巻きのにおいであった。わたしは、あたりを見まわし、耳を澄ました。わたしは熟《う》れた果実が、たわわにみのっている樹木を見た。半マイルほどはなれた森でナイチンゲールが鳴くのが聞える。動いている人影も見えず、近づいてくる足音も聞えなかった。しかし、そのにおいは、次第に強くなってきた。逃げ出さなければならない。わたしは灌木林へと通じている木戸の方へ急いだ。そのときロチェスター氏がはいってくるのを見た。わたしはきづたの茂みの奥に身をひそめた。彼は、そう長いこと、こんなところにいはしないだろう。すぐに、もと来た方へ引きかえすだろう。じっとしていたら、見つかるようなことはないだろう。しかし、そうではなかった——たそがれはわたしと同じく彼にとっても気持のよいものであり、この古風な園もまた同じように心引かれるものであったのだ。彼はすぐりの枝を持ち上げて、すももの実ほどもある、ぎっしりとみのったその実をながめたり、垣から、熟れたさくらんぼを取ったり、においを吸い込むためか、花びらの上の露の玉を愛《め》でるためか、群がり咲いた花の上に身をかがめたりしながら、ゆっくりと歩きまわっていた。大きな蛾《が》が一匹、羽音を響かせながらわたしのそばを飛んで行き、ロチェスター氏の足下の草の葉にとまった。彼は、それを見つけると、身をかがめて、じっとながめていた。

(いまだ。あの方はわたしに背を向けている)とわたしは思った。(それに、すっかり蛾の方に気をとられている。そっと歩いたら、たぶん気づかれずに、ここを抜け出せるだろう)

小石の多い砂利道が音を立ててわたしのいることを知らせないように、わたしは芝生の縁を踏んで行った。彼は、わたしが通らねばならぬところから――二ヤードほどはなれた花壇のあいだに立っており、蛾が、たしかに彼をひきつけているようであった。きっとうまく通り抜けられるだろう、とわたしは思った。月はまだ高くはなかったが、長く庭に伸びた彼の影の上を横ぎったとき彼は、うしろを振りむきもせず、静かに言った――

「ジェーン、ここへ来て、これを見てごらんなさい」

わたしは音を立てはしなかった。彼の背中に目がついているわけはないし――影法師が感覚を持っているわけもないだろう。最初は、びっくりしたが、それから彼のそばに近づいた。

「この羽をご覧」と彼は言った。「これは、どこか西インドの昆虫《こんちゅう》を思い出させる。イギリスでは、こんな大きなけばけばしい蛾は、あまり見かけない。ほら! 飛んで行く」

蛾は、ゆるやかに飛び去った。わたしも気弱く逃げ出そうとした。ロチェスター氏は、あとを追ってきた。そして、わたしたちが木戸のところまで来たとき、彼は言った――

「引きかえしましょう、こんな美しい晩に、家のなかにひっこんでいるなんて、馬鹿なことですよ。日没と月の出が、こんなふうにいっしょになっているとき、寝床へはいりたいなどと思う者はいはしないでしょう」

わたしの舌は、ときには、てきぱきと返事をするのだけれど、なにか口実をつくろうとすると、どうしても思い通りにならぬことが、しばしばあった。これはわたしの欠点の一つである。それに、この失敗は、いつもきまって、苦しい狼狽《ろうばい》から抜け出すために、気のきいた文句、あるいは、もっともらしい言いわけが、とくに必要な、きわどいときにかぎって起るのであった。こんな時間に小暗い果樹園のなかをロチェスター氏と二人きりで歩くのは好ましいことではなかった。しかし彼のそばをはなれることを言いたてる理由も見つけ出せなかった。わたしは、ためらいがちな足どりで、彼のあとをついて行きながらも、心は絶えず、この場を抜け出す方法を見つけだすことに向けられていた。けれども、彼自身は、きわめて落ち着いていたし、真面目《まじめ》なようすでもあったので、わたしは当惑めいた気持をいだいていることが恥ずかしくなってきた。罪悪は――現在か、それともこの先、罪悪が起るとすれば――もっぱらわたしの側にあるように思われた。彼は、何も意識せず、平静のようであった。

「ジェーン」わたしたちが月桂樹の散歩道にはいり、低い垣《かき》と栗の木の方へと、ゆっくり降りて行ったとき、彼は、ふたたび口を開いた。「ソーンフィールドの夏は気持のいいところですね」

「はい」

「あなたは多少この家に愛着をいだくようになったにちがいない――あなたは自然の美しさを見る目もあり、たぶんに愛着心も備えているのだから」

「わたし、心から愛着を感じております」

「それに、これはどうしてかわたしにはわからないのだが、あの愚かなアデールにも、なにくれとなく心を配って下すっているようだし、あの単純なフェアファックス夫人にさえ、そうらしい」

「はい、それぞれ意味はちがいますけれど、どちらにも愛情を持っておりますわ」

「あの人たちと別れるのは心残りでしょうね」

「はい」

「かわいそうに！」と彼は言って、ため息をつき、ちょっと黙った。

「この世のことというものは、いつもそんなぐあいになっているのです」と、しばらくして彼は、言葉をついだ。「やっと居ごこちのよい休息所に落ち着いたかと思うと、とたんに休息の時間は終る。起きて進めという号令が聞えてくる」

「わたしは、行かなくてはならないのでしょうか？」とわたしはたずねた。「ソーンフィールドを去らねばならないのでしょうか？」

「そうしなければなるまいと思うよ、ジェーン。気の毒だが、ほんとに出て行ってもらわなければなるまいと思う」

これは打撃であった。けれどもわたしはうち負かされてはいなかった。

「よろしゅうございます。去れという命令が出ましたなら、いつでも出て行きましょう」

「その命令は、いま出るのです――今夜わたしはそれを言わなくてはならないのです」

「では、ご結婚なさるのでございますか」

「たしかに――まちがいなく。いつもの敏感さで、うまく言いあてましたね」

「近いうちでございますか？」

「ごく近いうちにね。わたしの――いや、エアさん、あなたは忘れはしないでしょう、ジェーン、わたしが、それとも噂《うわさ》が、はっきりお知らせしたように、この老いたるひとり者の首を神聖な輪綱にかけ、聖なる結婚状態にはいるつもりだということを。手っとり早くいえばイングラム嬢をわたしの胸に抱くつもりだということを。(あの人は一かかえもあるほど大きいが、そんなことは問題ではない――あのうるわしきブランシュのようなすばらしい女性が、わたしの腕にあまるわけがない) さて、いまも言ったように――よくお聞きなさいよ、ジェーン！　また蛾を捜そうとして顔をそむけたりしないでしょうね。あれは、『うちへ飛んで帰る』ただのてんとう虫ですよ。わたしがイングラム嬢と結婚するような場合には、あなたも小さなアデールも、さっさと家をはなれた方がよいと、わたしの尊敬するあなたのその思慮深さをもって――責任ある使用人にふさわしい先見と細心と謙譲さをもって、最初に言ったのは、あなただったということを思い出していただきたい。この申し出のなかにふくまれているわたしの愛人の性格に対する誹謗《ひぼう》については見のがすことにしよう。実際、あなたが遠くへ去ってしまったら、ジャネット、わたしは、そのことは忘れることにつとめましょう――その言葉の賢明さだけを心にとどめることにしましょう。それはわたしが自分の行動の規準にしているのですから。アデールは学校へ、そしてあなたは、エアさん、あなたは新しい勤め口を求めなければなりません」

「はい、さっそく広告を出しますわ。そのあいだ、たぶんわたしは――」わたしは、つぎのように言おうとしたのであった。(身をよせる家を、ほかに見つけるまでは、たぶんわたしは、ここに置いていただくことになるでしょう)けれどもわたしは、長たらしい言葉を言いつづけることができないように感じて、言葉をとめた。もうまるで思うような声が出なかったからである。

「一カ月以内にわたしは花婿《はなむこ》になりたいと思っています」とロチェスター氏はつづけた。「そのあいだに、あなたのお仕事も住まいも、捜してあげましょう」

「ありがとうございます。申しわけないのですけれど、わたしは――」

「あやまることはありませんよ。雇われている人が、あなたがしたように、立派に義務を果たした場合には、雇い主に対して彼が便宜をはからいうる程度のちょっとした援助を要求する権利があると思います。事実、すでにわたしは未来の義母を通して、適当な勤め口があることを耳にしています。それはアイルランドのコンノートにいるビッターナット・ロッジのダイアニシアス・オゴール夫人の五人の娘さんの教育を引きうける仕事です。あなたはアイルランドが好きだろうと思う。あそこの人間は、とても人情に厚いそうです」

「ずいぶん遠いところでございますのね」

「かまうもんですか――あなたのような分別のあるお嬢さんは、船旅がどうの道のりがどうのと、そんなことを、とやかく言いはしないでしょう」

「船のことではございません。道のりのことを申すのです。それに、海が隔ての垣――」

「なにから隔てるの。ジェーン？」

「イングランドから、そしてソーンフィールドから――そして――」

「そして？」

「あなた様から」

わたしは思わずそう言ってしまい、われにもあらず涙があふれ出た。けれども声をたてて泣きはしなかった。わたしは嗚咽《おえつ》を抑えていた。オゴール夫人とビッターナット・ロッジの思いが、さらに冷たくわたしの心を打った。また、いまより添って歩いている主人とわたしとのあいだに流れ込む運命にある海と水の思いが、さらに冷たく胸を打った。そして、おのずから、なんとしても愛さずにはいられない人とわたしのあいだに横たわる、よりひろい海――富、身分、習慣などへの連想が、もっとも冷たく胸を打つのであった。

「遠いところでございますのね」と、ふたたびわたしは言った。

「たしかにそうです。あなたがアイルランドのコンノートのビッターナット・ロッジへ行ってしまったら、二度と会うことはないでしょう、ジェーン——たしかにそうです。わたしは、けっしてアイルランドへは行かないだろう。夢に描くほどの国ではありませんからね。わたしたちは、いい友だちでしたね、ジェーン、そうではなかった?」

「そうですわ」

「友だち同士がお別れをする夕べには、残されたわずかな時間を、互いに身近にあってすごしたいものです。いらっしゃい! 星が向うの空でかがやかしいいとなみを始めるあいだ、わたしたちは静かに半時間ほど船旅のことやお別れのことを話しましょう。あそこに、栗の木があります。あの古い根元にベンチがある。いらっしゃい。もう二度といっしょに、ここへ腰をおろすようなことはないでしょうが、今夜は安らかに腰をおろしましょう」

彼はわたしをかけさせ、自分も腰をおろした。

「アイルランドまでは遠い、ジャネット。わたしのかわいい友だちを、そんな、飽き飽きするような旅へ送り出すのは悲しい。だが、それ以上のことがしてあげられないとしたら、どうすればよいのでしょう! あなたは、どこかわたしにつながっているところがあるとは思いませんか、ジェーン?」

わたしは、なにも答えることができなかった。胸がいっぱいだったのである。

「なぜなら」と彼は言った。「わたしは、ときどき、あなたについて、奇妙な思いに捕われることがあるのです――とりわけ、いまのように、あなたがわたしのそばにいるときには。なにかわたしの肋骨《ろっこつ》の下のあたりに弦があって、それが、あなたの小さな体の同じ個所《かしょ》にある、よく似た弦と、ほどけぬように、しっかり結ばれているように感じるのです。そして、もしわたしたちのあいだに、あの波狂うアイルランド海峡と二百マイルもある陸地とが、果てしなくひろがったら、わたしたちをつなぐ弦は、ぷっつり切れてしまいはせぬかと思うのです。そしてわたしの内部が傷ついて血が出はしまいかと気になるのです。ところが、あなたときたら――あなたは、すぐにわたしのことなど忘れてしまうだろう」

「そんなこと、けっしてございませんわ。あなたは知っていらっしゃいます――」あとはつづけることができなかった。

「ジェーン、森でナイチンゲールが鳴いている、聞えるでしょう?」

それを聞きながら、わたしは身をふるわせてむせび泣いた。こらえにこらえていた涙を、もうせきとめることができなかったからである。わたしはもう抑えることができきなかった。はげしい悲しみに、身も心もわなないた。なにか言えるようになったときも、ふいに口をついて出るのは、生れてこなければよかったとか、ソーンフィールドに来なければよかったとか、そんなことだけであった。

「ここを去るのが悲しいから?」

愛と悲しみにかきたてられた激情は刻々高まり、ますます強い力を得ようとしてもがき、他の一切の感情を乗り越え、それにうち勝ち、生き、立ちあがり、そして最後に、すべてを支配する権利――そうだ――語る権利を主張した。

「わたしはソーンフィールドを去るのが悲しいのです。わたしはソーンフィールドを愛しています――ここでわたしは、満ち足りた、楽しい日を――たとえ、束《つか》の間《ま》にせよ――すごしてまいりました。だから、わたしはここを愛するのです。わたしは踏みつけられはしませんでした。気力を奪われはしませんでした。下等な精神を持った人たちのなかに埋められることもなく、かがやかしい、活気のある、気高いものに接する機会から、のけものにされることもありませんでした。わたしは、わたしの尊敬するもの、わたしが喜ばしく感じるもの――独創的な、溌剌《はつらつ》とした闊達《かったつ》な精神と向い合ってお話をいたしました。わたしは、あなたをロチェスター様を知りました。永久に、あなたと別れなければならないと思うと、わたしは恐怖と苦痛に胸を引き裂かれる思いです。お別れしなければならぬことはわかっております。それは、どうしても避けられぬ死をながめているのと同じでございます」

「どこにその必要があるのです？」と、ふいに彼はたずねた。

「どこにですって？　その理由は、あなたがわたしの前にお置きになったではございませんか」

「どんな形で？」

「イングラム嬢という形で——上品な美しいご婦人——あなたの花嫁の形で」

「わたしの花嫁！　どんな花嫁ですか？　わたしには花嫁なんかありはしませんよ」

「でも、結婚なさるのでしょう？」

「そう——そのつもりです！——結婚するつもりです！」彼は歯を食いしばった。

「ではわたしは行かなければなりません——あなたご自身がそうおっしゃいました」

「いや、あなたは、ここにいなければいけない！　わたしはそれを誓う——そして、この誓いを守ります」

「わたしは行かなくてはならないと申すのです！」激情に似たものが突きあげてきて、わたしはくりかえした。「わたしが、あなたにとって、なんの意味もないものとなっても、なお、ここにとどまっていられるとお考えなのですか？　わたしを、自動人形だとお考えなのですか？――感情も持たぬ機械だとお思いになるのですか？　そして、口からパン切れを奪いとられ、コップから、命の水をこぼされても、なおかつ、我慢していられるとお思いになるのですか？　わたしが貧乏で、名もない身分で、不器量で、ちっぽけな女なので、魂もなければ、愛情も持たないとお思いになるのですか？　たいへんなお考えちがいですわ！――わたしもまた、あなたと同じように魂を持ち――あなたと同じように愛情を持っているのです！　もし神様がわたしに、いくらかの美しさと、相当の財産とを、めぐんで下すっていたら、いまわたしがあなたとお別れするのをつらいと思っているように、あなたにも、わたしと別れるのをつらいと思わせることができたでしょう。わたしは、習慣とか、世間並みの方法とか、そんなものを仲介に、いいえ、この肉体の仲介を通してさえも、あなたにお話ししているのではございません。あなたの魂に話しかけているのは、わたしの魂なのです。ちょうどわたしたち二人が、お墓のなかを通って神様の足もとに立ったときと同じように、平等に――ありのままに！」

「ありのままに！」ロチェスター氏はくりかえした――「だから」と言い、わたしに腕をまわして胸に抱きよせ、唇《くちびる》をわたしの唇に押しあてた。「だから、こうしてもいいのだね、ジェーン！」

「はい」とわたしは答えた。「でも、やはりそうではございませんわ。あなたは結婚なさった方――結婚なさらないにしても、結婚なさったのも同然の方です。それも、ご自分より劣った方と――なんの共感もお持ちにならぬ方と――真実あなたが愛していらっしゃるとは思えぬ方と結婚なさるのです。わたしは、あなたが、あの方を軽蔑《けいべつ》なさるのを、見もし聞きもしております。わたしは、そんな結婚を軽蔑します。ですから、わたしは、あなたよりも、立派だと思います――行かして下さい！」

「どこへ、ジェーン？　アイルランドへ？」

「はい――アイルランドへ。わたしは思いのたけを申しました。ですから、もうどこへでも行けます」

「ジェーン、落ち着きなさい。絶望のあまり自分の羽毛をかきむしる気違い鳥みたいに、そんなに身もだえしてはいけない」

「わたしは鳥ではございません。わたしは網にかけられるわけではございませんわ。わたしは束縛されぬ意志を持った自由な人間です。いま、あなたのもとを去ろうと努力しているわたしは、そのようなわたしなのです」

もういちど身をもがいてわたしは彼から自由になった。わたしは彼に向ってまっすぐに立った。

「あなたの運命は、あなたの意志が決定する」と彼は言った。「わたしは、手も、心も、わたしの持っているすべてを、あなたに捧《ささ》げる」

「あなたは道化を演じていらっしゃる。わたしは、それをあざ笑うだけです」

「わたしは、あなたに一生を、わたしのそばで暮していただきたい——第二のわたしとなり、この世でもっともよき伴侶《はんりょ》となっていただきたいのだ」

「その運命なら、すでにあなたはお選びになりました。それをお守りにならなければいけませんわ」

「ジェーン、ほんのしばらくでいいから落ち着いて下さい——あなたは興奮しすぎている。わたしも落ち着きます」

風が、さっと月桂樹の散歩道を吹きぬけて、栗の木の梢《こずえ》をそよがせた。風は遠く——遠く——果てしもない遠くへさまよって行き——消えたいまはただ、ナイチンゲールの鳴き声が聞えるだけだった。その声に耳を澄ませながら、またわたしは泣いた。ロチェスター氏は、優しく真剣な顔でわたしを見守り、静かに腰をおろしていた。彼が口を開くまでに、しばらく時がたった。ついに彼は言った——

「わたしのそばへいらっしゃい、ジェーン。お互いに心のなかを語って理解しあうことにしよう」

「わたしは二度と、あなたのおそばへはまいりません。わたしは、いまはもう引きはなされているのです。元へかえることはできません」

「しかし、ジェーン、わたしは、あなたを妻として呼んでいるのです。わたしが結婚しようと思っているのは、あなただけなのです」

わたしは黙っていた。彼はわたしを愚弄《ぐろう》しているのだと思った。

「いらっしゃい、ジェーン——ここへいらっしゃい」

「わたしたちのあいだには、あなたの花嫁が立っております」

彼は立ちあがると、一歩、大またでわたしのすぐそばへ来た。

「わたしの花嫁はここにいる」ふたたびわたしを引きよせて彼は言った。「わたしにひとしいもの、わたしに似たものが、ここにいるからです。ジェーン、わたしと結婚してくれますか？」

やはりわたしは返事をしなかった。なおも彼の腕から逃がれようと身をもがいた。まだわたしは疑っていたからである。

「わたしを疑っているのですか、ジェーン？」

「心底《しんそこ》から疑っています」

「わたしを信じられないのですか？」

「あなたの目にはわたしが嘘《うそ》つきに見えるのですか?」と彼は激した口調で言った。「みじんも」

「かわいい懐疑主義者《スケプチシスト》さん。それでは、あなたを納得させよう。わたしが、どのような愛情をイングラム嬢にいだいているのです? ぜんぜん愛情なんかありはしない。それは、あなたも知っている。あの人がわたしに、どんな愛情を持っているのです? ぜんぜんありはしないじゃありませんか——わたしが苦心して証拠だてたように。わたしは自分の財産が一般に考えられているものの三分の一もないという噂を振りまいて、彼女の耳に入れるように仕向けました。そうしておいて、自分で、その結果を見に行ったのです。彼女からも、彼女の母からも、わたしが受けたのは冷たいもてなしばかりでした。わたしはイングラム嬢と結婚しようなどとは思いもせず、また、そんなことはできもしません。あなたを——不思議な、ほとんどこの世のものとも思えぬあなたを——わたしは、自分の肉体のように愛します。わたしは、あなたに——事実、貧しい、名もない身分の、小さい、目だたぬあなたに——わたしを夫として受けいれてほしいとお願いするのです」

「なんですって、わたしを!」と、彼の熱心な態度を——その率直を信じはじめながら、わたしは叫んだ。「あなたのほか、この世に、一人のお友だちもなく——もしあなたがわたしのお友だちであるなら――あなたが下さるもの以外一シリングのお金すら持っていないわたしを？」

「そうです、あなたをですよ、ジェーン。わたしは、あなたを、わたしのもの――完全にわたしのものにしなければならない。わたしのものになってくれますか？　イエスと言って下さい。いますぐに」

「ロチェスター様、わたしにお顔を見せて下さい。月の光の方を向いて下さい」

「なぜ？」

「あなたの表情を読みたいからです――お向きになって！」

「さあ、どうぞ！　わたしの顔は、書きなぐった、もみくしゃのページみたいに、読みにくいことでしょう。さあ、読んで下さい。ただし急いで下さいよ、つらいですからね」

その顔は、きわめて深い感動の色を浮べ、ひどく熱していて、わなわなとふるえ、目は異様にかがやいていた。

「おお、ジェーン、あなたはわたしを苦しめる！」と彼は叫んだ。「その探るような、しかも誠実な寛大な目つきで、わたしを苦しめる！」

「どうして苦しめるわけがございましょう。あなたが真実で、ほんとうのことを言っていらっしゃるのでしたら、あなたに対するわたしの気持は、ただ感謝と献身があるばかりでございます――それが、どうしてあなたを苦しめるわけがございましょう」

「感謝ですって?」彼は叫び、狂おしく言った。「ジェーン、すぐにも承知して下さい、エドワード――とわたしの名を呼んで――エドワード、わたしはあなたと結婚しますと言って下さい」

「本気でおっしゃるのですか? ほんとにわたしを愛していらっしゃるのですか? 真実わたしを妻にしたいと思っていらっしゃるのですか?」

「真実そう思っている。あなたに得心していただくために誓いが必要なら、わたしはそれを誓います」

「それでは、あなたと結婚いたします」

「エドワードと呼んでほしい――わたしのかわいい妻!」

「エドワード様!」

「こちらへ――いまはもう遠慮なくわたしのそばへ来て下さい」と彼は言い、頬《ほお》をわたしの頬に押しあて、力強い声で、わたしの耳にささやいた。「わたしを幸福にして下さい――わたしはあなたを幸福にします」

「神よ、許したまえ!」と彼は、しばらくしてから、つけ加えた。「そして、誰《だれ》もわたしに干渉しませんように。わたしは、この人を得た。いつまでもはなしはしない」

「干渉するものなんて、誰もいませんわ。わたしにおせっかいする親類なんて、一人もおりません」

「そう――それはなによりです」と彼は言った。もしわたしが、これほど彼を愛していなかったならば、彼のその狂喜の語調や表情を粗暴だと思ったかもしれない。彼のかたわらにあって、別離の夢魔からさめ――結婚の楽園へ呼ばれて――わたしは、なみなみとついで差しだされた至福の杯に、ただもう心を奪われていた。幾度も彼は、「幸福かい、ジェーン？」と、くりかえした。幾度もわたしは「はい」と答えた。やがて彼は、呟《つぶや》いた。「それはあがなわれるだろう――それはあがなわれるだろう。わたしは、この人の、友もなく、寂しそうな、慰めもない姿を知ったではないか。この人を守り、愛し、慰めないということがあろうか？　わたしの胸には愛情がないであろうか。わたしの決意には誠意がないであろうか？　神の裁きの庭で、それはあがなわれるだろう。わたしの行為を神は許して下さるだろう。世間が、なんと判断しようと――わたしの知ったことではない。人がなんと批評しようと、わたしは、なんとも思いはしない」

それにしても、その夜は、いったい、どうしたというのであろう？　月はまだ沈んではいないのに、わたしたちは、すっかり暗がりの中だった。そんなに近くにいながら、主人の顔が、ほとんど見えなかった。それに、何が栗の木を苦しめるのだろう？——木は身をもがいてうめいていた。一方、風は月桂樹の散歩道でごうごうと吠《ほ》えていたが、やがて、さっとわたしたちの方へ吹いてきた。「うちのなかへ、はいらなくては」とロチェスター氏が言った。「天候が変った。朝までも、あなたといっしょにここにいたかったのだけれど、ジェーン」（わたしもあなたといっしょにいたかったのに）とわたしは思った。たぶん、そう言おうとしたのであったが、そのとき、ながめていた雲のなかから青白い閃光《せんこう》がきらめき、すぐ間近で、ごろごろという音、つづいて、殷々《いんいん》と響き渡る轟音《ごうおん》が聞えてきた。わたしはただ、くらんだ目をロチェスター氏の肩の陰に押し隠すことしか考えなかった。

雨が、たたきつけるように降ってきた。彼はわたしを急《せ》きたてて散歩道を駆けあがり、庭園を抜けて、家のなかへはいった。しかし家の敷居をまたがぬうちに、わたしたちは、ずぶぬれになってしまった。ホールで彼がわたしのショールをとり、乱れた髪から水滴を切ってくれているところへ、フェアファックス夫人が自分の部屋から出てきた。初めわたしもロチェスター氏も夫人に気がつかなかった。ランプがともされた。大時計が十二時をうった。

「早くぬれたものを脱ぎなさい」彼は言った。「行く前に。——おやすみ——おやすみなさい、かわいい人！」

彼は、なんどもわたしに接吻《せっぷん》した。彼の腕から抜け出し、目をあけたとき、そこに、青ざめ、厳粛な顔をした未亡人が、あっけにとられて立っていた。わたしは夫人にちょっとほほえんで見せただけで、階上へ駆けあがった。説明は、またのときでいいだろうとわたしは思った。でもやはり、自分の部屋へはいったときには、夫人は、いま目にした光景を、一時的にもせよ誤解しはしまいかと心苦しく感じた。けれども歓喜は、すぐに、ほかの感情を、一切ぬぐい去ってしまった。そして、どんなに風が吹き荒れようが、どんなに雷がすぐ近くで鳴り響こうが、どんなに、稲妻が強烈に絶え間なくひらめこうが、どんなに二時間の嵐《あらし》のあいだ雨が滝のように降りそそごうが、わたしは恐れもおののきも感じなかった。そのあいだにロチェスター氏は、三回ほど、わたしの部屋の、とびらのところまで来て、わたしが無事で落ち着いているかどうかをたずねてくれた。それは、どんな場合にあっても、わたしにとっては、慰めであり、力であった。

翌朝わたしがまだ寝床をはなれぬうちに、小さなアデールが駆けこんできて、昨夜果樹園のつきあたりにある大きな栗の木に雷が落ちて二つに裂けてしまったと告げた。

24

起きて服を着てから、わたしは昨夜の出来事を、初めから思いかえしてみて、夢ではないかと思った。もういちどロチェスター氏に会い、彼の口から改めて愛と約束の言葉を聞くまでは、それが実際のことであると信じることができなかった。

髪をとかしながら、鏡のなかの自分の顔を見て、わたしは、もはやそれを醜いとは感じなかった。表情には希望の色があり、顔色はいきいきとしていて、目は、成就《じょうじゅ》の泉を見ているうちに、そのきらめくさざなみからかがやきを借りてきたかのようであった。これまでわたしは主人に会いたくないと思ったことがよくあった。わたしの姿が気に入らないのではないかと、それが心配だったからである。けれどもいまは、彼に向って顔を上げても、その表情が彼の愛情をさますことはあるまいとの確信があった。わたしは、地味ではあるが清潔で軽快な夏の服を戸棚《とだな》の引出しからとり出して、身にまとった。これほどよく似合う衣裳《いしょう》はないように思われた。そのときほど嬉《うれ》しい気持で衣裳を着けたためしがなかったからである。

ホールへ駆け降りて、昨夜の嵐のあとに、かがやかしい六月の朝が明けているのを見ても、また、あけ放したガラス戸の向うに、新鮮な、かぐわしい微風を感じても、わたしは驚きはしなかった。わたしが、こんなにも幸福なときには、自然も、楽しいにちがいあるまい。女の乞食《こじき》が一人、小さな男の子を連れて――どちらも顔色が悪く、ボロをまとっていたが――歩道を上って歩いてきた。わたしは駆け降りて、金入れの中にあったお金を、すっかり――三シリングか、四シリングのお金を、みんな、その人たちにやってしまった。よかれあしかれ、その人たちはわたしの喜びのお相伴《しょうばん》にあずからなければならないのだ。みやまがらすは、かあかあと鳴き、小鳥たちは、楽しそうに歌っていた。けれども、浮き浮きしたわたしの胸のうちほど、楽しく音楽的な音をたてているものは、ほかになかった。

　フェアファックス夫人が、悲しそうな顔をして窓からのぞき、重々しい声で、「エア先生、朝食にいらっしゃいませんか?」と言ったのが、わたしをびっくりさせた。食事のあいだ、ずっと夫人は、口もきかず、よそよそしかったが、そのときは彼女の疑惑を解くことができなかった。わたしは主人が説明してくれるのを待たなければならなかった。夫人もまた同様であった。どうにか食事を済ませて、わたしは二階へ急いだ。そして、勉強部屋から出てくるアデールにあった。

「どこへ行くのですか。お勉強の時間ですよ」

「ロチェスター様が子供部屋へ行けっておっしゃるんですもの」

「ロチェスター様は、どこにいらっしゃるの？」

「あそこよ」と彼女は、いま出てきた部屋を指さした。部屋へはいって行くと、そこに彼が立っていた。

「いらっしゃい。そしてわたしに、お早うと言って下さい」と彼は言った。わたしは、喜ばしげに歩みよった。そのときわたしが受けたものは、単に冷たい言葉でも、握手でさえもなく、抱擁と接吻であった。こんなに深く愛され、このような愛撫《あいぶ》を受けることが自然なことに思われ——楽しいことに思われた。

「ジェーン、あなたは咲きにおうようで、にこやかで、奇麗だ」と彼は言った。「ほんとに、けさは、奇麗だ。これがわたしのあの青ざめた小妖精《しょうようせい》だろうか？　これがわたしのけしの種だろうか？　えくぼのある頰とバラ色の唇《くちびる》の、この小さな晴れやかなお嬢さんが、このサテンのようになめらかな淡褐色《たんかっしょく》の髪と、明るい淡褐色の目をしたお嬢さんが？」（読者よ、わたしの目は緑なのであるが、このまちがいを許していただかなくてはならぬ。思うに、彼にとっては、それは新しく染めかえられていたのであろうから）

「ジェーン・エアでございますわ」

「やがてジェーン・ロチェスターとなるはずの」と彼は言い足した。「四週間のうちにね、ジャネット。一日といえども、それ以上には延ばさないよ。聞いているのかい？」

わたしは聞いていた。しかし、まるで理解できなかった。わたしは、その言葉に、くらくらとなった。この知らせの言葉がわたしに与えた感情は、喜びに一致するよりも、もっと強烈なもの――なにか衝撃的な、気の遠くなるようなものであった。むしろ恐怖に近いものであったように思う。

「赤くなって、こんどは青白くなったよ、ジェーン。どうかしたのかい？」

「新しい名前を下すったからですわ――ジェーン・ロチェスターという――とても変な気がいたしますわ」

「そう、ロチェスター夫人だ」と、彼は言った。「ロチェスター若夫人――フェアファックス・ロチェスターの花嫁」

「そんなことはあり得ませんわ。ありそうにも思われません。人間が、この世で、完全な幸福を楽しむことは、けっしてないのです。ほかの人と異なった運命の下にわたしが生れたわけではありません。そんな幸運に恵まれると思うのは、お伽話《とぎばなし》です――白日夢ですわ」

「ところが、それがわたしには可能なのです。実現してみせますよ。きょうから始めるのです。けさ、わたしはロンドンの銀行に手紙を出して、保管してある、ある宝石――ソーンフィールド館《やかた》の夫人が継承すべき財産を送るようにと言ってやりました。二、三日中には、あなたの膝《ひざ》の上に、ざくざくと落してあげたいと思っている。わたしが貴族の令嬢と結婚する場合に与えるような、あらゆる特権と心尽しとを、わたしは、あなたに差しあげたい」

「まあ！――宝石のことなど、どうぞご心配なさらないで下さいな。そんなことを伺うのは、わたし、好ましくございません。ジェーン・エアに宝石なんて、それこそ不自然で変に聞えますわ。むしろ、ない方がわたしはよろしいのです」

「わたしは自分であなたの首にダイヤモンドの首飾りを、それから額には飾り輪をつけてあげます。きっとよく似合うでしょう――すくなくとも、あなたの額には、自然が貴族のしるしをつけていますからね。それから、あなたのその美しい手首には腕輪を、この仙女《せんにょ》のような指には指輪をはめてあげましょう」

「いいえ、いいえ！　もっと別のことをお考えになって下さい。ちがったことを、ちがった話し方でおっしゃってください。まるでわたしが美人でもあるかのように、そんなふうに話しかけるのは、およしになって下さい。わたしは、あなたのお屋敷の、目立たぬ、クエイカー教徒のような家庭教師でございますもの」

「あなたはわたしの目には美しい人なのです。わたしの望む型にかなった美しい人です――繊細で、きゃしゃで……」

「その意味は、小っぽけで、とるに足らないというのでございましょう。あなたは夢を見ていらっしゃるのですわ。さもなければわたしをなぶっていらっしゃるのです。お願いですから、皮肉はおよし下さい」

「わたしは世間にも、あなたの美しいことを認めさせてやります」と彼は言いつづけたが、一方わたしは彼の語る調子に、ほんとに不安になってきた。彼は自分を欺《あざむ》いているか、わたしを欺こうとしているか、そのどちらかだと感じたからである。「わたしはわたしのジェーンにサテンとレースの服を着せ、髪にバラの花をつけさせよう。わたしの一番好きな頭には豪奢《ごうしゃ》なヴェールをかぶらせよう」

「そうしたら、あなたは、わたしが誰かわからなくなってしまうでしょう。わたしはもう、あなたのジェーン・エアではなくなって、道化の服をきた猿《さる》か――借り物の羽をつけたかけす（訳注『イソップ物語』より）になってしまいます。いくらあなたが舞台衣裳で変装なすっても、わたしにはすぐにロチェスター様と見分けがつくように、わたしがいくら、宮廷の貴婦人の装いをしたところで、すぐに化けの皮が表われてしまいます。わたしは、あなたを美しい方だなどとは申しません。わたしはあなたを、このうえもなく——お世辞などをいうにはあまりにも深くお慕い申しております。お世辞は、およしになって下さい」

しかし、わたしの反対など気にもとめず、彼は自分の言いたいことを言いつづけた。

「きょうにもわたしは、あなたを馬車でミルコートへつれて行こう。あなたは自分の衣裳を選ばなければいけません。わたしたちは四週間以内に結婚するのだと言いましたね。結婚式は向うの丘の下の教会で静かに挙げることにしましょう。それからわたしは、すぐにあなたをロンドンへつれて行く。そこに、しばらく滞在してから、わたしはわたしの最愛の人を、太陽に近い国々——フランスのぶどう園や、イタリアの平原へ連れて行く。昔の物語や近代の歴史に名高いものは、なんでも見せてあげましょう。また、ほかの人たちと自分とを比較することによって、あなた自身の価値を知らせてあげましょう」

「わたしが旅行いたしますの——あなたとごいっしょに?」

「パリにも、ローマにも、ナポリにも——また、フローレンスにもヴェニスにもウィーンにも滞在する。かつてわたしがさすらい歩いた土地へは、悉《ことごと》く、あなたにも行ってもらう。わたしの蹄《ひづめ》のしるしたあとを、あなたの天女の足でたどっていただくのです。十年前わたしは嫌悪《けんお》と憎悪と怒りを道づれにして、狂気のようにヨーロッパを駆けめぐった。こんどは、癒《いや》され、清められて、わたしの慰め手である天使とともに、もういちどそこを訪れるのです」

彼がそう言ったとき、とうとうわたしは笑いだした。「わたしは天使ではございませんわ」とわたしは言った。「死ぬまで天使になるつもりはございません。わたしはわたしですわ、ロチェスター様。わたしに、なにか天上のものを期待なさったり、要求なさったりしてはいけませんわ――そのようなものは、あなたから得られないと同じように、わたしからも得られないからです。別段、わたしはあなたに、そんな期待は持っておりませんけれど」

「あなたはわたしに、何を期待するのですか？」

「あなたは、しばらくのあいだは、いまのままのあなたでいらっしゃるでしょう――ほんのしばらくのあいだは。それから冷たくなります。気まぐれになります。つぎには、とても気むずかしくなり、あなたのご機嫌《きげん》をとるのに、ずいぶん、骨を折らなければならなくなるでしょう。けれども、わたしという者に慣れて下すったら、ふたたび、わたしがお気に召すようになるでしょう――お気に召すと申しましたけれど、愛して下さるようになるとは申しません。あなたの愛が燃え立っているのは、六カ月、あるいは、もっと短いあいだだろうと存じます。夫の熱のさめない期間は最大そのくらいなものだと、ある人の書いた書物で見たことがございます。でも、結局お友だちとしても伴侶《はんりょ》としても、自分のいとしい旦那《だんな》様に嫌《きら》われる身にはなりたくないと存じます」

「嫌いになる！　そしてまた、あなたが気にいるようになる！　さよう、なんどでもわたしはあなたが気に入ることでしょう。気に入っているだけでなく、あなたを愛している――真実と熱情とをこめて、いつまでも変りなく――ということを、あなたに言わせてみせます」

「でも、気まぐれではございませんの？」

「みめかたちだけでわたしを喜ばせるような女たちに対しては、もしその女たちが魂も心情もないとわかったときには――そして、お世辞を言ったり、くだらないまねをしたり、また、たぶん愚劣な、下品な、不機嫌なようすを見せたりしたときには、わたしは、まったく恐ろしい人間になります。しかし、澄んだ瞳《ひとみ》や心をうつ言葉に対しては、それからまた燃えるような魂や、従順ではあるが折れることのない、柔軟で同時にしっかりした、素直ではあるが意志の強い性格に対しては――わたしは、いつも優しく誠実なのです」

「そのような性格の方にお会いになったことがございますの？　そのような方を愛されたことがございますの？」

「いま現に愛しています」

「いいえ、わたし以前に——仮にわたしが実際に、なんらかの点で、あなたのそのようなむずかしい標準に達しているとして」

「あなたほどの人に会ったことはない。ジェーン、あなたはわたしを喜ばせ、わたしを支配する。あなたは服従しているように見える。そしてわたしは、あなたの与えるその従順な感じが好きなのです。その柔らかな絹の糸束を指に巻きつけていると、わたしの腕から心へ、なにか、うちふるえながら伝わってくるものがある。わたしは心を動かされ——征服されてしまう。その作用は、なんとも言いようのないほど快《こころよ》く、わたしの受ける征服は、自分の手にする、どんな勝利よりも魅力があるのです。なぜ笑うのですか、ジェーン？　その不可解な、薄気味の悪い表情の変化は、どういう意味なのです？」

「わたしはいま考えていたのです。（こんなことを考えていて申しわけございませんけれど。なんとはなしに、浮んできたのです）——ヘラクレスとサムソンと彼らの寵《ちょう》愛《あい》した美女たちのことを考えていたのです——」（訳注　ヘラクレスはギリシャ神話、サムソンは旧約聖書に出てくる勇士で、二人とも美女のた

め謀殺される）

「そんなことを考えていたというのか、この小妖精めが――」

「ちょっとお待ちになって！　ただいまのお話は、あまり賢いものではございませんわ――あの勇士たちが、あまり賢明ではなかったと同じように。でも、あの勇士たちが、もし結婚したら、求婚時代の優しさを、夫となってからのきびしさで、埋め合せをしたにちがいないと思いますわ。あなたも、そうなるのではないかと心配ですの。いまから一年後に、もしわたしが、あなたに都合の悪い、あるいは、あなたがお喜びにならないことをお願いしたら、どんなご返事をなさるかしらと思いますの」

「いま、なにかねだって下さいよ、ジャネット――ほんのちょっとしたものでもいいから。わたしは、ねだってほしいのです」

「では、ほんとにお願いしましょう。わたしのお願いは、ちゃんともう用意してありますのよ」

「言ってごらん！　でも、そんな顔をして笑いながら見あげていると、なにかわからぬうちから、わたしは承知したと約束してしまいます。それじゃわたしは、馬鹿をみる」

「けっして、そんなことはございませんわ。わたしのお願いは、ただこれだけ――さっきのお話の宝石をとりよせないでいただきたいということ、それからわたしにバラの花冠をつけさせないでいただきたいということ。そんなことをなさるくらいなら、いっそ、そこに持っていらっしゃる無地のハンカチに金のレースで縁飾《ふちかざ》りでもなすった方が、まだましかもしれませんわ」

「『純金にメッキ』でもかけた方がまし（訳注　シェイクスピア作『ジョン王』より）ですかね。わかりました。では当分のあいだ——その願いを聞きいれることにしましょう。銀行へ言ってやったことはとり消すことにします。しかし、あなたは、まだ、なにもねだってはいませんよ。贈り物の取消しを頼んだだけですからね。さあ、もういちど、なにか言ってごらんなさい」

「では、どうぞわたしの好奇心を満足させて下さいませ。わたしの好奇心は、あることで、ひどくあおりたてられているのです」

彼は、ぎくりとしたようすであった。「なんですか？」と、急《せ》き込んで言った。「好奇心とは、けんのんな願いですね。どんな願いでも聞いてあげると約束しなくてよかった——」

「でも、そんなことを承知なさったからとて、すこしもけんのんなわけはございませんわ」

「では、言ってごらん、ジェーン。しかしわたしとしたら、ただ秘密を聞き出すなどということより、むしろ領地を半分ほしいと言われた方がいいですね」

「まあ、こんどはアハシュエロス王でございますか!(訳注 旧約エステル書に、アハシュエロス王「汝何ヲ望ムヤ、汝ノ願イハ何ナルヤ、国ノ半分ニ至ルトモ分カチ与ウベシ」とある)わたしがあなたのご領地を半分おねだりして、なんになりますの? わたしを、もうけのある投資向きの土地を捜しているユダヤ人の高利貸だとでも思っていらっしゃるのですか? わたしは、そんなものよりも、あなたから、ありったけの信頼をいただきたいと思います。わたしに心を開いて下さるのでしたら、隠しだてなさることなんか、ないではございませんか?」

「うち明けるだけの価値のあることなら、喜んで、なんでもうち明けますよ、ジェーン。しかし後生《ごしょう》だから、無益な重荷を負うことを求めないで下さい! 毒をほしがらないで下さい——わたしのそばでイヴそのままの女にならないで下さい!」

「なぜ、いけませんの? あなたは、たったいま、わたしに征服されるのが、どんなに好ましいか、むりにねだられるのが、どんなに嬉《うれ》しいかと、おっしゃったばかりではございませんか。そのお言葉に乗って、おねだりをはじめた方が、よろしいのではございませんの? ほんのわたしの腕だめしに、ご機嫌をとってみたり、懇願してみたり——もし必要なら、泣いてもみたり、すねてもみたりした方が、よろしいのではございませんの？」

「そんな腕だめし、やれるものならやってごらんなさい。侵入したり、出しゃばったりすると、万事おしまいですよ」

「あら、そうですの？　あなたは、すぐ降参なさいますのね。まあ、なんて、きついお顔をなさるのでしょう！　眉《まゆ》がわたしの指ほども大きくなり、そして額は、ある奇抜な詩の中に、『累々《るいるい》たる中空の雷雲』という句がありましたけれど、まるで、それみたいですわ。それが、あなたの結婚後のお顔なのでしょうか？」

「そして、いまのあなたのその顔が、結婚してからの顔だとしたら、わたしはキリスト教徒として、そんな地の精だか火の精だかしれないものと夫婦になる考えは、さっそく捨てることにしよう。だが、いったいあなたは、なにを訊《き》かなければならないのです？　こいつめ！——さあ、白状なさい！」

「ほら、もう、お行儀が悪くなってきましたわ。でもわたしは、お世辞よりも、粗野な方が、よっぽど好きですわ。天使と呼ばれるより、こいつと言われた方がましですわ。わたしが、お訊きしたいのは——どうしてあなたは、あんなに苦心して、イングラム嬢との結婚を望んでいるかのようにわたしに思い込ませようとなさったのですか？」

「それだけですか？　ああ、よかった！　もっと悪いことでなくて」そして彼は、やっと、険しい眉を開き、危険がすぎたのを見て喜ぶかのように、笑いながらわたしを見おろし、わたしの髪を撫《な》でた。「白状してもいいね」と、言葉をつづけた。「少々あなたをおこらせるにちがいないし——そして、おこったときのあなたが、火の精みたいになることもわかっているけれど。昨夜あなたが運命に反抗し、あなたの位置をわたしと平等だと言い張ったとき、冷たい月の光のなかで、あなたは、まるで火のように燃えていた。ところで、わたしに結婚の申しこみをさせた本尊は、あなただったのですよ」

「もちろんわたしでございます。でも、どうぞ、もっと要点をお話し下さいな——イングラム嬢のことを」

「そうです、わたしはイングラム嬢に求婚するふりをしたのです。というのは、わたしは、わたしがあなたに夢中になっているように、あなたをもわたしに夢中にさせたかったからです。そして、この目的を促進させるためには、嫉妬《しっと》こそわたしの呼びよせうる最良の同盟軍だと知っていたのです」

「ご立派ですこと！　それでは、あなたという方は、まるで小さな——わたしの小指の先よりも大きくない方ですわ。そんなやり方をなさるなんて、たいへんな恥辱ですわ。汚《けが》らわしく不面目なことですわ。あなたは、イングラム嬢のお気持については、ぜんぜんお考えにならなかったのですか?」

「あの人の感情は、ただ一つの点に——プライドに集中されているのです。あの高慢さは、挫《くじ》いてやる必要があります。嫉妬を感じましたか、ジェーン?」

「ご心配には及びませんわ——ロチェスター様。そんなことを知ったところで、すこしも、面白《おもしろ》いことはございません。もういちど、ほんとのことをお答えになって下さい。イングラム嬢が、あなたのいつわりの媚態《びたい》に苦しい思いをなさるとは、お考えになりませんでしたの? あの方は捨てられ、置き去りにされたとはお感じにならないでしょうか?」

「あり得ないことだ! あべこべに彼女の方でわたしを捨てたのだと、あなたにも話したじゃありませんか。わたしの財産がすくないという観念が、瞬間に、あの人の情熱をさましたた——いやむしろ消してしまったのです」

「あなたは、詮索《せんさく》好きな、たくらみのある方ですのね、ロチェスター様。あなたの主義は、ある点では常識はずれではないかと思います」

「わたしは主義には訓練されていないのですよ、ジェーン。注意が行き届かず、少々ねじけて成長したのかもしれません」

「もういちど、真面目《まじめ》にお答え下さいまし。このあいだじゅうから、わたしが感じていたような苦しみを、誰《だれ》かほかの人が味わっているということを気にかけずに、自分に恵まれたすばらしい幸福を楽しんでもいいものでしょうか?」

「いいですとも、わたしの善良なお嬢さん。わたしに対して、あなたほど清純な愛情を持っている人は、世界じゅうに一人もありません。わたしは、こういう喜ばしい気持で、うぬぼれているのですよ、ジェーン。それというのも、あなたの愛情を信頼しているからです」

わたしは、肩に置かれた彼の手に唇《くちびる》をよせた。わたしは、深く――自分でも信じることができぬほど――言葉で言い表わすことのできぬほど、彼を愛していた。

「もっと、なにか、ほしいものを言ってごらん」と、しばらくして彼は言った。「ねだられて、それに負けるのが、わたしは嬉しいのです」

願いの用意は、またちゃんとできていた。「あなたのご意向を、フェアファックス夫人にお伝え下さいましな。昨夜ホールで、いっしょにいるところを見て、あの方は、ひどく驚いていらっしゃいました。わたしが、あの方にお会いする前に、説明しておいて下さいな。あんな善良な方に誤解されるのは、つろうございますもの」

「部屋へ行って帽子をかぶっていらっしゃい」と彼は答えた。「というのは、きょう、朝のうちにミルコートへいっしょに行くのです。あなたが外出の仕度をしているあいだに、わたしは、あのおばあさんに、よく納得がいくように話しておきましょう。あのおばあさんは、ジャネット、あなたが恋のためには世間も捨て、世間なんぞなくともよいと考えているとでも思ったかもしれない」

「わたしが自分の身分を忘れていると思っていらっしゃるにちがいありませんわ」

「身分、身分！――あなたの身分は、わたしの胸のなかに、また、いまも、これから先も、あなたを侮辱するやつの首根っこにあるのです。さあ行ってらっしゃい」

わたしは、すぐに服を着替えた。そしてロチェスター氏がフェアファックス夫人の部屋を出るのを聞いて、急いでそこへ降りて行った。老婦人は、朝読む部分の聖書――その日の日課――を読んでいるところであった。聖書がひろげられたまま彼女の前に置いてあり、眼鏡《めがね》がその上に載っていた。ロチェスター氏の報告によって中絶されたその日課は、いまは忘れられたままになっているらしい。向い側の白い壁を見つめている夫人の目は、異常な情報のためにかき乱された静かな心の驚きを表わしていた。わたしを見て夫人は立ちあがった。夫人は、強《し》いて微笑を浮べようとつとめ、二《ふた》言三言《ことみこと》、お祝いの言葉を述べた。しかし微笑は消えて、言葉は途中でやんでしまった。夫人は眼鏡をしまい、聖書を閉じ、椅子《いす》をテーブルからうしろの方へ押しやった。

「わたしは、ただもう驚いております」と彼女は言いはじめた。「どう申しあげてよいのやら、エア先生、まさか夢を見ているのではないでしょうね？　ときおり、一人で坐《すわ》っておりますと、うとうとまどろんで、ありもしないことを夢見ることがあるのですが。まどろんでいると、十五年も前に亡《な》くなった夫が、はいってきて、わたしのそばに腰をおろしたように思われたことが、一度ならずありましてね。そればかりか、夫が、いつも呼んでいましたように、アリスとわたしの名を呼ぶのを聞いたような気さえするのです。ロチェスター様が、あなたに結婚の申しこみをなさったというのは、実際に、ほんとなのでしょうか。わたしを笑わないで下さいよ。でも、五分ほど前、ロチェスター様が、ここへお見えになって、一カ月以内に、あなたを奥様としてお迎えになるとおっしゃったのは、ほんとのように思うのですが」

「わたしにも、それと同じことを申されました」とわたしは答えた。

「そうおっしゃった！　それで、あなたは、それを信用していらっしゃるのですか？　あなたは承諾なさったのですか？」

「はい」

夫人は、どぎまぎしてわたしを見つめた。

「思いもよらぬことでした。あの方は自負心の強いお方です――ロチェスター家の人は、いずれも気位が高いのですが——それに、すくなくとも、お父様は、お金の好きな方でした。あの方も、いつも用心深い人間だと言われてきました。あの方は、あなたと結婚なさるおつもりでしょうか？」

「そう申しております」

夫人はわたしを上から下までながめまわした。わたしは、その目が、このなぞを解くに足る強い魅力を、わたしのどこからも発見できなかったことを、読みとった。

「そんなことが！」と彼女はつづけた。「でも、あなたがそうおっしゃるからには、もちろんこれは、ほんとでしょうね。どんな結果になるのやら、わたしにはわかりません——ほんとにわかりませんわ。こういう場合には、身分や財産の釣《つ》り合っているのが、一番ぐあいがよいと思うのですがね。それに、あなた方のお年は二十もちがっているのですからね。あの方は、あなたのお父様になれるくらいのお年ですよ」

「いいえ、けっしてそんなことはございませんわ、フェアファックス夫人！」と、いらいらしてわたしは叫んだ。「ちっとも、お父様のようではございません。わたしたちが、二人いっしょにいるところを見た人は、すこしもそんなことを思いはしないでしょう。ロチェスター様は、お若く見えますし、事実二十五くらいの青年のようですわ」

「あなたと結婚しようとしていらっしゃるのは、ほんとにあなたを愛していらっしゃるからなのですか？」と彼女はたずねた。

夫人の冷たさと疑《うたぐ》り深さとに傷つけられて、わたしは涙ぐんだほどであった。「あなたを悲しませて、お気の毒ですけれど」と未亡人は言いつづけた。「でも、あなたは、とてもお若くて、殿方とのお近づきが、ほとんどないのですから、ご自分で、よく気をつけていただきたいのですよ。『光るもの、かならずしも黄金ではない』という古い諺《ことわざ》がありますけど、こんどの場合も、わたしやあなたの期待しているものとは、ちがった結果になりはしないかと案じられるのです」

「どうしてですの？――わたしは怪物ですか？」とわたしは言った。「ロチェスター様がわたしに真実の愛を感じるのは不可能なことなのですか？」

「いいえ、あなたは、よい方ですし、それに、このごろはまた、とてもよくおなりです。ロチェスター様は、たぶん、あなたをお気に召していらっしゃるのでしょう。あなたがご主人様のお気に入りだということは、わたしも、常々気がついておりました。ときには、それが、あまり目につくほどなので、あなたのためを思って不安になり、ご自分でよく気をつけなさった方がよいと思うこともありました。でも、過《あやま》ちが起きそうだなどとは、遠まわしにも言いたくなかったのです。そんな考えは、あなたを驚かしたり、お気持をそこねたりするだろうと存じておりましたし、それに、あなたは思慮もあり、たいへん慎ましやかで、よく気のつくお方なので、ご自分で用心なさるようにと願っておりましたのです。昨晩、お屋敷じゅうを捜しても、あなたもご主人様もいらっしゃらず、十二時になって、二人ごいっしょにはいっておいでになったときには、わたしは、言いようもないほど心を痛めたことでございました」

「あら、もうそのことはご心配なさらないで下さいな」とわたしは、こらえきれなくなって、さえぎった。「なにごともなかったと申しあげるだけで十分ですわ」

「おしまいまで、なにごともなくいけたらよろしいのですが」と彼女は言った。「でも、わたしの言うことを、よくお聞きになって下さいよ。用心しすぎるということはないのですからね。ロチェスター様とのあいだに、隔てをおくように心がけて下さいよ。そして、あの方と同じく、あなたご自身をも信用なさらないように。あのようなご身分の殿方が、家庭教師と結婚するなんて、例のないことですからね」

わたしは、ほんとに腹がたってきた。すると、いいぐあいにアデールが駆けこんできた。

「わたしもつれてってね。――私もミルコートへつれてってちょうだい！」と彼女は叫んだ。「ロチェスター様はわたしをつれて行って下さらないのよ――新しい馬車には、あんなに腰かける場所があるのに。わたしもつれて行って下さるようにお願いして、ね、先生」

「お願いしてあげますよ、アデール」この憂鬱《ゆううつ》なお説教好きのおばあさんのそばから逃げ出すのを喜びながら、わたしは、アデールといっしょに、急いで部屋を出た。馬車は、もう仕度ができていた。玄関へまわそうとしているところで、主人は敷き石道の上を歩いており、パイロットが前になりあとになりして駆けまわっていた。

「アデールもいっしょに行ってよろしいでしょう。いけません?」

「来てはいけないと言ったのに。子供なんぞ、まっぴらだ!――あなただけ、つれて行くのです」

「どうぞ、つれて行ってあげて下さいな、ロチェスター様。そうなすった方がよろしゅうございますわ」

「よくないよ。遠慮させた方がいい」

表情も声も断固としていた。フェアファックス夫人の警告が、わたしの気持をさまし、疑惑がわたしをしょげさせていた。内容のない得体の知れぬなにかが、わたしの希望を包み込んでしまった。わたしは、彼に対する力の意識を、半ばうしないかけていた。それ以上言い争うことをせず、機械的にわたしは彼に従った。しかし、わたしを助けて馬車に乗せてくれたとき、彼はわたしの顔を見てしまった。

「どうしたのです?」と彼はたずねた――「すっかり元気をなくしてしまって。ほんとにあの子をつれて行きたいのですか? あの子をおいて行くのが心配なのですか?」

「つれて行けたら、どんなにいいかと思って」

「では大急ぎで帽子をとりに行っておいで。稲妻みたいに、すばやく引きかえしてくるんだよ!」と彼はアデールに向って叫んだ。

アデールは全速力で言われた通りにした。

「いずれにせよ、ひと朝くらいの邪魔は、大したことはない」と彼は言った。「近いうちに、あなたを――その思想も、会話も、同席も――一生のあいだ要求するつもりなのだから」

アデールは車の上へ抱きあげられると、わたしのとりなしに感謝する意味で、わたしに接吻《せっぷん》した。だが、すぐに彼の反対側の隅《すみ》っこへ押しこまれてしまった。すると彼女は、首を伸ばしてわたしの席の方を、のぞき見した。ひどくむずかしい顔をした隣の人は、あまりに気づまりで――いまのようにおこりっぽい気分の彼には――彼女は一言もささやきかけようともせず、なにかたずねようともしなかった。

「わたしの方へ来させて下さいな」とわたしは言った。「ご迷惑でしょうから。こちらには、たくさん席があいております」

彼は、まるで犬ころでも渡すように、アデールをわたしに渡した。「やはりこの子は学校へやることにしよう」と彼は言ったが、もう笑っていた。

アデールは、それを聞くと、エア先生といっしょでなく学校へ行くのか、とたずねた。

「そうだ」と彼は答えた。「絶対にいっしょではなくだ。というのは、わたしは先生を月の世界へつれて行き、火山の峰のあいだにある白い谷間のなかに洞窟《どうくつ》を見つけて、そこで暮すからだよ、先生とわたしと二人っきりでね」

「だって、そしたら先生は、なにも召し上がる物がないでしょう。先生を飢え死にさせてしまうわ」とアデールは言った。

「わたしが朝晩、甘露《かんろ》蜜《みつ》を集めてあげるのさ。月の世界では、原っぱも丘も甘露蜜で、真っ白なのだよ、アデール」

「先生が、暖まりたいとお思いになったら、火は、どうなさるの？」

「火はお月様の山のなかから噴き出すよ。先生が寒がったときには、山のてっぺんへつれて行って、噴火口の縁におろしてあげる」

「まあ、なんていやな——なんて気持のわるい思いをなさるのでしょう。それに着物が、ぼろぼろになってしまったら、どうして新しいのをこしらえるのかしら?」

ロチェスター氏は、ちょっと困ったようなふりをした。「うむ」と彼は言った。「おまえなら、どうするかね、アデール？　なにか、いいくふうはないか、知恵をしぼってごらん。白やピンクの雲を、ガウンにしたらどうだろうね？　それに、虹《にじ》を切りとったら、けっこう美しいスカーフができはしないかね」

「先生は、いまの方が、ずっといいと思うわ」しばらく考えこんでから、アデールは結論を下した。「それに、月の世界で、小父《おじ》様と、二人っきりで暮していらしったら、きっと退屈なさることよ。わたしが先生だったら、絶対に、小父様といっしょに行くことなど承知しないわ」

「ところが先生は承知したのだよ——固く約束してしまったのだ」

「でも、月の世界へつれて行くことはできないでしょう。月へ行く道なんてないんですもの。空気ばかりなんですもの。そして、先生も、小父様も、飛んで行くわけにはいかないんですもの」

「アデール、あの畑をご覧」そのとき馬車はソーンフィールドの門を出て、ミルコートへの、坦々《たんたん》とした道を、軽やかに進んでいた。雷雨のため、あたりの埃《ほこり》は、すっかり静まり、道の両側の低い生垣《いけがき》や高い樹木は、雨で元気をとり戻《もど》して、緑色にかがやいていた。

「二週間ばかり前の、ある日の夕方遅く、わたしは、あそこを歩いていたのだよ、アデール――果樹園の草地で、おまえが、干し草づくりの手伝いをしていた夕方のことだ。刈り草を、熊手《くまで》でかき集めるのに疲れて、わたしは踏段の上に腰をおろして休んでいた。それから、鉛筆と手帳をとり出し、ずっと昔わたしの上に起った不幸な出来事や、これから先幸福になれるようにという願望《ねがい》などを書きはじめた。もう明るさが紙の上でうすらいでいったけれど、わたしは、せっせと書いていた。そのとき、なにかが小径《こみち》を上がってきて、わたしから二ヤードばかりのところで立ちどまった。わたしは、その方を見た。それは頭にかげろうのヴェールをかぶった、小っぽけなやつだった。わたしが、そばへおいでと手まねきすると、すぐに、膝《ひざ》の上へ上がってきた。わたしは一言も話しかけず、そいつもわたしに口をきかなかった。しかしわたしは、そいつの目を読み、そいつはわたしの目を読んだ。二人の無言の問答で、こんなことがわかった――

「それは仙女《せんにょ》なんだ。妖精《ようせい》の国から来たのだそうだ。そして、その使命は、わたしを幸福にすることだという。わたしは、その仙女といっしょに、この世から抜け出して、寂しいところ――たとえば月の世界のようなところへ、行かなければならないと言うのだ。仙女は、ヘイ・ヒルの上に上った三日月を頭でさし示して、わたしたちが住むという雪花石膏《せっかせっこう》の洞窟や銀の谷間のことを話してくれた。わたしは行きたいと言った。だが、おまえがいま言ったように、わたしには飛んで行く翼がないと言ったのだよ。「『まあ』と、その仙女は答えた。『そんなことは、なんでもありません。ここに、どんな困難でも解決してくれる魔法の品があります』そう言って美しい指輪をとり出した。『これをわたしの左手の薬指にはめて下さい』と仙女が言うのだ。『そうすれば、わたしはあなたのもの、あなたはわたしのものです。そして、二人は地上を去って、あそこにわたしたちの天国をつくりましょう』仙女はまた月に向ってうなずいた。その指輪はね、アデール、金貨に化けて、わたしのズボンのポケットにはいっているけれど、わたしは、すぐまた、元の指輪に変えようと思っているのだよ」

「だけど、先生とその指輪と、どんな関係がありますの？　仙女なんか、どうでもいいわ。小父様が月世界へつれていらっしゃるのは、先生だとおっしゃったでしょう？」

「先生が仙女なんだよ」と彼は神秘的な口調でささやいた。わたしはそこでアデールにロチェスター様の冗談など気にしないようにと言った。アデールはアデールで、フランス人の生来の懐疑心を存分に発揮して、ロチェスター氏を正真正銘の嘘《うそ》つきと呼び、彼の仙女物語なんぞ、ちっとも信じないと言いきり、そのうえ、仙女などというものは、けっして実際にはいない、たとえ、いるにしても、彼の前に現われるようなことはないし、指輪をくれたり、いっしょに月の世界へ行って暮そうと言い出したりすることもない、と言った。

ミルコートですごした時間は、わたしにとっては、ややわずらわしいものであった。ロチェスター氏は、むりやりわたしをある絹織物の店へつれて行き、そこで半ダースばかり衣裳《いしょう》を選ぶことを命じた。わたしは、それがいやでならなかった。延期してほしいと頼んではみたけれど、――やはり、いますぐ片づけてしまわなければならないことなのであった。低い声で、一生懸命に嘆願した結果、やっと二着に減らすことができた。しかし彼は、その二枚は、どうでも自分で選ぶと言い張った。派手な衣裳の上を見まわしている彼の目を、わたしは心配そうに見守っていた。彼は一番美しい紫水晶色の高価な絹織りと、はなやかなピンク色のサテンに目をとめた。わたしはまた小声で、そんな衣裳を買って下さるのは、金の冠と銀の帽子を、いっぺんに買ってくれるのと同じことだ、どんなことがあっても、あなたの見立ててくれたものは着ませんよと、なんども、なんどもささやいた。しかし彼は、石のように頑固《がんこ》だった。だからわたしは、さんざん、骨を折ったあげく、やっと地味な黒のサテンと真珠色の絹物にとり替えることを納得させた。「まあ、いまのところは、それでいいとするが」と彼は言った。「そのうち花壇のようにきらびやかに飾りたてずにはおかないよ」絹織物の店から、つぎには宝石商の店から、彼をつれ出して、わたしはほっとした。彼が、なにか買ってくれればくれるほど、わたしの頰《ほお》は当惑と屈辱の感じで燃えるように熱くなった。馬車へ戻り、熱っぽく、ぐったりとなって背をもたせかけたとき、明暗こもごものあわただしい出来事にまぎれて忘れていたこと――叔父のジョン・エアからリード夫人にあてた手紙のこと、わたしを養女として遺産相続人にしたいという、叔父の意向を思いだした。（もし、ささやかながら独立できる財産があったら、それはわたしの救いになるだろう）とわたしは思った。（ロチェスター様に人形のように着せ飾られたり、毎日、身のまわりに黄金の雨を浴びて、第二のダナエ姫（訳注　ギリシャ神話に出てくる美姫）かなにかのように坐《すわ》らされているのは、我慢ができない。家へ帰ったら、さっそくマデイラへ手紙を書いて、ジョン叔父に、わたしが結婚しようとしていること、それから、その相手のことを知らせよう。もしわたしがいつの日かロチェスター様のもとへ財産相続権を持ってくることができるという見通しだけでも得られたら、いまお世話になっていることも、ずっと我慢しやすくなるにちがいない）そして、こう考えると（その日わたしは、これを実行することを忘れなかった）、やや救われた感じで、主人であり恋人である人と、もう一度目を見合せる勇気が出た。その目は、わたしがなんとかして、その顔からも視線からも避けようとしていたのに、しつこくわたしの目を追い求めていたのであった。彼は微笑した。その微笑は、まるでサルタンが喜びと愛情に満ちて、黄金や宝石で美々《びび》しく飾らせた女奴隷《どれい》をながめるときの微笑のようだとわたしは思った。わたしは、たえずわたしの手を捜し求めていた彼の手を強くつかんで、腹だちまぎれに赤くなるまでしめつけてから、つきかえしてやった。

「そんなお顔をなさるには及びませんわ」とわたしは言った。「そんなお顔をなさるなら、わたしは死ぬまでローウッドの古ぼけた上着のほかは着ませんことよ。この藤《ふじ》色《いろ》のギンガムを着たままで結婚式にも出ます。あなたは、あの真珠色の絹で、ご自分の寝間着をこしらえ、あの黒いサテンで幾枚でもチョッキをおつくりになったらよろしいでしょう」

彼は、くすくす笑って、手をこすった。「ああ！　あなたの言ったり、したりすることを見ていると愉快でならない！」と叫んだ。「この人は変り者なのかね？　辛辣《しんらつ》なのかね？　わたしは、この小さなイギリス人のお嬢さん一人を、かもしかのような優しい目と、回教の極楽の女神のような姿をした大トルコ帝国の後宮全部とだってとり替えるつもりはない！」

この東洋の後宮を引き合いに出したのが、また、ちくりとわたしの気にさわった。

「わたしは後宮の代りなど、一分だって勤めませんよ」とわたしは言った。「もしもあなたが、そんなたぐいの女をお好きなのでしたら、さっさとイスタンブールの奴隷市場へおいでなさいな。そして、ここでは使い道に困っていらっしゃる、その余分なお金を、女奴隷を買いあさるためにお使い遊ばせ」

「ではわたしが、人肉何トン、黒い瞳《ひとみ》何種類と取引きをしているあいだ、あなたは、なにをしているの、ジェーン？」

「わたしは、奴隷になった人たち――とりわけあなたの後宮の女たちに自由を説く伝道師として出発する仕度をいたしますわ。後宮に出入りする許しを得て、彼女たちに反乱を起すよう扇動します。三つの尾のパシャ（訳注　トルコで最高の貴顕）としていばっていても、あなたはたちまちわたしどもの仲間によって足枷《あしかせ》をかけられていることに気がつくでしょう。ともかく、いまだかつて、どんな専制君主も許したことがないほど寛大な特赦状に、あなたが署名なさらぬかぎり、わたしは、あなたの束縛《いましめ》を解くことを承諾しませんわ」

「そのときは、あなたのお慈悲にすがって署名しますよ。ジェーン」

「そんな目で嘆願なさるのでは、ロチェスター様、わたしはお慈悲をかけるわけにはいきませんわ。そんなお顔をなさる以上は、いくらあなたが強要されて赦免状に署名されたところで、あなたが足枷を解かれたあかつき、まず最初にあなたのなさることは、その条件を破棄なさることだと思います」

「なぜですか、ジェーン、いったいあなたはどうしようというのです？　教会で挙げる結婚式以外に、秘密の結婚式をしろと、私に強いるのではないでしょうね。なにか特殊の条件を要求しようというのですね——いったいそれはどんなことですか？」

「わたしはただ楽な気持でいたいのですわ。十重《とえ》二十重《はたえ》の恩義で押しつぶされたくないのです。セリーヌ・ヴァランスについておっしゃったことを、おぼえていらっしゃいますか？——あなたが彼女に贈ったダイヤモンドや、カシミヤ織りのこと。わたしは、あなたのイギリス人のセリーヌ・ヴァランスにはなりません。わたしはやはりアデールの家庭教師のままでいます。それによって、わたしのお食事も住居もいただき、年に三十ポンドの給料もかせぎます。そのお金のなかから、わたしは、自分の衣服も整えます。ですから、わたしに、なに一つ、下すってはいけません。ただ——」

「ただ、なんですか？」

「あなたのご好意以外は。そして、そのお返しにわたしの好意を差しあげたら、それで貸借なしになりましょう」

「なるほど、その生え抜きの冷酷な厚顔と生得《せいとく》の混じりけのない高慢さにかけては、あなたに匹敵するものはありませんね」と彼は言った。そのときわたしたちはソーンフィールドに近づいていた。「きょうはわたしといっしょに食事をしてくれませんか？」と門をくぐるとき、彼はたずねた。

「いいえ、けっこうでございますわ」

「人に誘われたとき、『いいえ、けっこうです』のほかは、答えはないものですかね」

「でも、これまで、ごいっしょにお食事したことがございませんし、また、いましなくてはならぬ理由もございませんもの。ただ、そのときになったら——」

「どんなときですか？　途中まで言いかけてやめるのが好きな人ですね」

「ごいっしょにしなければならぬときでございます」

「わたしと食事をするのをこわがるなんて、わたしを、まるで食人鬼か食屍鬼《しょくしき》かなんぞのように、あなたをとって食うとでも思っているんですか？」

「そんなこと、思ってみたこともございませんわ。ですけれど、もう一カ月ほど、いままで通りにしていたいのです」

「家庭教師などという、奴隷状態は、すぐにやめるのでしょうね」

「お許し下さいませ。わたしは、やめません。いままで通り、つづけたいのです。これまでの習慣通り、終日お邪魔しないようにいたしますわ。夜分、わたしに会いたいお気持になりましたら、お呼びになって下さいませ。そしたら、お伺いいたします。でも、それ以外のときにはいけませんわ」

「煙草《たばこ》がのみたいな、ジェーン、さもなければ、かぎ煙草を一つまみ。そんなことばかり聞かされている気休めにね。アデールがよく言うように、『面目をたもつため』にね。あいにく葉巻き入れも、かぎ煙草入れも、持っていない。だが、まあ聞きなさい——ないしょ話ですよ。いまは、あなたのときです。ねえ、小さな暴君さん。だが、やがてわたしのときがくる。そして、あなたをわたしのものにしてはなさずにおくために、わたしは、いったんあなたを完全に私のものにしたあかつきには——たとえば——こんなふうに、あなたを鎖に結びつけておくつもりです」（と彼は懐中時計の鎖にさわりながら）「そうです。『わが美《うる》わしく小さきものよ、そをわが胸につけむ。わが宝玉をうしなわざらんがため』」

わたしを馬車から助けおろしながら、彼はこう言った。そのあと、彼がアデールを抱きおろしているあいだに、わたしは、家のなかへはいり、うまく二階へ引きさがってしまった。

その夜、彼は型のごとくわたしを呼びよせた。わたしは、彼に対する態度を、ちゃんと用意していた。さし向いの対談で終始してはならぬと決心していたのである。わたしは彼の美しい声を忘れてはいなかったし、また彼が、じょうずな歌い手が大抵そうであるように——歌うのが好きであることも知っていた。わたし自身は、けっして声楽家ではなかったし、また彼のきびしい判定によれば、音楽家でもなかった。しかし、じょうずな演奏を聴くのは大好きだった。たそがれ、ロマンスの時刻が、格子《こうし》窓《まど》の向うに、星をちりばめた青い旗を低くおろしはじめるとすぐ、わたしは立ちあがって、ピアノの蓋《ふた》をあけ、お願いですから、わたしのために、何か歌って下さい、とねだった。彼はわたしを、気まぐれな魔女だと言い、歌うのは別のときにしたい、と言った。しかしわたしは、今宵《こよい》のようなよい機会はまたとないと言い張った。

「わたしの声が好きなの？」と彼は訊いた。

「とても」敏感な彼の虚栄心を甘やかすのは好ましくなかったけれど、わたしは、このときにかぎって、便宜上、その虚栄心をなだめたり刺激したりしようと思った。

「では、ジェーン、あなたは伴奏を弾かなくてはいけないよ」

「ようございます。弾いてみますわ」

わたしは弾いてはみたけれど、間もなく弾奏椅子《いす》からのけられてしまって、「不器用な娘だ」と言われた。乱暴にかたわらへ押しやられ――だが、それはわたしの望むところであった――彼はわたしの場所を奪うと、自分で伴奏しながら歌いはじめた。歌うのと同様に彼は、弾くこともできたのである。わたしは急いで窓の出っ張りのところへ行った。そこへ腰をおろして、静かな木立ちや、ほの暗い芝生をながめているあいだに、つぎの歌が、さわやかな夜気のなかを、美しい調子で流れていった。――

わがあつき胸のおくがに
とわに燃ゆるきよき恋は
高鳴る鼓動につれて、いとすみやかに
命の流れを血管《ちくだ》にそそぎぬ

日ごとかの人の来るはわが望み
去りゆくは胸の痛みなれ
その足どりの遅るる日
わが血潮は冷たく凍りぬ

愛するごとく愛さるれば
こよなき幸《さち》と夢みつつ
そを求めてひた走りぬ
盲《めしい》のごとくひたすらに

さあれ二人が生命《いのち》隔つるみぞは
かよい路もなき果てしなさ
みどりなす大海原《おおうなばら》の
波立つ潮流《うしお》にも似てあやうし

ふたたび荒野をよぎり森を越えゆく
盗賊の道のごとく　そは横たわる
権勢、道義、悲愁、憤怒《ふんぬ》の
われらが心をはばみへだつなれば
われは危難をおそれず障壁を笑いぬ

不吉な前兆も　なにかはせじ
おどし、悩まし、いましむるものを
われはまっしぐらに走りすぎぬ

わが虹《にじ》は光のごとくすみやかにかかりぬ
われは夢にあるごとく空を飛びぬ
驟雨《しゅうう》と稲妻の子よ
そはかがやかしくわが前に来たれり

優しくおごそかなる至福は
苦しみにかげる雪の上に　なおも苦しく照り映えぬ
いかにしげくいかめしく災厄《さいやく》の迫りくるとも
いまわれは恐れじ

われは恐れじ妙《たえ》なるこの時
うち越え来たりしなべてのもの

すさまじき復讐《ふくしゅう》を叫びて
つよく早き翼に乗りて襲い来たるとも
おごれる憎悪《ぞうお》われをうち倒し
道義のしがらみ　われに迫るとも
またはすさまじき形相《ぎょうそう》もて
暴虐《ぼうぎゃく》なる権力、久遠《くおん》の敵意を誓うとも

いとしき人は気高き真実もて
かよわき手をわが手にかさねぬ
聖なる婚姻の絆《きずな》もて
われらが心を結ばんと誓いぬ

いとしき人は固めのくちづけもて
われと生き、われと死なんと誓えり
われは得ぬ　こよなき幸《さち》を

愛するごとく、愛さるるわれは！

彼は立ちあがって、わたしの方へ来たが、顔は燃え、鷹《たか》のような目は、きらきらとかがやき、顔全体に、優しさと情熱とがあふれていた。わたしは、ちょっとひるんだ——しかし、すぐに気をとりなおした。愛情に満ちた場面や、思いきった愛の表現を、わたしは避けたかったのだが、しかもわたしは、その両方の危険に直面していたのである。防御の武器を用意しなければならない。わたしは舌をとぎ、彼が近づいてきたとき、そっけない態度で訊いた。「あなたは誰《だれ》と結婚しようとしていらしったのですか？」

「かわいいジェーンから、そんな質問が出るとは奇妙だね」

「あら！　わたしは、きわめて当然な、必要な質問だと思いますわ。あなたは、未来の妻はいっしょに死ぬものだとおっしゃいましたわね。そんな異教的なお考えを持って、どうなさるおつもりなのでしょう？　わたしは、あなたといっしょに死ぬつもりは毛頭ございませんことよ——それだけは確実でございますわ」

「おお、わたしが、せつに願い、求めるのは、あなたがわたしとともに生きてくれることだけだ！　あなたのような人に死は必要ではない」

「そうですとも。わたしだって、そのときが来れば、あなたと同じように死ぬ権利はございます。でも、そのときが来るまでは、じっと待っているべきで、寡婦《か》殉《ふ》死（訳注 インドで寡婦が夫の死体とともに焚死した古い風習をいう）などをして死を急ぐことはないと思います」

「わたしが、こんな自分本位の考え方をしたのを許してほしい。そして、そのしるしに、仲直りの接吻《せっぷん》をしてくれませんか」

「いいえ、お断わりしたいと思いますわ」

そこで彼はわたしを「強情者め」と言い、なお、こうつけ加えた。「ほかの女なら、こんなにほめたたえた歌を聞かされたら、骨の髄までとろけてしまうのに」

わたしは、自分が生れつき強情で――ほんとに火打ち石みたいに強情で――だから、あなたは、今後しばしば、その事実を発見するだろうと、きっぱり言いきった。またそのうえ、わたしは今後四週間たたぬうちに、わたしの性格の粗野な点を、たくさんお目にかけることにきめているから、あなたが、どんなたいへんな契約をしたか、まだとり消す余裕のあるうちに十分考えてみる必要がある、とも言った。

「落ち着いて、もっと理性的な話し方をしたらどうですか？」

「およろしければ落ち着きましょう。でも理性的な話し方ということでしたら、わたしは、現に、そのようにしているつもりでございますわ」

彼はいらいらして、「ふん」と言ったり「ちぇっ」と舌打ちしたりした。（これでいいのだ）とわたしは思った。（おこるなり、じれるなり、好きなようになさるがよい。でも、あなたとごいっしょに暮していくには、これが一番よい方法なのです。わたしは、言葉に表わせぬほど、あなたを愛しています。けれどもわたしは、せっかく高まってきた熱情の頂から、急に冷却の奈落《ならく》に落ちこむようなはめにはなりたくないし、だから、この当意即妙の答えという針を用いて、あなたをも、その深淵《しんえん》の縁から落ちこまないように支えていてあげるのです。それにもまして、わたしは、この皮肉な針の助けをかりて、わたしたちの真の幸福に一番ためになる、二人のあいだの隔たりを、保っていきたいと思うのです）

次第に彼をいらだたせた末、とうとう彼がおこって、部屋の向うの隅《すみ》に引っこんでしまうと、わたしは立ちあがり、いつもの自然な、丁寧な態度で、「おやすみ遊ばせ」と言い、そっと、わき戸を抜けて部屋を出た。

こんなふうにしてはじめた方法を、わたしは婚約期間中、非常な成功をあげながら、つづけていった。なるほど彼は、幾分不機嫌《ふきげん》で、気むずかしくはなっていた。けれどもまた、総体的にいうと、彼は、ひどく面白《おもしろ》がってもいたし、それに小羊のような従順や山鳩《やまばと》のような優しい感受性は、彼の横暴を、ますますつのらせる反面、彼の判断力を喜ばせることも、彼の常識を満足させることも、彼の好みに合うことすらも、ないにちがいないとわたしは知った。

ほかの人たちのいるところでは、それ以外の態度は、一向必要ではなかったので、わたしは、以前の通り、慎ましやかに、控え目にしていた。いま言ったように、彼にたてついたり、彼を苦しめたりするのは、夜、二人きりで話し合うときにかぎられていた。毎晩、時計が七時をうつと、時間をたがえず、彼はわたしを呼びによこした。けれども、もうわたしが姿を見せても、「愛する人」とか「かわいい人」などという甘ったるい言葉が、彼の口にのぼることはなくなり、わたしに対する最上の称号は、「いまいましい木偶《でく》人形」とか「意地悪の小人《エルフ》」とか「妖精《ようせい》」とか「鬼っ子」とか、そんなたぐいのものであった。また愛撫《あいぶ》の代りには渋面を見せつけられ、手を握られる代りに腕をつねられ、頰《ほお》に接吻される代りに耳たぶをぎゅっと引っぱられたりした。これはわたしにとって、まことに申し分なかった。いまのところは、この手荒い愛の表現の方が、もっと優しい愛撫よりも、はるかにわたしの気に入っていた。フェアファックス夫人も、ついにわたしを認めてくれたことがわかった。わたしのためにいだいていた彼女の不安も消え去った。だから結局わたしは、賢明にやりおおせたわけである。一方ロチェスター氏は、わたしのお陰で骨と皮になるほどやせてしまったと言い、間近に迫っているある時期がきたら、そのときには、今のわたしの仕打ちに対して、ひどい復讐をしてやる、とおどかした。わたしは、この脅迫を聞くと、顔に袖《そで》をおしあてて笑った。(いまわたしは、あなたに道理にかなった抑制を保たせておくことができる)とわたしは考えた。(これから後も、きっとそうできるだろう。もしこれが効果をうしなったら、そのときには、また別の方法が案出できるだろう)
とはいうものの、結局、わたしの仕事は、たやすいものではなかった。幾度かわたしは、彼をいじめるよりも、喜ばしたくなった。未来の夫はわたしにとって、いまは全世界となりつつあった。いな、世界以上のもの——この世のものならぬ至上の希望とさえもなりつつあったのだ。ちょうど日食が、人間と、まばゆい太陽とのあいだをさえぎるように、彼は、わたしと、あらゆる宗教上の観念とのあいだに、立ちふさがっていた。そのころわたしは、神のおつくりになった一人の人間に心を奪われていて、神の姿を見ることができなかった——その人間はわたしの偶像になっていたのである。

25

婚約の月は過ぎた。その最後の時間さえ、数えられるほどであった。間近に迫ったその日——結婚の日は、もはや延ばされそうもなかった。その日のための準備は、すっかり整っていた。すくなくとも、当のわたしは、もうなにもすることはなかった。わたしのトランクは、荷物をつめ、鍵《かぎ》をかけ、縄《なわ》で縛って、小さなわたしの部屋の壁ぎわに、一列に並んでいた。あすのいま時分には、このトランクは、はるか遠くロンドンへ送られる途中にあるだろう。そして、わたしも——というより、わたしではなく、ジェーン・ロチェスターというわたしの未知の一人物も、（神の御心《みこころ》にかなえば）やはり同じ途上にあるはずである。荷札だけは、まだ、釘《くぎ》で打ちつけてない。その四枚の小さな四角の紙は、わたしの引出しにはいっていた。その一枚々々に、ロチェスター氏は自分で、「ロンドン・××ホテル、ロチェスター夫人」と、あて名を書いてくれた。わたしは、この荷札を、自分でつける気にもなれず、つけてもらう気にもなれなかった。ロチェスター夫人！　だが、その人はまだ、存在していない——あす、午前八時すぎにならないと誕生しないのだ。わたしはわたしの所有するものを全部彼女に譲りわたす前に、実際に彼女がこの世に誕生するのかどうか、その確信が与えられるのを待つことにしよう。化粧机の向い側の押入れのなかにロチェスター夫人の物といわれる衣服が、すでにわたしの黒ラシャのローウッドのフロックや麦藁《むぎわら》帽子と入れ代って、はいっているだけで十分である。一そろいの婚礼衣裳《いしょう》——真珠色のローブや、釘から垂れさがっている、ふんわりとしたヴェールなどは、わたしの物ではないからである。わたしは、そこにはいっている不気味な亡霊のような衣裳を隠すために押入れを締めた。事実、今宵《こよい》のこの時刻——九時であった——その衣裳は、わたしの居間の暗がりで、薄気味の悪い光を放っているのだ。(白い幻よ、わたしは、おまえを一人残して去るつもりだ)とわたしは言った。(体が熱っぽい。風の吹くのが聞える。外に出て、風にあたろう)

熱っぽくなったのは、仕度が忙しかったからばかりでもなく、大きな変化の予想——あすからはじまるはずの新生の予想からばかりでもなかった。(もとより、こんな夜ふけに暗い庭にわたしを駆りたてるような落ち着かない胸騒ぎのする気分が生れたのは、この二つの事情に関係があったけれど)それらのもの以上に、第三の原因が、わたしの心に、ひどい影響を与えたのである。

わたしは心のなかに奇怪な、不安な思いをいだいていた。理解できないことが起ったのである。わたしのほかには、誰一人知りもせず、見もせぬ、出来事であった。起ったのは昨夜である。昨夜ロチェスター氏は不在であった。きょうも、まだ帰っていない。彼は三十マイルほどはなれたところに持っている二つ三つの農場の小さな所領地へ所用で出かけて行ったのである——彼が予定している出発に先だって、是非とも自分で片づけておかなければならぬ用件があったのだ。わたしは彼の帰りを待ちわびていた。心の重荷をおろしたいのと、わたしの頭を悩ましている、あのなぞの解答を、彼に求めたくてたまらなかったのである。しかし読者よ、彼が帰ってくるまで、お待ち下さい。わたしが彼に秘密をうち明けるときには、あなたがたも、その秘密をお聞きになるわけだから。

わたしは、風に追われながら、果樹園の木立ちの奥へ歩いて行った。風は終日、雨一滴も交じえずに、南から、はげしく、まともに吹きつけていた。夜が近づくにつれて、風は、静まるどころか、かえって勢いをまし、ますます吠《ほ》えたけり、木々は一方へ、しっかりと吹きつけられたまま、身をもがくこともできず、一時間のうち、ただ一度も、大きな枝を、元へはねかえすこともなく、茂った梢《こずえ》のいただきは、北の方へ弓なりにねじ曲げられたままであった。雲は南の果てから北の果てへ、一団、また一団と、あわただしく、つづけざまに、流れていった。七月のその日、青空は、まるで見えなかった。

中空に、ごうごうとなっている、はかり知れぬ大気の流れに胸の悩みをぶっつけながら、追風を受けて走って行くのは、なにかしら荒々しい喜びがあった。月桂樹《げっけいじゅ》の散歩道を降りて行くと、栗《くり》の木の無残な残骸《ざんがい》が目の前にあった。木は黒く引き裂かれて立っており、真ん中から裂けた幹が、不気味にあえいでいた。引き裂かれたそれぞれの半分は、互いにはなれきらず、くっついたままになっているが、それは、がんじょうな幹の下部と強い根が、割れていない下の方を支えているからであった。共有していた生命は絶たれ——もはや樹液も通うことができず、大きな枝は死んでいて、ことしの冬の嵐《あらし》は、きっとその片方を——あるいは、その両方を地に倒すであろうが、それでもまだ彼らは、一本の木——一本の廃木、しかも、まったくの廃木ではあるが、ともかく一本の木をなしているといえるかもしれない。

（おまえたちは、たがいに、しっかりと、支えあっていた）と、この巨大な木のかけらが生命を持っていて、わたしの言葉を理解するかのように、わたしは言った。（おまえたちは、見るからに傷つき、黒く焼け焦《こ》げてはいるけれど、しかもまだ忠実で正直な木の根に、しっかりと固着している。だから、そこから生じる生の意識が、いくらか残っているにちがいない。もはや、おまえたちは緑の葉をつけることはあるまい——小鳥たちが、おまえたちの梢のあいだに巣をかけ、田園の歌を歌うことも、もう二度とあるまい。喜びと愛の時代は、おまえたちから去ったのだ。しかし、おまえたちは孤独ではない。おたがいに、その痛ましい姿に同情する仲間を持っているのだから）わたしが栗の木を見あげたとき、木の裂けめを埋めている空に、ちょっとのあいだ、月が現われた。丸い月の面は血のように赤く、なかば雲におおわれていた。月はわたしに、惑乱したような、陰気な一瞥《いちべつ》を投げかけると、すぐにまた厚い雲のなかに姿を隠した。ソーンフィールドの周囲で、風は一時やんだが、森や小川を越えた、はるか彼方《かなた》で、狂おしい、陰鬱《いんうつ》な、すすり泣きの声をあげていた。それに耳を澄ましているのは悲しかった。わたしは、ふたたび、そこを走り去った。

わたしは、あちらこちらと果樹園をさまよった。木の根元の草の上に、いっぱい、ふり落されている、りんごの実を拾い集め、熟した実を、そのなかからよりわけた。それを家のなかへ運び、貯蔵室へしまった。つぎに書斎へ行って、煖炉《だんろ》が燃えているかどうかをたしかめた。夏でも、このような陰気な夜には、ロチェスター氏は帰宅して煖炉が勢いよく燃えているのを見るのが好きだということをわたしは知っていたからである。はたして、火はたきつけられてあって、よく燃えていた。わたしは彼の肘《ひじ》掛椅子《かけいす》を炉端に置き、そのそばへテーブルを押して行った。窓のカーテンをおろし、燭台《しょくだい》を運んできて、いつでも、ともせるようにしておいた。

こうして、すっかり仕度を整えてしまうと、いままでよりも、もっと落ち着かなくなって、じっと坐《すわ》っていることはおろか、家のなかにいることすらできなくなった。部屋のなかの小さな置時計とホールの大時計が、同時に十時をうった。

（ずいぶん夜がふけたこと！）とわたしは呟《つぶや》いた。（門まで駆けて行ってみよう。ときどき月の光がさすから、道は遠くまで見通せる。もう帰っていらっしゃるところかもしれないし、出迎えに行けば、気がかりな時間が、いくらかまぎれるだろう）

風は、うっそうと門をおおっている巨木の梢高く吠えていたが、見渡すかぎり、右も左も、道は、静まりかえり、ときどき月が雲間から現われると、それを横ぎる雲の影があるばかりで、そのほかには動く影もない長い青白い一筋であった。

道をながめているあいだに、子供っぽい涙――待ちきれず、失望のあまり、にじんできた涙――で、目が曇ってきた。恥ずかしくなって、わたしは涙をぬぐった。わたしは去りかねていた。月は、まったく姿を消し、厚い雲のカーテンを引いてしまった。夜はますます暗くなり、強風を追いかけて雨が降ってきた。

（早く帰っていらっしゃればいいのに！　早く帰っていらっしゃればいいのに！）異様な胸騒ぎを感じてわたしは叫んだ。お茶の時間までには帰ってくると思っていたのに、もう真っ暗になっている。なにが彼を引きとめているのだろう？　なにか、まちがいでも起ったのだろうか？　昨夜の出来事がふたたびわたしの心によみがえってきた。わたしは、その出来事を、災厄《さいやく》の前兆と解した。わたしの希望は、実現されるにしては、あまりすばらしすぎると、心に恐れを感じていた。近ごろわたしは、あまりに幸福を楽しみすぎたので、わたしの運命は、もはや頂点をすぎ、下り坂に向っているにちがいないと思った。

（そうだ、家へ戻《もど》ることはできない）とわたしは思った。（こんなひどい天候のときに外にいらっしゃるのに、わたしだけが煖炉のそばに坐っているわけにはいかない。心を張りつめているよりも、手足を疲れさせた方が、まだましだ。もっと先まで出かけて行って、あの方をお迎えしよう）

わたしは歩きだした。急いで歩いたが、それほど遠くまでは行かなかった。四分の一マイルも行かぬうちに、馬蹄《ばてい》の音が聞えてきた。一人の騎者が馬を走らせて近づいてきた。一頭の犬が、そのそばを駆けている。不吉な予感よ、去れ！　馬上の人は彼であった。愛馬メスルアにまたがり、愛犬パイロットを従えた彼が、そこへ来た。彼はわたしを見つけた。月が空一面に青い平原をくりひろげ、水のように、おぼろに光りながら、浮んでいたからである。彼は帽子をとって、それを頭の上でうちふった。わたしは駆け出して行って出迎えた。

「さあ！」と、手を差しのべて、くらから身をかがめながら、彼は叫んだ。「だめですよ。どう思ったところで、一人では無理だ。わたしの靴の爪先《つまさき》に上がって、両手を出しなさい。さあ、お乗りなさい！」

わたしは彼の言う通りにしたが、喜びがわたしを敏捷《びんしょう》にして、ひらりと彼の前へ飛び乗った。わたしは、心をこめた接吻《せっぷん》を受け、また多少得意げな勝利感に接したが、できるだけ、それをこらえた。彼は、喜びを抑えて、たずねた。「しかし、こんな時間にわたしを迎えにくるなんて、なにかあったのかね。なにかよくないことでも？」

「いいえ、でもわたし、あなたが、もう二度と帰っていらっしゃらないような気がしましたの。それに、この雨風でしょう、じっと家のなかでお待ちしていることができなかったのですわ」

「雨風……まったくだ！　そういえば、あなたは人魚のようにずぶぬれだ。わたしの外套《がいとう》を巻きつけていなさい。しかし、あなたは、かなり熱があるようだ——手も頰も燃えるように熱い。もういちど訊《き》くけど、なにかあったのか？」

「もうなんでもありません。こわくもなく、いやな気分でもありません」

「では、さっきはこわかったり、不愉快だったりしたのだね？」

「多少ね。でも、そのことは、おいおいすっかりお話しいたしますわ。たぶんわたしの苦しみをお笑いになるだけでしょうけれど」

「あすが済んだら、思いきり笑ってあげます。それまでは遠慮しますよ。わたしは、わたしのねらう獲物を、まだしっかりとはつかんでいないのでね。この一カ月というもの、あなたは、まるで、うなぎのようにつかまえにくく、野いばらのようにとげとげしかった。刺されることなしには、どこにも指一つ、さわれなかった。しかし今夜は、道に迷った小羊を両手に抱きしめているような気がする。あなたは羊飼いを捜し求めて牧舎をさまよい出てきたのでしょう、ジェーン？」

「お会いしたいことがありましたのよ。でも得意になってはいけませんわ。さあ、ソーンフィールドです。降ろして下さいな」

彼は敷き石道の上にわたしを降ろした。ジョンが馬をひいて去った。彼はわたしのあとからホールへはいると、急いで、乾いた服に着替えて、書斎の自分のところへ来るように、と言った。そして、階段を上がりかけたわたしを引きとめ、あまり手間どらぬように、と約束させた。わたしは手間どりはしなかった。五分もすると彼の部屋へ行った。彼は夕食を食べていた。

「席についてお相伴《しょうばん》して下さい。うまくいけば、当分のあいだは、これがソーンフィールドにおける最後から二度めの食事になるのですからね」

わたしは彼のそばに腰をおろしたが、食べられないと言った。

「旅行を目前に控えているからですか、ジェーン。あなたの食欲を奪ったのは、ロンドンへ行くという考えですか？」

「今夜は、先の見通しなど、はっきりつきませんの。それに、わたしの心が、どんなことを考えているかも、よくわかりませんの。この世のなにもかもが現実ではないように思えるのです」

「わたしをのぞいてはね。わたしは現実の人間ですよ――さわってごらん」

「あなたこそ、なによりも幽霊みたいなのです。あなたは幻影にすぎませんわ」

彼は笑いながら手をさし出した。「これが幻影ですか?」と、わたしの目のそばへその手を近づけて彼は言った。彼は、長く、たくましい腕を持っており、同時に肉づきのよい、筋肉すぐれた、力のありそうな手を持っていた。

「そうですわ、わたしがさわってみても、やはり幻影ですわ」顔の前から、彼の手をおろしながら、わたしは言った。「お食事は、お済みでございますか?」

「済んだよ、ジェーン」

わたしは呼び鈴を鳴らして、お盆を下げるようにと命じた。ふたたび、二人きりになったとき、わたしは火をかきたてて、主人の膝《ひざ》もとにある低い椅子に腰をおろした。

「もう真夜中近くでございますね」とわたしは言った。

「そうだ。だが、おぼえているだろうね、ジェーン、結婚の前夜にはわたしといっしょに起きていてくれると約束したことを」

「ええ、忘れてはおりませんわ。ですから、わたし、約束を守りますわ。すくなくとも、あと一、二時間のあいだは。わたしは、ちっとも、やすみたくありませんの」

「仕度は、すっかりできた？」

「ええ、すっかり」

「わたしの方も同様だ」と彼は答えた。「なにもかも片づけた。あす教会から帰ってきて、半時間もしたら、ソーンフィールドを出発しましょう」

「けっこうですわ」

「なんという奇妙な微笑を浮べて『けっこうですわ』を言うのだろう！　なんと明るい色が、頰《ほお》に、浮んでいるのだろう！　なんと妙なふうに、その目は光るのだろう！　気分が悪いのではないかね？」

「なんともないと思います」

「思いますだって？　どうしたの？　どんな気持か言ってごらん」

「申しあげられませんわ。どんな気持か、言葉では申しあげられないのです。このいまのときが永遠に終らないのだったら、どんなに嬉《うれ》しいでしょう。このつぎには、どんな運命をになったときがくるのか、誰《だれ》が知りましょう」

「それは憂鬱病だよ、ジェーン。興奮しすぎているか、疲れすぎているのだ」

「あなたは落ち着いた幸福な気分でいらっしゃいますの?」

「落ち着いた気持?——いや。だが幸福だ——心の底までね」

わたしは彼の顔に喜びのしるしを見ようと彼を見あげた。その顔は燃えかがやいていた。

「あなたの秘密をうち明けて下さい」と彼は言った。「わたしに話してしまって、あなたの心を押しつけている苦しみから逃がれなさい。なにが気にかかるのです?——わたしがよい夫になれそうもないからですか?」

「思いもよらないことですわ」

「これからはいって行く新しい世界——これから送る新しい生活について、気遣っているのですか?」

「いいえ」

「あなたはわたしを困らせるね、ジェーン。あなたのその悲しみに満ちた大胆な表情と口調は、わたしを悩まし、悲しくする。説明してくれませんか」

「では、お聞き下さい。昨夜あなたはお出かけでしたわね?」

「さよう——その通りです。わたしの留守のあいだに、なにか起ったと、あなたは、さっき、ちょっとほのめかした——たぶん、大したことではないと思う。しかし、ともかく、それがあなたの心を乱したのだ。聞かせなさい。フェアファックス夫人が、なにか言ったのか。それとも、召使たちの陰口でも、ふと耳にしたのか——それで、あなたの感じやすい自尊心が傷つけられたのでしょう？」

「いいえ」十二時がうった。わたしは置時計が銀のように澄んだ音を響かせ、大時計が、しわがれた顫音《せんおん》で時をうち終るのを待って、さて話しはじめた——

「きのうは、一日じゅう、絶える間もない騒ぎのなかで、わたしは、ほんとに忙しく、ほんとに幸福な思いでした。あなたがお考えになっていらっしゃるように、わたしは、新しい世界のことや、その他の、しつこい心配などで、心を悩まされてはおりません。わたしは、あなたをお慕いしておりますから、あなたとごいっしょに生きていくという希望は、わたしにとって、すばらしいことだと思っております。いいえ、いまわたしに、そんなことなさらないで——どうか静かに語らせて下さい。きのうわたしは、すべてを神の御心《みこころ》にお任せして、万事、あなたのためにも、わたしのためにも、好都合に運んでいると信じておりました。あなたもお気づきだったでしょう、きのうは、とても美しい日でございました——大気も空も、穏やかで、あなたのご旅行の、安らかで楽しいことを、気遣う余地もありませんでした。わたしは、お茶のあとで、あなたのことを考えながら、しばらく敷き石道を歩いておりました。わたしは心のなかで、あなたのお姿をすぐ身近に見ていましたので、現実にはご不在でも、ほとんど寂しくはございませんでした。わたしは、わたしの前にひろがっている生活――あなたの生活――わたし自身のものよりも、ずっとひろく活動的な生活について考えていました。それは、小川の流れこむ大海の深みが、狭い谷間《たにあい》の浅瀬よりも、ひろく変化に富んでいるのと、同じでございます。わたしは世の道徳家たちが、なぜこの世を、寂しい荒野というのか、不思議に思いました。わたしには、バラの花が開いているように見えたからです。日が沈むとともに、あたりは、冷えこんできて、空は曇ってまいりました。わたしは家にはいりました。おりから、届けられたばかりの結婚衣裳《いしょう》を見にくるようにと、ソフィが二階へわたしを呼びました。箱のなかの衣裳の下に、わたしは、あなたの贈り物――貴族らしい浪費をなさって、わざわざロンドンからお取寄せになったヴェールを見つけました。たぶんわたしが宝石をいただかなかったので、うまくわたしを騙《だま》して、同じくらい高価なものを受けとらせようとなすったのでしょう。包みをひろげたとき、わたしは微笑が浮び、あなたの貴族趣味や、貴族の夫人の持ち物で平民の花嫁を飾りたてようとなさるご苦心を、どんなふうにいじめてあげようかと、思案いたしました。このいやしい生れの頭のかつぎにしようと用意していた、刺繡《ししゅう》もない四角な絹のレースを、あなたのところへ持って行って、財産も、美しさも、立派な親戚《しんせき》もないような女には、これで十分ではないかと、おたずねしようと思っていました。あなたが、どんなお顔をなさるか、わたしには、はっきりと見えるようでした。あなたの、はげしい平民的なお返事、自分はお金入れや冠なんぞと結婚して、財産をふやしたり、地位を高めたりすることは、まっぴらごめんだと、誇らかにおっしゃるのが、聞えるようでした」

「この魔女め！ なんとうまく人の心を読みとったものだ」とロチェスター氏は口をはさんだ。「だが、その刺繡のほかに、ヴェールのなかから、なにを見つけたのです？ そんなに悲しそうな顔をしているのは、毒か短刀でも入れてあったのですか？」

「いいえ、いいえ。そのヴェールの織りの精緻《せいち》なことや、見事な美しさのなかには、ただフェアファックス・ロチェスター氏の誇りが見られただけでございました。それに、そんなことはわたしを驚かせはいたしません。悪魔には慣れっこになっていますから。けれども、暗くなってから、風が出てまいりました。昨夜は、いま吹いているような――荒れ狂う、はげしい風ではなく、もっとずっと気味の悪い、『陰気な、嘆くような音をたてて』吹いていたのです。あなたが、お家《うち》にいらっしゃるのだったらいいのにと思いました。このお部屋へまいって、人のいない椅子《いす》や、火の気のない煖《だん》炉《ろ》を見て、がっかりしました。寝床にはいってからも、しばらくは眠れませんでした——不安な胸騒ぎがわたしを苦しめるのです。なおも吹きつのる強い風は、悲しげな低い嘆きの声を包み消しているようにわたしの耳には聞えるのでした。初めのうちは、家のなかなのか、外からなのか、わかりませんでしたが、風の静まるたびに、なんともしれぬ陰鬱《いんうつ》な声が聞えてくるのです。やっとわたしはそれが遠くで吠《ほ》えている犬の声にちがいないとさとりました。その声がやんだときには、ほっとしました。眠りについてからも、暗い、風のはげしい夜の夢を見つづけていました。あなたのおそばにいたいと思いつづけ、わたしたちを隔てる障壁のようなものを、奇妙に、悲しく意識させられました。最初の夢では、わたしは、どこか知らない曲りくねった道をたどっていました。あやめも分かぬやみが、わたしをとり巻いていました。雨がはげしく降りかかってきます。わたしは、小さな子供——まだ歩けないほど小さな、ひよわい赤ん坊を抱かされていましたが、それが、冷えきったわたしの両腕のなかで、ふるえ、哀れな声で泣きわめくのが聞えるのです。ずっと向うの道の先に、あなたがいらっしゃるようでした。あなたに追いつこうと気を張りつめ、お名前を呼び、待っていて下さいとお願いしようと必死につとめました。けれども、身動きができず、声も、やはり、はっきり言葉にならないうちに消えてしまうのです。そのあいだにも、あなたは刻々と遠くへ行っておしまいになるような気がいたしました」

「そして、いまもなお、そんな夢が、あなたの心に重たくのしかかっているというのですか、ジェーン。わたしがそばにいても？　神経質なひとだ！　幻想的な苦しみなんぞ忘れて、幸福だけを考えなさい！　わたしを愛していると言いましたね、ジャネット。そう——わたしはそれを忘れない。あなたも、それを否定するはずはない。この言葉は、あなたの唇《くちびる》の上で意味をなさずに消えはしなかった。わたしは、はっきりと、優しく、その声を聞いた。やや厳粛すぎるようではあるが、音楽のように美しい、その言葉を——『あなたとごいっしょに生きていくという希望を持っているのは、このうえなくすばらしいことだと思います。エドワード、わたしはあなたを愛しているのですもの』あなたはわたしを愛しているね、ジェーン？——もういちど愛しているとおっしゃい」

「愛していますわ——心の底から」

「しかし」と、しばらく黙っていてから彼は言った。「奇妙なことだが、その言葉はわたしの心に痛く沁《し》み入る。なぜだろう？　それは、それほどあなたが真剣に敬虔《けいけん》な熱意をこめて言ったからだろうと思う。いまわたしを見あげている、あなたの眼差《まなざ》しが、誠実と真実と献身的愛情のために、崇高に満ちているからだろうと思う。まるで天使がそばにいるようでたまらない気がする。いっそ、意地の悪い顔をしておくれ、ジェーン——意地悪な表情をするのは、あなたは、よく心得ているはずだ。例の、人に慣れない、恥ずかしそうな、じれったい微笑を浮べてごらん。わたしを憎らしいと言いなさい——わたしをいじめ、いらだたせなさい。わたしを感動させる以外のことだったら、なんでも、おやんなさい。悲しい気持にさせられるよりも、おこらされた方が、まだましです」

「わたしの話が終りましたら、お気の済むまで、いじめてもあげますし、おこらしてもあげます。でもわたしの話を終りまでお聞きになって下さい」

「もうすっかり話は済んだものと思っていましたよ。あなたの憂鬱の原因は夢にあるとわかったつもりでした」わたしは首をふった。「なに？　まだある？　しかしわたしは、それが重大なことだとは思いませんよ。簡単には信じないということを前もって断わっておきます。さあ、はじめなさい」

彼の動揺したようすや、気遣わしげな、いらいらした態度に驚きながらも、わたしは話をはじめた。

「わたしは、また別の夢を見ました。ソーンフィールド館《やかた》が、さびしい廃墟《はいきょ》と化し、蝙蝠《こうもり》や、梟《ふくろう》の住み家になった夢です。豪壮な邸宅の正面には、骨組だけの壁が、非常に高く、いまにもこわれ落ちそうにそびえているだけで、そのほかにはなにも残っていませんでした。わたしは月の明るい夜、雑草のおい茂った屋敷のなかを歩きまわっていました。大理石の煖炉につまずいたり、こわれ落ちた軒蛇腹《のきじゃばら》の砕片に足をとられたりしました。ショールにくるまったまま、まだわたしは、その見知らぬ赤ん坊を抱いているのでした。それを、どこへもおろしてはいけないのでした——抱く腕がくたびれても、その子が重くて歩くのを妨げられても、抱いていなければならないのです。あの道の、はるか彼方に、馬の駆ける音が聞えました。きっとあなただと思いました。あなたは、長いあいだ、遠国に旅立っておしまいになるところなのです。そのいただきから、あなたを一目でも見ようと思って、わたしは、薄い、あぶなっかしい壁に、狂気のように、よじ上りました。足下から石がころげ落ち、つかんだきづたの枝は根が抜け、赤ん坊はこわがって、わたしの首へしがみつき、わたしは呼吸がつまりそうでした。ようやく頂上にたどりつきました。白い道の上に、次第に小さくなっていく、一つの点のように、あなたの姿が見えました。風が強く、立っていることができません。わたしは、狭い張出しに腰をおろし、膝の上で、おびえている赤ん坊をあやしていました。あなたは道の曲り角を曲りました。最後にもう一目と身を乗り出したとたんに壁は砕け落ち、わたしの体は揺れました。子供は、膝からころげ落ち、わたしは平均をうしなって落ち、そして目がさめたのです」

「いよいよそれでおしまいだね、ジェーン」

「前置きはおしまいです。でも本筋は、まだこれからですわ。目をさますと、光がまぶしくあたっています。ああ、朝の光だ、と思いました。しかし、それはわたしの思いちがいでした。それはロウソクの光にすぎなかったのです。わたしはソフィがはいってきたのだと思いました。化粧机の上に、明りがともっていて、わたしが寝床へはいる前に婚礼衣裳とヴェールをつるしておいた戸棚《とだな》のとびらが、あいています。そして、なにか衣擢《きぬず》れの音が聞えるのです。「ソフィ、なにをしているの?」とわたしは声をかけました。返事はなく、人影が戸棚から出てきました。そして、明りをとって、高くかかげ、釘《くぎ》にさがっている衣裳を、じろじろながめていました。『ソフィ！　ソフィ！』と、またわたしは叫びました。しかし、やはり黙っています。わたしはベッドの上に起きあがり、身を乗り出して見ました。最初は驚き、それから狼狽《ろうばい》し、つぎには全身の血が凍ってしまいました。ロチェスター様、それはソフィでもなければ、リアでもなく、フェアファックス夫人でもなく、また――いいえ、それはたしかです。いまでも、まちがっているとは思いません――それは、あの不可解な女、グレイス・プールでさえもありませんでした」

「そのうちの誰かにちがいない」と主人はさえぎった。
「いいえ、そうではないことは絶対にたしかでございます。わたしの前に立っている
その姿は、これまでわたしが、ただの一度もソーンフィールド館の邸内で見かけたこ
とのないものでした。あの背の高さや格好は、わたしには、初めてなのです」
「説明してごらん、ジェーン」
「背の高い大柄《おおがら》な女で、黒い濃い髪の毛を背中から長く垂らしていたようでした。ど
んな服を着ていたかは存じません。白くて、上から下まで、ぞろりとしたものでした
が、ガウンなのかシーツなのか経かたびらなのか、わたしにはわかりませんでした」
「顔を見ましたか？」
「初めは見えませんでした。けれども、間もなく、その人は、わたしのヴェールを、
かけてあったところからはずし、それを高く持ち上げて、長いこと、じっと見つめて
いましたが、やがて自分の頭へ、ふわりと、それをかけて、姿見の方を向いたのです。
その瞬間、薄暗い楕円形《だえんけい》の鏡の面に、顔や目鼻が映ったのを、わたしは、はっきりと
見たのです」
「どんな顔でしたか？」
「恐ろしい、気味の悪い――おお、あんな顔を、わたしは見たことがございません！

変色した顔——恐ろしい顔でした。赤く充血した目をぎょろつかせた、あの黒ずみ、ふくれあがった恐ろしい顔を忘れることができたら！」

「幽霊は、たいてい青白いものですよ、ジェーン」

「あれは紫色でした。唇は、ふくれあがって、どす黒くなっていました。顔には深いしわがより、黒い眉《まゆ》は血ばしった目の上で、つりあがっていました。それがわたしに、なにを思い起させたか、申してみましょうか？」

「言ってごらん」

「あの醜怪なドイツのお化け、吸血鬼です」

「うむ、そして、それが、なにかしたのですか？」

「ふり乱した頭からわたしのヴェールを脱ぐと、それを真っ二つに引き裂いて床へ投げつけ、足で踏みにじったのです」

「それから？」

「窓のカーテンをあけて、外をながめていました。たぶん夜明けが近づいたのを見たのでしょう。燭台《しょくだい》をとりあげると、ドアの方へ引きかえしました。ちょうどわたしのベッドのそばまで来ると、立ちどまって、ものすごい目でわたしをにらみつけました。そして、ロウソクをわたしの顔にすれすれに突きつけると、わたしの目の下で、ふっと吹き消しました。そのものすごい顔が、わたしを、かっとにらんだと思うと、わたしは気をうしなってしまいました。生れてから二度め——たった二度め——に、わたしは恐怖のあまり意識をうしなってしまったのです」

「気がついたとき、誰《だれ》かが、あなたのそばにいましたか？」

「いいえ、誰も。ただ明るい日の光だけでした。わたしは起きあがり、水で頭や顔を洗い、冷たい水を、一息にぐっと飲みました。弱ってはいましたが、病気だとは思われず、あなた以外の人には、誰にも、この幻のことは話すまいと心にきめました。さあ、あの女は、誰なのか、なんなのか、おっしゃって下さいまし」

「興奮しすぎた頭脳がつくり出した幻です——それにきまっています。わたしは、あなたに——わたしの大事な人に、よく注意しなければならない。あなたのような神経は、荒っぽい取扱いを受けるようにはできていないようだ」

「でも、わたしの神経が狂っていないことは、たしかですわ。あれは現実です。あの事件は実際に起ったことなのです」

「そうして、その前に見た夢も、やはり現実だというのですか？　ソーンフィールドは廃墟ですか？　どうにもできぬ障害のために、わたしは、あなたから引きはなされていますか？　わたしは涙も——接吻《せっぷん》も別れの言葉も交わさずに、あなたのそばを立ち去ろうとしていますか？」

「いえ、いまはまだ——」

「では、これからそうしようとしていますか？　ねえ、わたしたちを、しっかり結び合せる日はすでに、はじまりかけているのですよ。いったん、二人がいっしょになれば、そんな気のせいの恐怖など起りはしません。固く保証します」

「気のせいの恐怖ですって？　わたし自身も、気のせいにすぎないのだと信じられたらと思いますわ。あなたですら、あの恐ろしい訪問者の秘密を説明できないのですから、いっそうわたしは気のせいだったらよいのにと思います」

「わたしが説明できないのだから、それは架空の出来事にきまっていますよ」

「でも、けさ起きて、自分にもそう言いきかせ、昼間の光がみなぎっているなかで、見慣れたものの晴れやかな光景を見て、元気をふるい起し、自分を慰めようと、部屋を見まわしたとき、わたしはそこに——絨毯《じゅうたん》の上に——わたしの仮定が、まぎれもない嘘《うそ》だと思い知らせるものを見てしまったのです——上から下まで真っ二つに引き裂かれたヴェールを見たのです」

　わたしはロチェスター氏がぎょっと身震いするのを感じた。彼は、ふいにわたしを抱いた。「よかった！」彼は叫んだ。「なにか悪意をいだいたものが、昨夜あなたのそばへ来たにしても、傷つけられたものはヴェールだけだったのだ。ああ、どんなことが起ったかもしれぬと思うと！」

彼は、せわしく呼吸をして、息がとまるほど強くわたしを抱きしめた。そして、ちょっと黙っていてから、元気よく言いつづけた――

「さあ、ジェーン、そのことを、すっかり説明してあげよう。それは半分は夢、半分は現実なのです。たしかに、一人の女が、あなたの部屋へはいってきたのです。その女は、グレイス・プールです――きっとそうにちがいない。あなた自身、あの女を奇怪な人間だと呼んでいる。あなたが知っている、いろんな事実から、彼女をそう呼ぶには理由があります。あれがわたしになにをしたか？　メースンになにをしたか？　夢うつつのうちに、あなたは、あれがはいってきたこと、あれがしたことに気がついた。だが、あなたは熱があって、意識がはっきりしないくらいだった。だから、ほんとうのグレイスとはちがう、悪鬼のような姿をしたものに見えてしまったのです。長い、ふり乱した髪の毛とか、はれあがった黒い顔とか、人並みはずれた大きな身長とか、そんなものは、あなたの想像がつくりあげたもの、夢魔にうなされた結果見たものなのです。悪意をいだいてヴェールを引き裂いたのは事実です――あれのやりそうなことです。ではどうして、あんな女を家においておくのかと、あなたは言いたいでしょう。二人が結婚して、満一年たったら、そのわけを話しましょう。だが、いまはいけません。これで納得がいきましたか、ジェーン。この不可解な出来事に対するわたしの解答を、受けいれてくれますか？」

わたしはじっと考えてみた。しかし、そうともとれるにすぎない説明としか思われなかった。納得してはいなかったけれど、彼を喜ばせるために、納得したかのごとく見せかけよう――事実そう感じたように、ほっと安心したかのごとく見せかけようとわたしはつとめた。だから、満足の微笑で、これに答えた。それに、もうとっくに一時をすぎていたので、彼のもとをはなれる用意をした。

「ソフィは子供部屋でアデールといっしょに寝ているのではないかね？」わたしが燭台をともしていると、彼は、たずねた。

「寝ていますわ」

「アデールの小さなベッドには、あなたが寝られるくらいの場所はあるでしょう。今夜は、そこで、あの子といっしょに寝なくてはいけませんよ、ジェーン。あなたのかかりあった出来事が神経を過敏にするのはたしかだから、一人で寝ない方がいいと思う。子供部屋に行くとわたしに約束しなさい」

「喜んで、そういたしますわ」

「そして、ドアを内側から、しっかり、鍵《かぎ》をかけておくように。いや二階へ上がったら、あすの朝、適当な時間に起してくれるようにと頼むことにかこつけて、ソフィを起しなさい。八時前には衣裳《いしょう》を着けて、朝食を済ませなくてはなりませんからね。さあ、もううっとうしい考えは、捨てることです。面白《おもしろ》くない心配事は追い払うことです。ね、ジャネット、風もなんと優しいささやきに変ったことか。聞えるでしょう？　それに窓ガラスをうつ雨の音もしない。ご覧なさい！」と彼はカーテンを引きあげた。「——きれいな夜だ！」

美しい夜であった。半天、清く澄んでいて一片の雲もなかった。西に変った風に追われて群がり進む雲は、いま、長い銀色の縦隊をなして、東の方へ分列行進をつづけていた。月が、安らかに照り渡っていた。

「さて」とわたしの目を探るように見つめながら、ロチェスター氏は言った。「わたしのジャネットは、いまは、どんな気持？」

「穏やかな夜ですこと。わたしもそうでございます」

「そして今夜は、別離や悲しみの夢ではなくて、幸福な愛と、楽しい結婚の夢を見ることだろう」

この予言は半分しかあたらなかった。なるほど悲しい夢は見なかったけれど、同じように、嬉《うれ》しい夢も見なかった。なぜならわたしは、まるで眠らなかったからである。幼いアデールを抱いたわたしは、ほんとに穏やかな、苦しみのない、無邪気な——幼き者の眠りを見守りながら、近づいてくる日を待っていた。わたしの生命は、すっかり目ざめ、体内で、ざわめきたっていた。日が上ると、すぐにわたしは起きた。わたしは思いだす。わたしが立ち去ろうとするとアデールがしがみついてきたことを。またわたしは思いだす。わたしの首をしめつける彼女の手をゆるめて接吻してやったことを。そして、不思議な感動で彼女に向って泣き、わたしのすすり泣きが、あの子の静かな、健《すこ》やかな眠りをさますことを恐れて、そっと立ち去ったことを。彼女はわたしの過去の生活の象徴のように思われた。そして、いまわたしが装いを凝らして会いに行こうとしている彼こそは、わたしのまだ知らぬ未来の日の、不安な、しかし、憧《あこが》れの象徴であった。

26

ソフィは七時に、わたしに衣裳《いしょう》をつけるためにやって来た。彼女は、この仕事を仕上げるのに、じつに手間どった。あまり手間どったので、ロチェスター氏は、わたしの遅いのが待ちきれなかったのだろう、使いをよこして、どうして来ないのかと言ってきた。彼女は、ちょうど髪にヴェールを（結局、あの四角な絹レースの）ブローチでとめているところであった。わたしはできるだけ急いで、その手の下から駆け出した。

「お待ちになって！」と、彼女はフランス語で叫んだ。「鏡をご覧になって下さいませ。まだいちども鏡をのぞきもいたしません」

そこでわたしは、ドアのところで振り返った。裳裾《もすそ》を長くひき、ヴェールをかぶって、まるで見知らぬ人かと思われるほど、いつものわたしとは似ても似つかぬ姿が見えた。「ジェーン！」と呼ぶ声がしたので、わたしは急いで駆けおりた。階段の真下で、わたしはロチェスター氏に迎えられた。

「遅いね！」と彼は言った。「待ちきれなくなってわたしの頭は燃えているようだ。なんて手間どったのだろう！」

彼はわたしを食堂へつれて行き、鋭く、隅《すみ》から隅まで余すところなくわたしの姿を見まわして言った。「ゆりの花のように美しい。わたしの生活の誇りであるだけでなく、まさしくわたしの目の憧れだ」そして、朝食をとるのに、わずか十分しかあげられないと言って、ベルを鳴らした。最近雇い入れた召使の一人である従僕《じゅうぼく》が、それに応じて姿を現わした。

「ジョンは馬車の用意をしているかね？」

「はい、旦那様《だんなさま》」

「荷物は下におろしてあるかね？」

「いま皆でおろしているところでございます」

「おまえは教会へ行って、ウッドさん(牧師)と書記がいるかどうか見てきてくれ。そして、戻《もど》ってきてわたしに知らせるのだ」

読者もご存じのように、教会は、門のすぐ向うにあった。従僕は、すぐに戻ってきた。

「ウッドさんは、法衣室で、白い法衣をつけていらっしゃいます」

「それで馬車は？」

「馬に馬具をつけているところでございます」

「教会へ行くときには要らないが、帰ってきたら、いつでも乗れるようにしておかなくてはいけない――箱も荷物も、すっかりまとめて、紐《ひも》でくくって、御者は御者台にいなくてはいけないぞ」

「かしこまりました」

「ジェーン、用意はいいかい?」

わたしは立ちあがった。わたしたちを待ち受けて案内してくれる花婿《はなむこ》の介添え人も花嫁の付添いもいず、一人の親戚《しんせき》もいなかった。ロチェスター氏とわたしと、二人きりであった。わたしたちがホールを通りすぎるとき、フェアファックス夫人が、そこに立っていた。一言、なにか言葉をかけたかったのだが、わたしの手は、鉄のようにかたい彼の手につかまれており——ついて行けぬほどの大またで、急《せ》きたてられていた。ロチェスター氏の顔を見ると、どんな目的のためにでも、一刻の猶予《ゆうよ》も許されぬような気がした。新郎というものは、彼のような顔をするのだろうか——こんなに目的に熱心で、恐ろしいほど決然としているものなのであろうか。また、こんなふうに、きっとなった眉《まゆ》の下に、燃えかがやく目を光らせているものなのであろうか。

その日は、晴れていたか曇っていたか、記憶がない。馬車道を降りて行きながら、わたしは空も地面も見てはいなかった。心は目とともにあって、しかもその両方とも、ロチェスター氏の体のなかに乗り移ってしまったかのようであった。いっしょに歩きながら、彼ははげしく猛烈な視線を、なにかにそそいでいるように思われた。彼が目をそそいでいるその見えざるものを、わたしは見たいと思った。彼がたち向い、抵抗している、その手ごわい思いを、わたしも感じたいと思った。

教会の木戸のところで彼は立ちどまった。彼はわたしがすっかり息を切らしているのに気がついた。「わたしの愛しかたは残酷ですか？」と彼は言った。「ちょっと、休みましょう。わたしにもたれなさい、ジェーン」

わたしは思いだすことができる。わたしの前に静かにそびえていた古い灰色の神の家を、それから、その尖塔《せんとう》のまわりを舞っていた一羽のみやまがらすを、それからまた、その向うにひろがった赤い朝の空を。わたしはまた、緑の草におおわれた、土饅《どまん》頭《じゅう》らしいものがあったのを思い出す。二人の見知らぬ人が、その小さな丘のあいだをさまよい、あちこちの、苔《こけ》むした墓石に刻まれた墓碑銘を読んでいたのもおぼえている。わたしは、その人たちに心をひかれた。というのは二人はわたしたちを見ると、教会の裏手へまわって行ったからである。わき廊下の入り口からなかへはいって、わたしたちの結婚式に立ち会おうとしているのだということを、わたしは疑わなかった。その二人にロチェスター氏は気がつかなかった。彼は、そのとき、血の気がうせていたにちがいないわたしの顔を見つめていたのである。なぜなら、わたしは額に汗がにじみ、頬《ほお》も、唇《くちびる》も、冷たくなっていたのを感じたからである。間もなく気分がよくなると、わたしは彼につれられてポーチへ通ずる小径《こみち》を歩いて行った。

わたしたちは、静かな、簡素な礼拝堂へはいった。牧師は白い法衣を着て、低い聖《せい》餐台《さんだい》のところで待っており、書記が、そのかたわらに立っていた。なにもかも、しーんとしていた。ただ二つの影が遠くの隅でうごめいていた。わたしの推測は正しかったのだ。彼らは、すこし前に、ここへ忍びこみ、いまはわたしたちに背を向けて、手《て》摺《す》りごしに時代のついた古い大理石の古墳墓をながめながら、ロチェスター家の納骨堂の前に立っていたのである。その墓碑には、跪《ひざまず》いた一人の天使が、市民戦争（訳注　十七世紀中ごろのチャールズ一世と議会との戦争）の際、マーストン・ムーアで戦死したデイマー・ド・ロチェスターとその妻エリザベスの遺骸《いがい》を守っている図が描かれていた。

　わたしたちは聖餐台の前の手摺りのところに立った。忍びやかな足音をうしろに聞いて、わたしは振り返って見た。見知らぬ人たちの一人――見たところ紳士らしい男――が、内陣へはいってくるところであった。結婚の意志の説明が終り、そこで牧師は一歩前に進み出て、ロチェスター氏の方に、こころもち身をかがめながら、言葉をつづけた――

「われ、汝《なんじ》ら二人に求め、かつ命ず。もし、汝らのいずれにても、合法的に結婚し得ざる障害あるを知らば、なべての心の秘密を、あらゆる恐ろしき裁きの日に答うるごとく、いまここに答うべし。神の御《み》言葉《ことば》の許しなくして結ばれたるものは、神により て結ばれしものにあらず、またその婚姻は法に従いたるものにあらざることは、汝ら習慣通り、ここで牧師は、言葉をとめた。この宣告のあとの沈黙が、返答によって破られることが、いつかあるだろうか？　たぶん百年に一度もないであろう。祈禱書《きとうしょ》から目をあげずに、ほんの一瞬、息を止めていた牧師は、先をつづけた。「汝はこの婦人を娶《めと》りて妻となすや？」とたずねようとして、彼は唇を開き、すでにロチェスター氏の方へ手を差しのべていた――そのとき、はっきりした声が、すぐそばで言ったのである――

「この結婚は成立いたしません。この結婚には障害のあることをわたしは断言します」

牧師は発言者を見上げて無言で立っていた。書記も同様であった。ロチェスター氏は、足の下が地震で揺れたように、わずかに身動きした。しっかりと立ちなおり、頭も目も振り向けもせずに彼は言った。「つづけて下さい」

よくとおる、しかし低い調子で彼がそう言ったとき、深い静寂が、あたりに満ちた。やがてウッド牧師が言った――

「いま主張されたことを調査し、真偽の確証を得ないかぎり、つづけるわけにはいきません」

「この結婚式はぜんぜん無効です」と、わたしたちの背後の声がつけ加えた。「わたしは、この申し立てを証明する立場にあります。この結婚には乗り越えることのできぬ障害があります」

ロチェスター氏は、聞いてはいたが、意に介さなかった。身を固くして、頑固《がんこ》に突っ立っており、わたしの手を握りしめるほかは、身動き一つしなかった。なんという熱い力強い握り方であろう！　その瞬間の彼の青ざめた、固い、広い額は、なんと切り出されたばかりの大理石そっくりであったろう！　いかに、その目は、なおも油断なく、しかも狂暴にかがやいていたことであろう！

ウッド牧師は困惑しきったようすであった。「その障害というのは、どういう性質のものですか？」と彼はたずねた。「たぶんとり除くことのできるものでしょう――釈明できることであろうと思います」

「とても」という返事であった。「わたしはそれが乗り越えることのできぬものだと申しました。熟考したうえでわたしは申すのです」

発言者は進み出て、手摺りにもたれた。彼は一言々々、明瞭《めいりょう》に、穏やかに、しっかりと、だが高い声ではなく、言葉をつづけた――

「その障害というのは、ただ以前の結婚が存在しているという点にあるのです。ロチエスター氏には、現在、存命中の夫人があります」

これまで雷鳴にふるえたことのないわたしの神経だが、この低い声で言われた言葉には、わなわなとふるえた。いまだ霜にも火にも感じたことのないような名状しがたい、はげしい痛みをわたしの血は感じた。けれどもわたしは平然としていた。気をうしないそうな危険はなかった。わたしはロチェスター氏を見あげた。そしてまた彼にわたしの顔を見させた。彼の顔は、ただ蒼白《そうはく》の岩であった。目は火花であり、火打ち石でもあった。彼は、なにごとも否認しなかったが、しかも、あらゆるものに挑戦《ちょうせん》しようとしているかのようであった。話しかけもせず、ほほえみも浮べず、わたしが人間であることを認めもせぬかのように、彼はただ、わたしの腰に手をまわして、ぴったりと抱きよせていた。

「君は何者だ?」と彼は闖入者《ちんにゅうしゃ》にたずねた。

「わたしはブリッグズというものです。ロンドンの××街の弁護士です」

「君はわたしに妻を押しつけようとするのか?」

「わたしは、あなたには夫人がおられるということについて、あなたの注意を喚起したいのです。そのひとは、たとえあなたが認めなくても、法律が認めている夫人です」

「その女のことを――その名前、両親、住所を明らかにしてもらいたい」

「承知しました」ブリッグズ氏はポケットから静かに一枚の紙片をとり出し、どことなく職業的な鼻にかかった声で読みあげた――

「『英国××州××郡ソーンフィールド館《やかた》および××郡ファーンディーン貴族領のエドワード・フェアファックス・ロチェスターは、商人ジョナス・メースン並びにその妻西インド人アンチオネッタの娘で、小生の妹であるバーサ・アンチオネッタ・メースンと西暦××年十月二十日（十五年前の日づけ）ジャマイカのスパニッシュ・タウン××教会において結婚したことを、小生は確認し、かつ証明することができる。結婚記録は、右教会の登録簿中に見いだすことができるであろうし、その写しは現在小生が所持している。署名者、リチャード・メースン』」

「それは――それがもし本物の証明書ならば――わたしが結婚したことを証明するかもしれぬが、そこにはわたしの妻として記載してある女がまだ生きていることは証明していない」

「夫人は三カ月前までは生きておりました」と弁護士は答えた。

「どうしてそれがわかるのか？」

「その事実については証人がおります。その人の証言は、あなたといえども反駁《はんばく》なさらぬでしょう」

「その証人を出せ——さもなければ消えうせてしまえ！」

「まずその証人をつれてまいりましょう——その人はそこにいます。メースンさん、どうぞ前へお進み下さい」

その名を聞いて、ロチェスター氏は歯をくいしばった。それから、はげしく痙攣《けいれん》するように身ぶるいした。わたしは彼のそばにいたので、憤怒《ふんぬ》か絶望かのわななきが彼の体内をかけめぐるのを感じた。そのときまで、うしろの方で、ためらっていた、もう一人の未知の人が、このとき近づいてきた。青ざめた顔が、弁護士の肩ごしに、こちらをのぞいた——そうだ、それはメースン氏にほかならなかった。ロチェスター氏は振り向いて、彼をにらみつけた。幾度か言ったように、彼の目は黒目であった。それがいまは、黄褐色《おうかっしょく》、いや、その暗黒の奥に血のような光を帯びていた。顔は赤らみ——オリーヴ色の頬と青ざめた額は燃えひろがり、燃えあがる胸の炎からかがやきを受けたかのようであった。彼は、体を動かし、たくましい腕を振りあげた——彼はメースンをなぐりつけ、教会の床にうち倒し、容赦のない一撃でメースンの体から息の根をとめることができたにちがいない——しかしメースンは縮みあがってしまった。そして弱々しい声で叫んだ。「おお、神様！」すると軽蔑《けいべつ》の念が冷たくロチェスター氏を襲った。――彼の激怒は、虫害で植物がしぼむように消えてしまった。彼はただ、こうたずねたにすぎなかった。「いったい、君はなにを言いたいのだ？」

聞きとれぬような返事が、メースン氏の血の気をなくした唇からもれた。

「はっきり返答しないと承知しないぞ。もういちど訊《き》く、いったい、君が、なにを言うことがあるのだ？」

「まあ――まあ」と牧師がさえぎった。「神聖な場所にいらっしゃることをお忘れなく」それからメースンに向って、優しくたずねた。「あなたは、この方の奥さんが生きていられるかどうか、ご存じなのですか？」

「勇気を出して」弁護士が、励ました――「お話しなさい」

「彼女はいまもソーンフィールド館に住んでいます」さっきより、ずっとはっきりした口調でメースンが言った。「わたしは、この四月に、あそこで会いました。わたしは、あれの兄です」

「ソーンフィールド館にですって？」と牧師は叫んだ。「あり得ないことだ！　わたしは長らくこの界隈《かいわい》に住んでいますが、ソーンフィールド館にロチェスター夫人などという方がおられるということは、聞いたことがありません」

ロチェスター氏の唇が苦笑いにゆがむのが見えた。彼は言った――

「誓って、そんなことはない！　誰《だれ》も、そんなことを——そんな名のことなど口の端《は》に上らないように気をつけていたのだ」彼は、じっと考えこんでいた——十分ばかりも、自分で自分に相談していた。やっと決心がついて彼は言った。

「もうたくさんだ！　よし、鉄砲から弾丸が飛び出すように、なにもかも、一時にぶちまけてしまおう。牧師さん、祈禱書を閉じて、法服を脱いで下さい。ジョン・グリーン、（と書記に向って）君は帰って下さい。きょうは結婚式はとりやめだ」書記は、言われた通りにした。

ロチェスター氏は臆《おく》するふうもなく、落ち着いて、言葉をつづけた。「二重結婚とは、忌《い》まわしい言葉だ！　しかし、わたしは重婚者になるつもりだった。だが運命はわたしの計画の裏をかいた。あるいは、神がわたしを阻止したのか——たぶん後者だろう。いまのわたしは、悪魔にひとしい。ここにおいでの牧師さんがおっしゃるように、たしかにわたしは、神のもっともきびしい裁き——あの永劫《えいごう》の業火《ごうか》や、死ぬことのないうじ虫の責め苦を受けるのが当然だ（訳注　ともに旧約イザヤ書六十六章二十四節）。皆さん、わたしの計画は破れました！　この弁護士と依頼人のいうことは真実です。わたしは結婚しており、わたしが結婚した女は生きているのです！　牧師さんはわたしの家にロチェスター夫人がいるなどということは聞いたことがないと言っています。けれども、たぶんあそこで監視と保護を受けている不思議な狂人についての噂《うわさ》は、幾度か耳を傾けたことがあるにちがいない。あるものは、それが庶子で腹ちがいのわたしの妹だとささやいた。あるものは、わたしが捨てた情婦だと噂した。いまこそわたしは、それが十五年前に結婚したわたしの妻であることをお知らせしましょう――名はバーサ・メースンといい、いまここに、手足と青ざめた頬をふるわせながら、けなげな男というものは、いかに振舞うべきかを、皆さんにご覧にいれている、この毅然《きぜん》たる御仁《ごじん》の妹です――元気を出すがいい、ディック――わたしをこわがることはない！　君をなぐるくらいなら、女をなぐった方がましだ。――バーサ・メースンは狂人です。彼女は狂人の家――三代にわたる白痴と狂人の家に生れたのです！　あれの母親は西インド人ですが、気違いで、飲んだくれでした――もっともそれは、その娘と結婚してからわかったのですが。というのは、それまで彼女たちは、そのことについては、内輪の秘密として口をつぐんでいたからです。親に忠実なバーサは、二つの点で母親にそっくりでした。わたしは、まことにけっこうな伴侶《はんりょ》を――清純で、聡明《そうめい》で、慎ましやかな伴侶を、持ったものです。わたしが、どんなに幸福な人間であったか、想像がつくでしょう。わたしは、すばらしい目に遭ってきました！　ああ、あなた方に知っていただけたら。それはもう、この世のものとも思えぬけっこうな経験でした！　しかし、これ以上の説明は必要がないでしょう。ブリッグズ、ウッド、メースン、諸君に家へ来ていただいて、プール夫人の患者、わたしの妻にお会い下さるよう、ご招待申しあげよう！　わたしが騙《だま》されて娶った人間が、どんなたぐいの女かを、お目にかけよう。そして、わたしがその契約を破って、すくなくとも人間らしいものへの情愛を求める権利があるかないかを、判断していただきたいと思います。この娘さんは」と、わたしを見つめながら、彼は、言葉をつづけた。「君と同様、この汚《けが》らわしい秘密については、なにも知らないのだよ、ウッド。この人は、すべてが正しく、合法的なものだと思っていたのです。すでに劣等な、気違いの、けだものみたいな女と結びつけられている詐欺《さぎ》にかかった哀れな男との偽りの結婚に、引きずりこまれようとしていたのです！　みんな、来て下さい――わたしのあとにつづいて！」

わたしの手を、なおもしっかりと握ったまま、彼は教会を出た。三人の紳士が、あとにつづいた。屋敷の玄関前に馬車が待っていた。

「馬車を車庫へ戻《もど》しておいてくれ、ジョン」と、ロチェスター氏は冷やかに言った。「きょうは、要らないのだ」

わたしたちがはいって行くと、フェアファックス夫人とアデールとソフィとリアとが、お祝いを述べようと迎えに出てきた。

「みんな向うへ行ってくれ！」と主人は叫んだ。「おめでとうなんか、よしてくれ！　誰がお祝いを受けるのだ！　わたしではないぞ！――それは十五年ほど遅すぎたんだ！」

なおもわたしの手を握り、紳士たちに、ついてくるようにと合図しながら、彼は玄関を通り、階段をのぼって行った。彼らも、それにつづいた。わたしたちは二階の階段をのぼり、廊下を渡り、さらに三階へ進んだ。低い黒いドアがロチェスター氏の鍵《かぎ》で開かれ、わたしたちは、大きなベッドと飾り絵つきの箪笥《たんす》のある、壁布の垂れさがった部屋へと通された。

「君は、この部屋を知っているね、メースン」と案内者は言った。「あれは、ここで、君にかみついて、君を刺したのだ」

彼は壁の掛け布をかかげて、二番目のとびらを現わした。そのとびらも彼は開いた。ぜんぜん窓のない部屋のなかに、高い、がんじょうな炉囲いで囲まれた煖炉《だんろ》が燃えており、ランプが天井から鎖でつるされてあった。グレイス・プールが、その火の上に身をかがめて、シチュー鍋《なべ》で、なにかを煮ていた。部屋のずっと向うの奥の深い暗がりのなかを、一つの影が、駆けながら行ったり来たりしている。それが、なんであるか、獣か人間か、初め見たときには、誰にもわからなかった。ちょっと見たところでは、四つん這《ば》いになって、這いまわっているようであった。なにか奇妙な野獣のようにひっかいたり、うなったりしていた。しかし、それは衣服を着ており、たてがみのように乱れた、黒い白髪《しらが》混じりの髪の毛が、その頭と顔を、おおい隠していた。

「お早う、プール夫人」とロチェスター氏は言った。「いかがです？　それから病人の方は、きょうは、どんなぐあいですか？」

「ありがとうございます。まあまあというところでございましょう」煮えたっている食べ物を炉端の棚《たな》の上に注意深くおいて、グレイスは答えた。「多少かみつきたがるようですが、あばれまわるようなことはいたしません」

すさまじい叫び声が、彼女の好意的な報告を裏切るように思われた。衣服を着たハイエナは起きあがって、後足で、ぬっとつっ立った。

「おお、旦那《だんな》様、あなたを見ています！」とグレイスは叫んだ。「ここにいらっしゃらない方がようございます」

「ほんのちょっとだよ、グレイス――ほんのちょっと許してくれ」

「では、お気をつけなすって！――後生《ごしょう》ですから、お気をつけなすって下さい」

狂人は、吠《ほ》えたてた。ふり乱した毛髪を顔からかきのけると、訪問者たちを狂暴な目でにらみつけた。わたしは、その紫色の顔、むくんだ容貌《ようぼう》に、十分見おぼえがあった。プール夫人が進み出た。

「のきなさい」と、夫人をわきへ押しやりながら、ロチェスター氏は言った。「いまナイフは持っていないだろう？　それにわたしは自分で警戒しているよ」

「なにを持っているかわかりませんよ。それは油断がならないのですからね。どんな悪だくみをするか、まるで見当もつきやしません」

「ぼくたちは、そばにいない方がいいと思うが」と、メースンがささやいた。

「勝手にするがいい」というのが、義弟の忠告であった。

「用心して下さい！」とグレイスが叫んだ。三人の紳士は、言い合せたように、あとへさがった。ロチェスター氏は、わたしを紳士たちの背後に押しやった。狂人は、飛びかかってきて、猛然と彼の喉《のど》ぶえをひっつかみ、頰《ほお》にかみついた。二人は争った。彼女は彼とほとんど同じくらい上背があり、その上、肥満した大柄《おおがら》な女であった。彼女は、まるで男のような力を出し――彼ほど腕力の強い人が、いちどならず喉を絞められそうになった。巧みにねらった一撃で、彼女を片づけることができたにちがいないが、彼は、なぐりはしなかった――ただとり組むだけであった。やっと彼は、彼女の両腕を押えつけた。グレイス・プールが一本の綱を差しだした。彼はそれで狂人をうしろ手にくくりあげ、手近にあった、もう一本の縄《なわ》で、椅子《いす》に縛りつけた。この仕事は、彼女が世にも獰猛《どうもう》な叫びをあげ、はげしくのたうちまわるなかで、やりとげられた。ロチェスター氏は、それから見物人の方へ向きなおり、皮肉なしかも、寂しげな笑いを浮べて、彼らを見た。

「これが私の妻なのです」と彼は言った。「こんなぐあいにやるのがわたしの知っているただ一つの夫婦の抱擁なのです！　これがわたしの無聊《ぶりょう》を慰める愛のしぐさなのです！　そしてわたしの望むのは、このひと」（とわたしの肩に手をおきながら）「悪魔の跳舞を、落ち着いてながめながら、こんなにも厳粛に冷静に地獄の縁《ふち》に立っている、このうら若い乙女なのです。わたしは、あくどいシチューのあとの口直しに、この娘がほしかったのです。ウッド、ブリッグズ、この相違を見てほしい！　この澄みきった瞳《ひとみ》と、向うの、あの赤い球のような目とを、比べてみて下さい——この顔と、あのお面《めん》と——この姿と、あの巨体と。福音を説く牧師さんと法律を語る人よ、そのうえでわたしを裁いていただきたい。おのが裁く審判《さばき》にて、おのれも裁かれん（訳注　新約マタイ伝七章二節）ということを忘れないでいただきたい！　さあ、行って下さい。わたしは、この大事な宝を監禁しなければならない」

わたしたちは皆引きとった。ロチェスター氏は、グレイス・プールに、なにか、指図を与えるために、しばらく、あとに残った。階段を降りながら弁護士はわたしに話しかけた。

「お嬢さん」と彼は言った。「あなたは、あらゆる非難から潔白であることを証明されました。――メースン氏がマデイラに戻られ、あなたの叔父さんが、このことを聞かれたら、さぞ、お喜びになるでしょう――もしまだ、叔父さんが生きていらしったら」

「わたしの叔父ですって！　叔父がどうかしましたか？　あなたは、わたしの叔父を、ご存じなのですか？」

「メースン氏が、ご存じです。エア氏はファンシャルにおいでになり、ここ何年来というもの、メースン氏の店の取引先なのです。あなたがロチェスター氏と結婚なさるつもりだというお知らせの手紙を叔父さんが受けとられたとき、ちょうどメースン氏はジャマイカへの帰途、保養のためにマデイラに滞在中で、たまたま、叔父さんといっしょにおられたのです。エア氏は、その手紙の趣きをメースン氏に話されました。というのは、ここにいらっしゃるわたしの弁護依頼人がロチェスター氏という名の紳士とお知り合いであることを、叔父さんは知っておられたからです。お察しの通り、メースン氏は驚かれ、また心配され、真実の事情を、叔父さんにお話しになったのです。お知らせするのもお気の毒ですが、叔父さんはいま病気で、床についておりまして、ご病気の性質からも——老衰ですが——ご病気の進み方の程度から考えても、二度と起きあがることは、むずかしいのではないかと思います。そんなわけで、叔父さんは、あなたが落ちこまれた陥穽《かんせい》から、あなたを救い出すため、すぐに、ご自分で英国へ馳《は》せつけることができなかったのですが、メースン氏に、時を移さず、この虚偽の結婚を未然に阻止する処置をとるように、とお頼みになったのです。叔父さんはわたしに助力を求めるようにメースン氏に言われ、そうして事件をわたしにお任せになったのです。わたしは、てきぱきと処置をとり、ありがたいことに、なんとか、間にあいました。もちろん、あなたも、そうお考えのことと思いますが。もし、あなたがマデイラへお着きになるまで、叔父さんが死なずにいて下さることが、ほんとにたしかなものなら、あちらへお帰りになるメースン氏と同行なさるよう、おすすめするのですが、しかし、なにしろ、そんな次第ですから、エア氏から直接——またはエア氏について、なにか、もっと詳しい消息をお聞きになるまで、英国にとどまっていらしった方が、よいと存じます。あなたは、まだ、なにか、このうえ、ここに残っていなければならぬ用件がありますか?」と彼はメースン氏にたずねた。

「いや、いや——帰りましょう」という不安らしい返事であった。そして、いとまごいをするためにロチェスター氏を待つこともせずに、彼らはホールのとびらから出て行った。牧師は彼の傲慢《ごうまん》な教区民に、訓戒か、それとも叱責《しっせき》か、どちらかの言葉を二《ふた》言三《こと》言《こと》いうために、あとに残った。そして、この義務を果たすと、彼も帰って行った。

わたしは、引きさがった。自分の部屋の開きかけたドアのところに立ったとき、彼が出て行く音を聞いた。みんな引きあげてしまうと、わたしは、部屋に閉じこもり、誰も踏みこめぬようにかんぬきをかけてから――だがわたしは、泣きだしもせず、嘆き悲しみもしなかった。そうするには、あまりにも冷静であった――わたしは機械的に婚礼衣裳を脱ぎ、きょうこれがもう着納めだと思って着たラシャのガウンをとり出して、着替えにかかった。それから腰をおろした。弱り疲れたのを感じた。テーブルに両腕をもたせかけ、そのなかへ頭をうずめた。そのときになって、やっと考えることをはじめた。いままでは、ただ聞き、見、動いただけであり――導かれ、引きずられるところへ、ただ、ついて行ったり、来たりしただけであり――事件につづく事件、発覚につぐ発覚を、ただ見守っていただけであった。だが、いまは考えた。

その朝は、実に静かな朝であった――あの狂女との短い一幕をのぞいては、すべてそうであった。教会での出来事も騒々しくはなかった。憤怒《ふんぬ》の爆発もなく、大声の口論もなく、罵《のの》り合いもなく、反抗も決闘の申しこみもなく、涙も、すすり泣きすらもなかった。わずかな言葉が口にされ、結婚に対して、穏やかに異議が唱えられた。きびしい短い質問がロチェスター氏の口から発せられ、それに対して返答と説明とが与えられ、証拠が提出された。公然と、その真実性を承認する言葉が、わたしの主人の口から言われ、それから生きた証拠が見せられ、闖入者《ちんにゅうしゃ》たちは立ち去り、そして、すべてが終った。

わたしは、いつものように——別段これといった変化もなく、いつものわたしとして、自分の部屋にいる。なにものもわたしを、なぐりつけもせず、傷つけもせず、不具にもしなかった。しかも、きのうのジェーン・エアは、どこにいるのか？——彼女の生活は、どこにあるのか？——どこに、その前途はあるのか？

熱烈な、希望に満ちていた女——ほとんど花嫁になりかけていた女——ジェーン・エアは、ふたたび冷たい、孤独な娘に返った。その生命は青ざめ、前途は荒涼としている。クリスマスの霜が真夏に降り、師走《しわす》の吹雪が六月に渦巻《うずま》き、氷が、熟《う》れたりんごに張りつめ、なだれる雪が咲き始めたバラの花を押しつぶし、牧草地や麦畑は一面に霜におおわれ、昨夜は花が咲き乱れて紅《くれない》であった小径《こみち》が、きょうは人跡もない雪に埋めつくされ、十二時間前には熱帯の森林のようにかぐわしい芳香を放ち、茂みがざわめいていた森は、冬のノルウェーの松林のように、もの寂しく、荒涼として、真っ白く雪をかぶっている。わたしの希望は、ことごとく死んだ——一夜にして、昔すべてのエジプトの第一子を襲ったというあの不可解な運命（訳注　旧約出エジプト記十二章二十九節、一夜天使がエジプトの第一子をすべてうち殺し、イスラエル人を解放した）にうたれて死んだのである。きのうは、あんなにも花開き、かがやいていたわたしの希望を、わたしは、ながめる。それは堅く、冷たい、鉛色の、二度とよみがえることのないむくろとなって横たわっている。わたしは、自分の愛を、わたしの主人が創造し、わたしの主人のものである愛情を――ながめる。それは、冷たいゆりかごのなかでふるえている病気の子供のように、わたしの胸のなかでふるえている。病気と苦悩が、それに襲いかかっている。もはやロチェスター氏の腕を捜し求めることはできない――彼の胸から、ぬくもりをとることはできない――ああ！　もう二度と彼の方を向くこともできないのだ。誠実は、しぼみ――信頼はうしなわれてしまったからである！　ロチェスター氏は、わたしにとって、すでに以前の彼ではない。彼は、わたしが考えていた彼ではなかったからである。わたしは彼の不道徳に責めを帰したくはない。わたしを騙したのだとは言いたくない。だが、一点の汚点もない真実という属性は、彼にいだいていた観念からは消え去った。わたしは彼のそばを去らなければならない。そのことは、自分にも、よくわかっている。だが、いつ――いかにして――どこへ――それは、まだわかっていないが、彼自身、わたしをソーンフィールドから追い出すだろうことは、たしかである。彼はわたしに対して真実の愛情をいだくことはできなかったようである。一時的な激情にすぎなかったのだ。その激情に、邪魔がはいった。彼は、もはやわたしを望みはしないだろう。彼の歩む道を横ぎることすら、わたしは、ためらわねばならぬ。わたしの姿は、彼にとって、いとわしいものにちがいないからだ。おお、いかにわたしの目は、盲目であったことか！いかにわたしの行為は弱点だらけであったことか！

わたしの両眼はおおわれ、閉ざされた。渦巻くやみがわたしのまわりに、あふれるように思われ、回想が黒い濁流となって流れこんでくる。自己の喪失と、気のゆるみと、無気力のあまり、わたしは大きな河の乾いた河床に身を横たえているような気がした。遠くの山々から洪水《こうずい》がどっと流れ出す音を聞き、奔流が押しよせるのを感じた。起きあがる意志もなければ、逃げ出す力もなかった。死を願いながら、わたしは失神したように横たわっていた。ただ一つの観念が、なお生あるもののごとくわたしのうちに脈うっていた——神の記憶である。それは無言の祈りを生んだ。つぎの言葉が、当然ささやかな、なくてはならぬもののように、真っ暗なわたしの心のなかを、上へ下へと、さまよっていたが、わたしには、それを口に出していう気力がなかった——「悩みは近ければ、我より遠のきたもうなかれ。また救うものなければなり」（訳注　旧約詩篇二十二編十一節）

激流は迫っていた。わたしは、それを逃がれることを神に祈らなかったので――手を合すことも、跪くことも、唇を動かすこともしなかったので――ついに激流は来た。すさまじい勢いで、それはわたしに襲いかかった。寄るべないわたしの生活、うしなわれたわたしの愛、消えはてたわたしの希望、うちのめされたわたしの誠実などの全意識が、悲しい巨濤《きょとう》となって、はげしく、強く、わたしの上に揺れていた。わたしは、あの恐ろしいときを言い表わすことができない。まことに「大水流れ来たりてわが魂にまで及べり。われ深き泥沼《どろぬま》の中に沈めり。われ立つべきところもなし、われ深水におちいる、大水のわが上をあふれ過ぐ」（訳注　詩篇六十九編一―二節）の章句そのままであった。

27

いつとも知らずその日の午後になって、わたしは頭をあげて、あたりを見まわし、傾きかけた西日が壁の上に照っているのをながめて、（どうしたらいいのだろう？）と心に問いかけた。

ところが――（すぐにソーンフィールドを去れ）――という心の答えは、あまりに、てきぱきとして、恐ろしく、わたしは耳を塞《ふさ》いだほどであった。そんな言葉は、いまのわたしには耐えることができぬ、とわたしは心のなかで言った。（エドワード・ロチェスターの花嫁になれなかったということは、わたしの悲しみのなかでももっとも小さなものだ）とわたしは言い張った。（このうえもなくかがやかしい夢からさめ、それが皆うつろな、むなしいものであると知ったことは、わたしの耐えうることであり、わたしがうち勝つことのできる恐怖である。けれども、決定的に、ただちに、完全に、彼のもとを去らねばならぬということは、わたしには耐えられない。それはわたしにはできない）

しかしそのとき、わたしのうちなる声は、わたしに、それができると断言し、おまえは、そうするにちがいないと予言した。わたしは、われとわが決心と戦った。わたしは、自分の前に展開している、恐るべき苦悩が、これ以上進行するのを避けるほど、自分が、意気地《いくじ》なしであればいいのにと思った。暴君と化した良心は、情熱の喉《のど》ぶえをひっつかみ、（おまえはまだ、その美しい足を、泥濘《でいねい》のなかに、ちょっとばかりつっこんだにすぎぬ）と、あざけるように言い、（おれは鉄の腕で、おまえを腐りきった苦悩の深淵《しんえん》のなかへ突き落してやるぞ）と誓うのであった。

（ではわたしをソーンフィールドからつれ去って下さい！）とわたしは叫んだ。（わたしにはできませんから、誰《だれ》かに手伝わせて下さい）

（いや、おまえは自分でここを去るのだ。誰も、おまえに手を貸してはくれぬ。おまえは自分で自分の右の目をえぐり出し、右の腕を切り落すのだ。おまえの心臓をいけにえとし、おまえ自身が、それを突き刺すもりとなるのだ）

　これほど無慈悲な裁判官につきまとわれる孤独——これほど恐ろしい声に満ちた静寂に恐怖を感じて、わたしは突然立ちあがった。まっすぐに立つと、頭がくらくらとなった。興奮と空腹で、気分が悪くなったのだと気がついた。その日は食べ物も飲み物も口にしていなかった。わたしは朝食をとらなかったのだ。やがてわたしは、こんなに長いあいだ、ここに閉じこもっているのに、どんなぐあいかと、たずねてくれる使いもよこさず、階下へ降りてくるようにと迎えに来るものもなく——小さなアデールすらドアをたたかず、フェアファックス夫人さえわたしを捜しに来ないことに、不思議な悲しみを感じながら気がついた。（好運に見捨てられたものは、常に友にも忘れられる）と、かんぬきをはずして、部屋の外へ出ながら、わたしは呟《つぶや》いた。わたしは、なにかにつまずいた。わたしは、まだめまいがし、目はかすみ、手足は力が抜けていた。すぐには立ち直れなかった。わたしは倒れた。しかし床の上ではなかった。差しのべられた腕がわたしを捕えたのである。わたしは見あげた——わたしはロチェスター氏に支えられていた。

彼は、わたしの部屋の入り口の向い側にある椅子《いす》に腰をおろしていたのであった。

「やっと出てきましたね」と、彼は言った。「やれやれ、長いことわたしはここで、あなたを待ちながら、耳を澄ましていたのですよ。ところが動くけはいも、すすり泣く声も聞えない。あと五分も、あんな死のような静けさがつづいたら、わたしは夜盗のように錠前をこじあけたにちがいない。それほどあなたはわたしを避けるのですか？——部屋に閉じこもって、たった一人で悲しむなんて。むしろわたしは、あなたが猛烈な勢いでやってきて、わたしを非難してくれた方がどんなにいいかしれない。あなたは激しやすい人だ。だから、なにかそういったはげしい場面を予期していたのです。わたしは熱い涙の雨を覚悟していました。ただ、それがわたしの胸にそそがれることを望んでいた。ところが、いまは心ない床か、あるいは、ぬれたあなたのハンカチかが、それを受けてしまった。だが、わたしはまちがっていた。あなたは、ちっとも泣いてはいない！　青ざめた頬《ほお》と光をうしなった目は見えるが、涙の跡はない。たぶん、あなたの胸が血の涙を流しているのでしょう。

「ねえ、ジェーン！　あなたは一言も咎《とが》めないのですか？　辛辣《しんらつ》な言葉も——痛烈なことも言わないのですか？　わたしの感情を傷つけ、かんしゃくを起させるようなことを。あなたはただ、わたしが坐《すわ》らせた場所に静かに腰をおろして、疲れた、活気のない顔つきでわたしを見ているけれど。

「ジェーン、わたしは、こんなふうに、あなたを傷つけるつもりはなかった。仮に、自分のパンを食べ、自分のコップから水を飲み、自分の懐《ふとこ》ろにいだかれて眠る、自分の娘のようにかわいがっている雌《めす》の子羊を、たった一匹持った人が、屠畜場で、誤ってそれを殺したにしても、その人は、わたしがいま嘆いているほど、その血なまぐさい失策を嘆き悲しみはしないでしょう。わたしを許してくれますか？」

読者よ、わたしはそのとき、その場で彼を許してしまったのだ。彼の目には、それほど深い悔恨があり、口調には、それほど真実の同情があり、態度には、それほど男らしい力が満ちていたのである。それに、その表情や物腰すべてに、それほど不変の愛情が満ちていたのである。――わたしは、なにもかも彼を許した。しかも、言葉に出してではなく、表面には表わさず、ただ心の底だけで許したのである。

「あなたはわたしを悪党だと思っているでしょうね、ジェーン」間もなく彼は心配そうにたずねた。――わたしが自分の意志からというより、衰弱の結果、いつまでも黙りこくって、うなだれているのを怪しんだのであろう。

「はい」

「では、そのように手きびしく、ずけずけ言って下さい――容赦せずに」

「わたしにはできません。疲れて気分が悪いのです。水を下さいな」

彼は、わななくような吐息をつき、わたしを抱きかかえて、階下へ運んで行った。初めは、どの部屋へ運ばれたのか、わからなかった。かすんだ目には、すべてが、もうろうとしていた。やがてわたしは、よみがえるような火の暖かさを感じた。夏だというのに、自分の居間では、氷のように冷えきっていたからである。彼はわたしの唇《くちびる》に、ぶどう酒をあてがった。それを口にして、わたしは気力を回復した。それから彼の差しだすものを食べ、間もなく、いつものわたしに返った。わたしは書斎にいたのであった――彼の椅子に坐って――彼は、すぐそばにいた。（もしいま、あまりひどい苦しみかたをせずに死ぬことができたら、どんなにいいだろう）とわたしは思った。（そうすればわたしの心の弦をロチェスター様の弦から引きはなすのに、なんの断ち切る努力をしなくても済むだろう。わたしは、この人と別れなければならないらしい。別れたくない――わたしは別れることはできない）

「気分はどうです、ジェーン」

「ずっといいようです。もうすぐ、よくなりますわ」

「もう一杯ぶどう酒を飲みなさい、ジェーン」

わたしは言われた通りにした。それから彼は、グラスをテーブルに置くと、わたしの前に立って、じっとわたしを見つめた。ふいに彼は、なにか、はげしい感動で、いっぱいになり、なにかわからぬ叫びをあげてわたしに背を向けてしまった。そして、足早に部屋の端まで歩いて行くと、引きかえしてきて、接吻《せっぷん》でもするかのように、わたしの方へ身をかがめた。けれどもわたしは、愛撫《あいぶ》は禁じられていることを思いだした。わたしは顔をそむけて彼を押しのけた。

「おや――どうしたのです?」と彼は、急《せ》き込んでたずねた。「ああ、わかった! あなたは、バーサ・メースンの夫には接吻したくないのですね。あなたは、わたしの腕は、すでにふさがっており、わたしの抱擁も他人のものだと思っているのでしょう」

「どちらにしても、わたしがはいりこむ余地も、わたしの存在を要求する権利も、わたしにはないのでございます」

「なぜですか、ジェーン? あなたに、いろいろと口をきく手間をはぶいてあげて、わたしが、あなたに代って答えてあげよう――わたしがすでに妻を持っているから、というのでしょう。あたったでしょう?」

「はい」

「もし、そう考えるのだったら、あなたはわたしについて誤解しているにちがいない。

わたしを腹黒い道楽者——あらかじめ用意しておいた陥穽《かんせい》に、あなたを引きずりこみ、あなたの面目をうしなわせ、あなたの自尊心を奪いとろうとして、さも私心のない愛情を持っているかのごとく見せかけていた、下劣な、卑《いや》しい放蕩者《ほうとうもの》と、わたしをみなすにちがいない。これに対して、あなたは、どう答えますか? なにも言えないでしょう。第一、あなたはまだ気分もはっきりしてないし、呼吸をするにも、骨が折れる。第二に、あなたはわたしを非難したり、罵《ののし》ったりすることに慣れていない。そのうえ、涙の水門が、あけ放しになっている。いろいろしゃべっていると、それが迸《ほとばし》り出そうだ。それからあなたは、わたしを説諭しようとも、咎めようとも、大騒ぎを演じようとも望んでいない。あなたは、どう振舞おうか——言ってもむだだと思っていることを、どう言おうかと、考えているところなのだ。わたしには、あなたの心がわかる——わたしは用心していますからね」

「わたしは、あなたに逆らうような振舞いは、したくありません」とわたしは言った。わたしの声は、おどおどしており、早く言葉を切りあげた方がよいと心に注意を促していた。

「あなたの言う意味ではなく、わたしの言う意味では、あなたは、その言葉によって、わたしを破滅させようと企てているのです。あなたはわたしを、結婚している男だ、と言ったも同然なのです。結婚した男であるがゆえに、あなたはわたしを避け、わたしから遠ざかる。たったいま、あなたはわたしに接吻することを拒んだじゃありませんか。あなたは、あなた自身をわたしと赤の他人にしようとしているのだ――この屋根の下で、ただアデールの家庭教師として暮すつもりなのだ。もしわたしが親しげな言葉をかけようものなら、もしふたたび親しげな気持があなたをわたしに近づけでもしようものなら、あなたは、『あの男は、もうすこしでわたしを彼の情婦にするところだった。わたしは、あの男に対しては、氷や岩のようにしていなくてはならぬ』と言うだろう。したがって、あなたは、氷のように、また岩のようになるでしょう」

わたしは声をはっきりさせ、しっかりとさせて答えた。「わたしの周囲は、なにもかも変ってしまいました、わたしも変らなければなりません――それは疑いの余地もないことでございます。追憶や連想との絶え間ない戦いを避けるためには、ただ一つの道しかございません。――アデールは新しい先生を迎えなければなりません」

「アデールは学校へ行くのです――そのことは、もうきめてしまいました。それにまた、このソーンフィールド館《やかた》――この、呪《のろ》われた場所――このアカンの天幕（訳注 旧約ヨシュア記七章二十一節）――大空の光に生き地獄の不気味さをさらけだしている、この不遜《ふそん》な穴倉――わたしたちが想像に描くような悪魔の大軍よりも、もっと悪い、一匹のほんものの悪魔が住んでいる、この狭苦しい石の地獄のソーンフィールド館の、忌《い》まわしい連想や追憶で、あなたを苦しめるつもりもありません。ジェーン、あなたをここへとどめておこうとは思いません。わたしもまたいる気はない。どんなお化けが住んでいるか、そのことをよく知っていながら、あなたをソーンフィールド館へつれてきたのが、いけなかったのです。わたしは、まだあなたに会わない前に、ここの、呪わしい話について、わかっていることを、一切あなたに秘しておくようにと皆に言いつけておいたのです。もし、どんな人間といっしょに住んでいるのかを知ったなら、アデールのために来てくれる家庭教師なんぞ、一人もいないだろう、と案じたからにほかならない。それに、あの狂人を、どこかよそへ移すという思いつきも、わたしにその実行を許さなかった——わたしはファーンディーン貴族領に、ここよりも、もっとひっこんだ、人目につかぬ古い家を持っており、そこなら、森の真ん中にあって、不健康だということに気がねさえしなければ、いくらでも、あの狂女を住まわせることもでき、そこからわたしの良心を追いやってしまうこともできたでしょうが——。おそらく、あの家の湿気のひどい壁は、彼女をあずかる義務から、すぐにわたしを解放してくれたでしょう。しかし、悪党には、それぞれ悪事の専門があるものです。わたしの場合は、たとえわたしがもっとも憎むものとはいえ、それを間接に暗殺するという傾向は持っていないのです。

「しかし、狂女のそばにいるということを、あなたに隠しておくことは、赤ん坊をマントにくるんでユーパス樹（訳注　有毒の木）のそばに置いておくようなものだった。あの悪魔のいるあたりには毒気があるのです。いつも、そうだった。しかし、わたしはもうソーンフィールド館をしめてしまうつもりです。玄関は、釘《くぎ》づけにし、階下の窓は、板で、囲ってしまいます。プール夫人には、あなたのいう鬼婆《おにばば》あ――わたしの妻といっしょに、ここで暮してくれるように頼み、年二百ポンドやります。金さえやれば、グレイスは、よく世話してくれるでしょう。そしてグレイスの話相手にもなり、また、妻が使い魔《ファミリア》（訳注　魔法使の用を足す魔物）に知恵をつけられて夜中にベッドのなかの人間を焼こうとしたり、刃物で突き刺そうとしたり、人の骨から肉をかみきろうとしたりするような発作を起したときには、そばにいて加勢できるように、グリムズビー収容所の番人をしているグレイスの息子を呼びよせることにします」

「あなたは」と、わたしはさえぎった。「あの不幸な婦人に、つれなくなさいますのね。あなたは、あの方のことを、憎しみをこめて――執念深い憎悪《ぞうお》をこめて、お話しになりますのね。残酷ですわ――これでは気違いにならないわけにはいきませんわ」

「ジェーン、わたしの小さなかわいい人（わたしはそう呼ぶ、あなたは、そうなのだから）、あなたは自分がなにを言っているのかわからないのだ。そしてまたわたしを誤解している。わたしが、あれを憎むのは、気違いだからではない。もし、あなたが気違いだったら、わたしがあなたを憎むと思いますか？」

「そう思いますわ」

「だから、まちがっているのだ。あなたは、わたしについて、なにも知っていないし、わたしのなしうる愛が、どんな種類のものであるかについても知っていない。あなたの肉体の原子は、どの一つも、わたしにとっては自分の物のように大事なのだ。苦しんでいても病んでいても、やはり同じように大事なのだ。あなたの心はわたしの宝です。仮に、それが傷つき狂ったにしても、やはりわたしの宝だ。もし、あなたが暴れ狂ったなら、緊衣《ウエストコート》（訳注　発狂者を拘束するために着せるもの）ではなくて、わたしの腕があなたを抱きとめるだろう——怒り狂ってわたしにつかみかかるのさえ、わたしにとっては魅力なのだ。けさ、あの女がやったように、あなたが狂暴に飛びかかってきても、わたしは、あなたを抱きしめるだろう。すくなくとも、それが、あなたを拘束する程度の優しさで。あの女を避けたときのように、嫌悪《けんお》をこめて、あなたのそばから、あとずさりするようなことはないだろう。あなたが落ち着いているときには、わたしのほかには、監視人も要らなければ、看護婦も要らない。たとえ、あなたが微笑をかえしてくれなくとも、わたしは、倦《う》むことのない優しさをもって、あなたのそばをはなれずにいるだろう。たとえ、あなたが、盲《めし》いて、わたしを見分けることができなくなっても、わたしは、あなたの目を見つめることに飽きはしないだろう。だがわたしは、いったい、なんだって、こんな考えを追いつづけるのだろう？　ソーンフィールドから、あなたを、よそへ移すことを話していたのに。万事いまにも出発できるように準備してある。あす、あなたは出発するのです。もう一晩だけ、この家で辛抱して下さい。頼みますよ、ジェーン。一夜すぎれば、この悲惨と恐怖にも永久におさらばです！　行く先は、あるのです。そこは、いとわしい思い出からも、招かざる闖入者《ちんにゅうしゃ》からも――偽りや誹謗《ひぼう》からさえも、絶対に安全な隠れ家です」

「アデールもいっしょにおつれなさいまし」と、わたしはさえぎった。「あなたのお相手になりましょう」

「それは、どういう意味ですか、ジェーン？　アデールは学校へやるつもりだと言ったでしょう。わたしが自分の相手に子供をつれて行ってどうしますか。しかも自分の子供でもない――フランスの踊り子の私生児を。どうして、あの子のことを頼むのです？　どうしてわたしの相手にアデールをあてがうのです？」

「あなたは隠遁《いんとん》なさるとおっしゃいました。隠遁や孤独は退屈なものでございます

──あなたには、あまりに退屈すぎるでしょう」

「孤独！　孤独だって？」と彼は、じれったそうに叫んだ。「説明しなくてはならないらしい。どうして、あなたは、そんな不可解な表情をするのか、わたしにはわからない。あなたは当然わたしと孤独をともにするのですよ。わかりましたか？」

わたしは首を振った。彼は、次第に興奮してくるので、口へ出さずに不同意のそぶりを示すだけでも、ある程度の勇気を必要とした。彼は足早に、部屋のなかを歩きまわっていたが、ふいに根が生えたように立ちどまった。長いあいだ、はげしくわたしを見つめていた。わたしは彼から目をそらし、煖炉《だんろ》を見つめ、静かな冷静な様子をよそおいつづけようと努めた。

「さて、ジェーンの得意の故障ができたぞ」わたしが予期していたよりも、はるかに穏やかな顔で、やっと彼は言った。「絹の糸車は、いままでは、ぐあいよくするするとまわっていたのに。しかし、いずれは、こんぐらかりや、もつれが、できるだろうと思っていた。とうとう、やってきた。さあ、いよいよじらしたり、おこらせたり、果てしのないいざこざがはじまるのだ。ああ！　ちょっとでもいいから、わたしはサムソンの力をふるってみたい。麻糸のくずみたいなもつれを断ち切りたい」

彼はまた歩きはじめたが、またすぐ立ちどまると、こんどはわたしの真ん前に来た。

「ジェーン！　聞きわけてくれますか？」（彼は身をかがめて、わたしの耳に、唇を近づけた）「というのは、あなたがいやだと言ったら、わたしは、どんな腕ずくの乱暴もやりかねないからです」彼の声は、かすれていた。その表情は、いままさに耐えられぬ束縛《いましめ》を断ち切って、狂気じみた放埒《ほうらつ》な生活に飛びこもうとするときの男の顔であった。もう一度、激情の衝動がきたら、つぎの瞬間にはわたしは彼に対してどうしようもなくなるだろうとさとった。現在この一秒だけが――彼を統制し抑制できる唯《ゆい》一《いつ》のときであった。反撥《はんぱつ》したり、逃げたり、こわがったりしたならば、わたしの――また彼の運命は、さだまってしまったにちがいない。けれどもわたしは恐れなかった。いささかも恐れなかった。わたしは、自分の内部の力を感じた。支配しうる力を感じた。それがわたしを支えてくれた。危機は間髪を入れぬきわどいところにあった。けれども、それにもまた魅力がなかったわけではない。インディアンがカヌーに乗って急流を馳《は》せ下るときに感じるであろうような魅力である。わたしは握りしめた彼の手をとって、折り曲げた指を解きほぐし、なだめるように言った――

「おかけなさいな。お好きなだけ、いつまでも、ゆっくりお話しいたしましょう。道理にかなったことでも、ご無理なことでも、あなたがおっしゃらねばならぬことは、みんな伺いますわ」

彼は腰をおろした。しかし、すぐには話し出す機会を与えられなかった。わたしは、しばらくのあいだ、涙を流すまいと、必死にこらえていた。涙をせきとめるのに、一生懸命、苦労していた。彼はわたしが泣くのを見るのを好まなかったからである。けれども、いまは、いつまでも心ゆくまで涙を流す方がよいとわたしは考えた。もしも涙が彼を当惑させるものなら、なおさら好都合なわけである。そこでわたしは思いのままに、心ゆくまで泣いた。

やがてわたしは、泣きやんでほしいと、しきりに彼が頼むのを聞いた。わたしは、あなたがそんなに激昂《げっこう》しているあいだは気を静めることはできない、と言った。

「しかしわたしは、おこってやしないよ、ジェーン。ただ、あまりにあなたを愛しているからなのです。それなのに、あなたときたら、その小さな青ざめた顔を、わたしには我慢ができぬほど決然と、まるで氷のように、こわばらせているのだ。さあ、もう泣きやんで目をふきなさい」

穏やかになった声は、彼の気持が静まったことを告げていた。そこで、こんどはわたしも静かになった。すると彼は、しきりにわたしの肩に頭をもたせかけようとした。しかしわたしは、それを許そうとはしなかった。すると彼は、わたしを彼の方に引きよせようとした。——いけない！

「ジェーン！ ジェーン！」と彼は、わたしのすべての神経がわなないたほど、ひどく悲しそうな調子で言った。「では、あなたはわたしを愛してはいないのですか？ あなたにとって大事だったのは、わたしの地位とわたしの妻としての身分だけだったのですか？ いまわたしが、あなたの夫になる資格はないと思うものだから、それであなたは、まるでわたしが蟇蛙《ひきがえる》か、猿《さる》ででもあるかのように、わたしがさわるのをいやがるのだね？」

この言葉はわたしの胸にこたえた。だが、わたしにどうすることができよう。なにを言うことができよう。なにもせず、なにも言わずにいるべきであったのだろうか。わたしは、こんなふうに彼の気持を傷つけたことに対する後悔の念に、ひどく苦しめられた。わたしは、自分が傷つけたその傷口へ鎮痛剤を垂らしたいという思いを、抑えることができなかった。

「わたしは、あなたを、これまでにもまして愛しております」とわたしは言った。「でも、そのような気持を表わしたり、その気持におぼれたりしてはいけないのです。それに、こう申しあげるのは、これが最後でございます」

「最後だって、ジェーン！ わたしといっしょに暮し、毎日わたしの顔を見、しかも、まだわたしを愛しているのに、いつもわたしに冷淡によそよそしくしていることができると思うのですか？」

「いいえ。そんなことは、けっして、できないと思います。ですから、ただ一つしか道はございません。でも、それを申したら、あなたは、きっとおおこりになるでしょう」

「おお、それを言っておくれ！　もしわたしがおこったにしても、あなたには泣くという手がある」

「ロチェスター様、わたしは、おそばを去らなければなりません」

「どのくらいの期間ですか、ジェーン？　ほんのちょっと、その髪を撫《な》でつけ――すこし乱れているから――顔を洗う――すこし熱っぽいから――そのくらいの時間？」

「わたしは、アデールともソーンフィールドとも、お別れしなければなりません。一生あなたとお別れしなければならないのです。わたしは知らない人のあいだで、見も知らぬところで、新しい生活をはじめなければならないのです」

「もちろん、そうすべきだとわたしは言った。わたしと別れるなどという気違い沙汰《ざた》は聞き捨てにしよう。つまり、わたしから別れられないものになるという意味でしょう。新しい生活をはじめるという点は、まったくけっこうです。やはりわたしは、あなたを妻にします。わたしは結婚してはいないのだからね。あなたをロチェスター夫人にします——名実ともに生きているかぎり、わたしは、あなた一人を守ります。南フランスにわたしが持っている家——地中海の海岸にある白堊《はくあ》の別荘《ヴィラ》へ行きましょう。そこで、あなたは幸福な、安全な、このうえもなく清らかな生活を送るのです。けっして、わたしがまちがった道へあなたを誘いこもうとしている——あなたをわたしの情婦にしようと思っているなどと心配しないで下さい。なぜ首を振るのですか？　ジェーン、聞きわけてくれなければいけないよ。さもないとわたしはまた激昂しますよ」

彼の声も手もふるえていた。その大きな鼻孔はひろがり、目は燃えていた。それでもわたしは思いきって言った。

「あなたの奥様は生きていらっしゃいます。それはけさ、ご自分でお認めになった事実です。お望み通りわたしがあなたとごいっしょに暮すとしたら、それではわたしは、あなたのおめかけではございませんか。そうではないとおっしゃるのは詭弁《きべん》ですわ——偽りでございますわ」

「ジェーン、わたしは、穏やかな性分の男ではない——あなたは、それを忘れている。わたしはまた、我慢強い人間でもない。冷静でもなければ、落ち着いてもいない。わたしを、またあなた自身を、かわいそうだと思って、わたしの脈に、さわってごらんなさい。どんなふうに脈うっているか、よく気をつけて！」

彼は手首を出し、それをわたしの方へ差しだした。頬《ほお》からも、唇からも血の気がうせ、しだいに青ざめてきた。わたしは、すっかり、途方にくれた。彼があんなにも嫌《きら》っている反抗によって、これほどはげしく彼をかき乱したのは残酷だった。だが彼の言葉に従うのは、思いもよらぬことであった。わたしは、人間が窮地に追いこまれたときに本能的にすることをした――人間よりも高いものに助けを求めたのである。

「神様、お助け下さい！」という言葉が、思わずわたしの唇をついて出た。

「わたしは、馬鹿《ばか》だった！」と突然ロチェスター氏は言った。「自分は結婚してないと言い張りながら、そのわけを説明していない。あの女の性格についても、あの女との地獄のような結婚に伴ういろんないきさつについても、あなたは、なにも知らないことを忘れていた。ああ、わたしの知っていることを全部知ったら、ジェーンだってわたしの意見に賛成してくれるにちがいない。あなたの手をわたしの手の上に載せて下さい、ジャネット――目で見ると同時に手で触れて、あなたの存在をたしかに感じるために。――そしてわたしは手短かに事件の真相をお話ししましょう。聞いてくれますか？」

「はい、およろしければ何時間でも」

「ほんの数分でけっこうです。ジェーン、あなたは、わたしがこの家の長男ではなく、かつてわたしには兄があったことを聞いていますか、あるいは知っていますか？」

「フェアファックス夫人が、そうおっしゃったのを、おぼえております」

「わたしの父が、すごく強欲な人間であったことも聞いていますか？」

「なんですか、そんなふうなことを記憶しております」

「そうですか。ところで、ジェーン、そんな次第で、財産を一つにまとめておきたいというのが父の腹だった。父は所領地を分けてわたしにも公平な分けまえを残そうなぞという考えには、我慢がならなかった。全部、わたしの兄のローランドに譲るべきだと決心していた。しかも父は、息子の一人が貧乏人になることにも、同様に耐えられなかった。わたしは金持との結婚によって養われなければならないと父は考えた。やがて父は、ちょうどうまいぐあいに、わたしの配偶者を見つけた。西インドの農場主で商人のメースン氏は、父の古い知り合いでした。その財産は確実で莫大《ばくだい》なものだと父は信じていました。父は調査してみた。メースン氏には、息子と娘が、一人ずつあることがわかりました。そしてまたメースン氏が、娘には三万ポンドの財産を与えることができ、またそうする意向でもあることを彼から聞きました。それだけで十分でした。大学を出ると、わたしは、すでにわたしのために結婚を申しこんであった花嫁を娶《めと》るために、ジャマイカへやられたのです。父は花嫁の財産のことについては一言も話さなかった。しかし、メースン嬢はその美貌《びぼう》のためにスパニッシュ・タウンの誇りになっているとわたしに語りました。それは、嘘《うそ》ではなかった。わたしは彼女が、ブランシュ・イングラム型の美人——背が高く、色の浅黒い、堂々とした美人であることを知りました。わたしの家柄《いえがら》がいいので、彼女の家族たちはわたしをほしがっており、本人もそう思っていました。あの人たちは、彼女をきらびやかに着飾らせて、いろんな夜会の席上でわたしに見せびらかしたものです。わたしは、二人きりで彼女に会ったことも、二人きりで話し合ったことも、ほとんどなかった。彼女はわたしに媚《こ》び、わたしを喜ばせようとしてやたらと、その魅力や芸能《たしなみ》を見せびらかしました。彼女をとり巻く男たちは、いずれも彼女を賛美し、わたしを羨《うらや》んでいるようでした。わたしは眩惑《げんわく》され、刺激され、すっかり感覚を興奮させられてしまいました。わたしは無知で、うぶで、経験が浅かったので、自分が彼女を愛していると思ってしまったのです。どれほど、たわいのない、馬鹿げた痴態でも、社交界の張合いや、青年時代の情欲や軽率や盲目に駆り立てられると、これをやりかねないものなのです。彼女の近親者たちがわたしをけしかけ、競争者たちがあおりたて、彼女が誘惑して、自分がどんな立場にあるのかさえもわからぬうちに、われわれの結婚は、なしとげられていものにたのです。ああ、わたしのあのときの行為を考えると、わたしは、自分というものに三文の値うちも認められない！――自分を軽蔑《けいべつ》する思いにうちのめされる。わたしは、けっして彼女を愛しはしなかった。尊敬もしなかった。彼女を知ることすらしなかったのだ。彼女の性質に一つでも美点があるかどうかということも、たしかには知らなかった。わたしは彼女の心や態度に、慎ましさも、情け深いところも、高潔さも、洗練された感じも認めなかった。それでいて、わたしは彼女と結婚した――わたしは、下劣で、愚鈍で、モグラみたいに目の見えぬ石頭だったのだ！　大した罪にはならないが、わたしは――いや、誰《だれ》に向って話をしているのかを忘れないようにしなければならない。

「わたしは、わたしの花嫁の母親という人を見たことがなかった。死んだものと思っていた。新婚の旅が終ったとき、わたしは自分の思いちがいに気がついた。母親は気が狂っていて、精神病院に閉じこめられていたのです。もう一人、弟があって、これも――完全に口がきけない、まったくの白痴でした。あなたも会ったあの兄にしても、おそらく、いつかは同様の状態になることだろう。（わたしは彼の近親者は、みんな大嫌いなのだが、あの男だけは憎めない。というのは、あの男は悲惨な妹に対して、いつも関心を寄せていることでもわかるように、また、一時わたしに対して犬のような愛着をいだいていたことでもわかるように、弱々しい心のなかに、いくらか情愛をもっているからです)。わたしの父も兄のローランドも、このことは全部知っていたのです。それなのに彼らは、ただ三万ポンドのことばかり考えて、ぐるになってわたしをおとしいれたのです。

「これはわたしにとって、忌まわしい発見でした。しかし、わたしに秘密にしていたという不実をのぞけば、こうした発見も、別にわたしは妻を非難する材料にはしなかった。たとえ彼女の性質とまったく相いれぬものであり、彼女の趣味はわたしにとっていとわしく、彼女の精神的傾向は俗っぽく、低級で、狭量《きょうりょう》で、より高いものに導かれるとか、よりひろびろとした世界に心をひろげるとかいう能力に、こっけいなほど欠けているとわかったときでさえも——わたしは一晩でもいや一日に一時間でも、彼女とは、楽しくすごせないとわかったときも、また、わたしの始める話題は、なんによらず、たちまち彼女の下品な、ありふれた、ひねくれた、愚劣なものになってはね返ってくるため、われわれのあいだでは、優しい話をかわすことなど、とてもできないとわかったときも——、また彼女が、乱暴な、わけのわからぬ怒りを、しじゅう爆発させたり、馬鹿げた、つじつまの合わぬ、やかましい命令を出して困惑させたりするのを、我慢する召使は、一人もいないだろうから、静かな、落ち着いた家庭を持つことなど、とても不可能だとわかったときも——そのようなときでさえ、わたしは自分を抑えていました。わたしは彼女を叱ることを避け、忠告を簡単に切りあげ、彼女に対する後悔と嫌悪《けんお》を人知れずかみ殺そうとつとめ、強い反感がわき起るのを抑えつけようとしました。

「ジェーン、こんないやらしい話で、あなたを苦しめるのはよそう。わたしの言わねばならぬことは、はげしい言葉が数語あればいい。わたしは、あの三階にいる女と四年間同棲《どうせい》しました。その四年間がすぎ去る前に、彼女は、じつにわたしを苦しめた。彼女の性格は、恐ろしい速度で成熟し発達していきました。ふしだらは、ますますひろがり、はびこり、それが、あまりにはげしいので、いまはもう残酷なやりかたでなければ阻止することができなくなりました。わたしは、そんな手荒な手段は、とりたくなかった。なんと彼女は小人《ピグミー》の知恵と巨人の性向とを持っていたことか！　この性癖によってわたしのこうむった呪いの、なんと恐ろしいものであったか！　まぎれもなく、ふしだらで有名な母親の血を引いたバーサ・メースンは、大酒飲みで、同時に、淫蕩《いんとう》な妻に縛りつけられた男につきものの、いやらしい、不名誉な苦しみのなかに、わたしを引きずりまわしたのです。

「そのあいだに、わたしの兄は死に、四年めの終りには、父も亡《な》くなりました。——

かくてわたしは、十分に金持になりました――しかし精神的には、目もあてられぬほど貧困であったのです。これまで見たうちで、もっとも下品な、不純な、堕落した人間性が、わたしの人間性に結びつけられ、法律や社会によってわたしの妻と呼ばれているのです。しかも、どんな法律上の手続きによっても、わたしは、それから逃がれることはできなかった。というのは、医師たちは、そのとき、わたしの妻が発狂していることを発見したのです。――彼女の不節制が、精神異常の発芽を早めに成長させてしまったのです。ジェーン、わたしの話がいやなのですか。気分が悪くなったような顔をしている――このつづきは別の日に延ばしましょうか？」

「いいえ、いますっかり話して下さい――お気の毒ですわ――あなたを心からお気の毒に存じます」

「ある人たちから受ける同情は、有害で、失礼な贈り物です。贈ってよこした人の口へ投げかえしてもさしつかえないものです。その種の同情は、無情な、自分本位の心から生れたものだからです。他人の悩みを聞いたときの身勝手な苦痛が、悩んでいる人に対する無意識の軽蔑と混じりあって生れた混血児だからです。しかし、あなたの同情は、そうではない。ジェーン、いま、あなたの顔全体に満ちている感情――そのために目はあふれそうになっており――心は、ふくらんでおり――手はわたしの手のなかでわなないているのは――そんなものとはちがう。かわいい人よ。あなたのあわれみは、愛情を生み出す、悩みの母だ、あなたの苦悶《くもん》は神聖な熱情を生むための陣痛です。わたしはそれを受けいれます。そこから生れいずるものを自由に生れしめよ――わたしの腕は、それを抱きとろうとして待ち構えている」

「さあ、どうぞ先をつづけて下さい。あの方が狂気だとわかったとき、あなたはどうなさいましたの？」

「ジェーン、わたしは絶望の淵《ふち》に近づいた。その深淵《しんえん》とわたしとのあいだには、ただ自尊心のかけらが残っているだけでした。もちろん世間の目には、わたしが恐ろしい恥辱をこうむっているように見えたでしょう。しかしわたしは、自分自身の目に、清潔なものとして映るものでありたいと決心しました――最後まで彼女の罪に染まることを拒み、彼女の精神的欠陥と関係しないようにと戦いました。それでも世間は、わたしの名と人物を彼女と結びつけて扱いました。わたしは、やはり、あの女を見、その声を聞き、そしてわたしの呼吸する空気には、あの女の息が混じっていたのです（ああ、たまらない！）。さらにわたしには、かつてあの女の夫だったという記憶がある――それを思いだすことは、当時もいまも、言いようもないほどわたしにはいとわしい。それどころか、彼女が生きているあいだは、よりよい妻の夫になることは絶対にできないこともわかっている。わたしより五つも年上ではあるが（あれの家族や父親は、あれの年齢についてさえ、ことさらわたしを偽っていたのです）、精神がだめなのと同じくらい、体は頑健《がんけん》だから、わたしが生きているあいだは、あれも生きそうだとわかった。こうして二十六歳のときにわたしは希望をうしなった人間になったのです。

「ある夜、わたしは、あの女の叫び声に目をさました――（医師から発狂していると知らされてからは、もちろん監禁してあったのです）――火のように暑い西インドの夜でした。あの地方の暴風雨《ハリケーン》の前によくある種類のものです。ベッドで眠れないのでわたしは起きあがり、窓をあけた。大気は、硫黄《いおう》の蒸気のようで――どこにも気分をさわやかにするものは求められなかった。蚊が、ぶんぶんはいりこんできて、部屋のなかを陰気にうなりまわっていた。耳に響いてくる海鳴りは、地震のように、鈍くとどろき、雲が海上をおおいかけていた。月が、やけた砲弾のように、大きく赤く波間に沈もうとしており――暴風雨がくる気配にふるえている地上に、血の色をした最後の一瞥《いちべつ》を投げていた。この雰囲気《ふんいき》と光景が肉体的にわたしに影響した。耳は、ますます叫びわめいている狂女の呪いの言葉でいっぱいになっていた。その叫びのなかで、ときどき彼女は、悪魔のような憎悪《ぞうお》をこめた声で、ひどい言葉でわたしの名前を交ぜるのです――どんな本職の淫売婦でも、あの女ほど、みだらな言葉を、つかいはしないでしょう。二部屋隔てているのに、その一言々がわたしに聞きとれるのです――西インド式の家屋の薄い仕切りは、あの女の、狼《おおかみ》のような叫び声をさえぎるのには、ほんのわずかしか役に立たないのです。

「(こんな生活は地獄だ)と、ついにわたしは言いました。(これは地獄の空気だ。あの声は底なし地獄の坑《あな》から響いてくる叫びだ。それができるなら、おれは、ここから自分を救い出す権利がある。この地獄に落ちるような苦しみは、いまおれの魂を圧迫しているこの重たい肉体とともに、おれからはなれ去るだろう。おれは狂信者どものいう無限の焦熱地獄なんぞ恐れはしない。現在のこの状態よりも悪い未来なんぞありはしない。――わたしをここから脱して神の御許《みもと》へ帰らせて下さい!)

「こう言ってわたしは跪《ひざまず》き、弾丸をこめたピストルが一対《つい》はいっているトランクをあけました。自殺するつもりだったのです。しかしわたしは、ほんの一瞬だけ、そんな考えをいだいたにすぎませんでした。というのは、わたしは狂ってはいないので、わたしに自殺の欲望と計画を起させた完全な絶望の危機は、またたく間にすぎ去ったからです。

「欧州からの、さわやかな風が、大洋を越え、あけ放した窓から吹きこんできました。

嵐《あらし》がはじまりました。雨になり、雷がとどろき、稲妻が光り、大気は澄んできました。そのときわたしは、ある考えを思いつき、決心したのです。ぬれた庭先の、しずくのしたたっているオレンジの木の下や、ぬれたざくろやパイナップルのあいだを歩いているあいだに、そして熱帯の目のさめるような夜明けが、あたりにかがやきはじめるあいだに、わたしは、こんなふうに考えたのです。ジェーン、聞いて下さい。それこそ、そのときわたしを慰め、わたしの行くべき正しい道を示してくれた真の叡智《えいち》なのですから。

「欧州から吹いてくる、さわやかな風は、なおも、よみがえった木々の葉にささやいており、大西洋は、すばらしい奔放さをもって、とどろいています。長いあいだ、乾ききって、焼け焦《こ》げそうになっていたわたしの胸は、波の音に調子を合せてふくれ上がり、いきいきとした血がみなぎり——肉体は蘇生《そせい》を望み——魂は、きよらかな水を欲《ほっ》していました。わたしは希望のよみがえったことを知り——新生の可能なことを感じました。庭のつきあたりの花のアーチの向うに、わたしは海を——空よりも青い海を見渡しました。古き世界は、彼方に去り、晴れやかな前途は、つぎのように開けました。

「『行け』と希望は告げました。『もういちど欧州で暮すのだ。そこでは、おまえがどんな不名誉な名をになっているかも、どんな汚《けが》らわしい重荷に縛りつけられているかも知られてはいない。あの狂女を英国へつれて行くがよい。適当な付添い人と監視をつけてソーンフィールドに監禁するがよい。そして、おまえは、好きなところへ旅行し、気に入った新しい縁を結ぶがよい。辛抱強いおまえを、あれほど虐待《ぎゃくたい》し、あれほどおまえの名をはずかしめ、おまえの体面を傷つけ、おまえの青春を枯れしぼませた女は、おまえの妻でもなく、また、おまえは、あの女の夫でもない。あの女の病気に必要なだけの世話をしてやるがよい。それで、おまえは、神と人とが、おまえに要求するだけのことは、一切したことになるのだ。あの女の正体、あの女とおまえとの関係を、世間の目から葬《ほうむ》り去るがよい。誰にも、それを知らせる義務はない。あの女を安全に気楽にさせておくがよい。あの女の生き恥を隠し、そして、おまえは、そのそばを去るがよい』

「わたしは正確にこの提案の通りにした。父も兄も、わたしの結婚を世間には知らせていなかった。わたしは、父や兄にあてて結婚を知らせた一番初めの手紙に――すでにわたしは、その結果に極度の嫌悪を感じており、家族の性格や体質から判断して、自分の前には、忌まわしい未来がひろがっているのを見てとったので――この結婚のことは、堅く秘密にしておいてくれるようにと書き添えておいたからです。また、父が選んだわたしの妻の破廉恥《はれんち》な行為は、父としても、あの女を息子の嫁と認めるのを恥じるようなものであったからです。この縁組を公然と発表することなど思いもよらず、父もまたわたしと同じく、なんとかしてそれを隠しておきたいと希望するようになったのです。

「それからわたしは、あの女を英国へつれてきました。あのような怪物《モンスター》を船に乗せて、わたしにとっては恐ろしい航海でした。ようやくソーンフィールドまでつれてきて、あの三階の部屋へ無事に落ち着かせたときには、ほっとしました。秘密の奥の小部屋を、彼女はきょうまで十年間、野獣の檻《おり》――悪鬼の洞窟《どうくつ》としてきたのです。あれの付添い人を見つけるについては、かなり、骨が折れました。忠実な点に信頼のおける人間を選ぶ必要があったからです。というのは、あれが喚《わめ》きはじめると、どうしてもわたしの秘密をもらしてしまうからです。そのうえ、あの女は、何日か――ときには何週間も――正気にかえることがあり、そのあいだずっとわたしの悪口を言いつづけているのです。やっとわたしはグリムズビー収容所から、グレイス・プールをやといました。グレイスと外科医のカーター（メースンが刺されかみつかれた晩、傷を包帯してくれた医師です）とが、これまでにわたしの秘密を許されている、ただ二人の人間です。フェアファックス夫人は、なにかあると疑っているかもしれませんが、事実については、なにも正確な知識を持ってはいません。グレイスは、全体としては、いい世話人です。ただ、あのようなわずらわしい職業にはありがちの、なにものも矯正《きょうせい》することのできぬ彼女自身の欠点にもよるところがあるのかとも思うが——一度ならず、グレイスの見張りは、怠慢になったり、出し抜かれたりしました。狂人は、ずるくて、根性が悪くて、監視人のちょっとした手抜かりにも、すぐにつけこむ機会をのがすことがないのです——一度は自分の兄を刺したナイフを隠したし、また二度も監禁されている部屋の鍵《かぎ》を手に入れて夜中にそこから脱《ぬ》け出しました。初めのときはベッドのなかにいたわたしを焼き殺そうとたくらみ、二度めには、あなたのところに現われたのです。あのとき、あの女が、憤怒《ふんぬ》をあなたの婚礼衣裳《いしょう》に向けたことを、わたしは、あなたを守ってくれた神に感謝します。あの衣裳は、たぶん彼女に、彼女の花嫁のころのことを、おぼろげに思いださせたのでしょう。だが、どんなことが起ったかを思いかえすことさえ、わたしには耐えられない。けさ、わたしの喉《のど》に飛びついてきたあいつが、わたしのかわいい小鳩《こばと》の巣の上に、あの黒ずんだ赤い面《つら》をつき出したのかと思うと、わたしの血は凍り——」

「そして、あの方を」とわたしは、彼が口をつぐんだあいだに、たずねた。「ここへ落ち着かせなさってから、あなたは、どうなすったのですか？　どこへいらしったののですか？」

「どうしたかって？　ジェーン。わたしは鬼火のような、住所不定の人間に変ったのです。どこへ行ったかって？　わたしは三月のからっ風のように、野放図に、さまよい歩きましたよ。わたしは大陸へ渡り、あらゆる国を放浪しました。わたしの変らぬ望みは、わたしの愛することのできる善良で聡明《そうめい》な婦人を求め、そして発見することでした——ソーンフィールドへ残してきた奸婦《かんぷ》とは正反対のね——」

「でも、あなたは結婚なさることはできなかったでしょう？」

「わたしは結婚できる、そして結婚すべきであると決心し、またそう確信しました。わたしは、あなたを騙《だま》した。しかし、そのようなことをするのは、もともとわたしの意志ではなかった。ありのままを話し、公然と結婚を申しこむつもりだったのです。愛し愛されるのはわたしの自由だという考えは、絶対に合理的なものと思われました。だからわたしは、自分が負わされている呪いにもかかわらず、わたしの立場を理解し、わたしを受けいれてくれる意志と能力とを持っている婦人を発見できるものと信じて疑わなかったのです」

「まあ、それで？」

「あなたが、ものを問いかけるときには、ジェーン、あなたは、いつもわたしをほほえませる。熱心な小鳥のように目をみはり、口で言う返事はもどかしくてならぬとでもいったふうに、そしてまた、人の心の模様を読みとりたくてたまらぬとでもいったふうに、ときどき、いかにもじれったいような身ぶりをする。だが、あなたのその『まあ、それで？』というのは、どんな意味なのですか？　わたしが先をつづける前に説明して下さい。それは、常にあなたが口にする短い言葉だ。そして、それがしばしば、わたしに果てしない物語をつづけさせるのです——なぜだかわたしにもよくわからないけれど」

「そのつぎは、どうなりましたの？　という意味でございますわ。それから、どうなすったか、そのような出来事の結果は、どうなったか、ということ」

「なるほど！　それでいまは、なにを知りたいのです？」

「誰《だれ》か気に入った方を発見なすったかどうか、その人に結婚をお申しこみになったかどうか、また、その方は、どうお答えになったかを」

「好きな人を発見したかどうか、結婚の申しこみをしたかどうかは、言うことができます。だが、その人が、なんと答えたかは、これから運命のノートのなかに書きつけられるのです。十年にわたる長いあいだ、わたしは、一つの首都から他の首都へ——あるときはセント・ペテルスブルグに、なんどかパリに、たまにはローマ、ナポリ、フローレンスにと移り住み、さすらい歩いたのです。たくさんのお金と、古い家柄《いえがら》というパスポートを持っていたお陰で、わたしは、どこでも自由に社交界へ出入りすることができました。どんな社交団体もわたしを拒みはしなかった。わたしは英国の貴婦人、フランスの伯爵《はくしゃく》夫人、イタリアの上流夫人、ドイツの伯爵夫人などのあいだに、理想の女性を捜し求めました。しかし、発見できなかった。ときたま、ふとした一瞬、わたしの夢の実現を告げるような眼差《まなざ》しを捕え、声を聞き、姿を見たと思ったこともあります。だが、すぐにわたしは思い知らされてしまうのです。あなたは、わたしが精神も容姿も完璧《かんぺき》なものを望んでいたと考えてはいけません。わたしはただ自分にかなった人——西インド人と正反対の人を欲しただけなのです。だがわたしの望みはむなしかった。仮に、わたしが束縛のない境遇であったにしても、結婚を申しこみたいような人は、この婦人たちのなかには、一人もいなかったのです——不釣合《ふつりあ》いな結婚の危険、恐ろしさいとわしさについては、わたしは十分に思い知らされていたからです。失望のためにわたしは向う見ずになりました。わたしは金に糸目をつけぬ道楽をやりました——といっても、けっして淫蕩《いんとう》なまねをしたのではありません。淫蕩は嫌《きら》いだったし、いまでも大嫌いです。それはわたしの西インドのメッサリナ（訳注　ローマ皇帝クラウディアスの妃。淫蕩な女の典型）の特性です。淫蕩と彼女に根ざしている嫌悪《けんお》が、快楽を追うときでさえ、わたしを、強く抑制するのです。淫蕩に隣り合った遊びは、どんなものでも、彼女に、彼女のふしだらに、わたしを近づけるように思われ、わたしはそれを避けました。「けれどもわたしは、一人で生きて行くことはできなかった。そこで、情婦を持つことをやってみたのです。そうして、初めに選んだのが、あのセリーヌ・ヴァランスでした——男が、思いだしては自分をけとばしたくなる履歴の一つです。彼女が、どんな女であり、わたしと彼女の仲が、どんな結末をつけたかは、もう知っていますね。あの女のつぎには、その後継者が、二人ありました——一人はイタリア人のジアチンタ、一人はドイツ人のクララ、どちらも、珍しい美人だと言われていました。しかし、あの女たちの数週間のあいだの美しさが、わたしにとって、なんであったろう？　ジアチンタは無節操で気の荒い女でした。三カ月でわたしは、この女に飽きてしまった。クララは、正直で、おとなしかった。だが鈍重で、愚かで、感受性の鈍い女で、わたしの好みには、まるで合わなかった。わたしは、この女に、適当な職業につくためのお金を十分にやって、喜んで手を切り、ほっとした。だが、ジェーン、どうやら、あなたのその顔から察すると、あなたはいまわたしに、あまり好意的な意見を持っていませんね。わたしを薄情な、節操のない道楽者と思っていますね？」

「それは、以前ときどきあなたを好きだと思ったほどには好きではございません。一人の愛人から別な女の人へと、そんなふうな生活を、あなたは、すこしも悪いこととはお考えにならなかったのではございませんか？　まるで、さも当然のことのようにお話しなさいますのね」

「わたしには、なんでもないことでした。しかも、好んでしたことではなかった。下劣な生活法です。けっしてそんな生活に二度と戻《もど》りたいとは思いません。情婦を囲うということは、奴隷《どれい》を買うことに次いで、よくないことです。情婦も、奴隷も、しばしば性質が劣等だし、地位も、必ず劣等です。劣等なものと親しく暮すのは、堕落することです。いまわたしはセリーヌやジアチンタやクララとともにすごした時代の思い出を、いとわしく思っています」

わたしは彼のこの言葉が真実であると感じた。そうしてわたしは彼のこの言葉から、一つの結論を引きだした。すなわち、もしもわたしが、これまで教えこまれてきたもろもろの教訓を忘れ、――なにかの口実を設け――正当な名目をつけ――誘惑されて――その哀れな女たちの後継ぎになるほど自己を忘れるならば、彼がいま、ひそかに彼女たちの思い出を罵《ののし》っているのと同じ感情で、いつかはわたしをながめるにちがいないということである。わたしは、この信念を、口に出して言いはしなかった。そう感じただけで十分であった。試練のときに助けの役目を果たしてくれるよう、わたしは、このことを静かに胸に刻みつけた。

「さあ、ジェーン、なぜ『それで?』と言わないの? 話は、まだ済んではいないのですよ。むずかしい顔をしていますね。やはりわたしを咎《とが》めているのですね。だが、ともかく大事なところまで言わせてほしい。この正月、どの情婦とも手を切って——無益な、孤独の放浪生活の結果、わたしは、すさんだ、痛ましい気持になって——絶望にむしばまれ、あらゆる人間、とりわけ、あらゆる女性に、すっかり嫌気《いやけ》がさし(というのは、わたしはすでに、知的な、誠実な、愛らしい女なぞというものは、夢にすぎぬという見解を持ちはじめていたのです)、仕事に呼びかえされて、イギリスへ帰ってきました。

「霜におおわれた冬の日の午後、わたしはソーンフィールド館《やかた》の見えるあたりまで馬を走らせてきました。いやでたまらないところ! わたしは、そこに平和も——喜びも、期待してはいなかった。わたしはヘイ・レインの踏段の上に、一人腰をおろしている、静かな小さい人影を見ました。その向い側の刈りこんだ柳の木の前を通るのと同じように、無頓着《むとんじゃく》にわたしは、その姿の前を通りすぎた。それが、その後わたしにとって、どんなものになるかという予感もなく、わたしの生活の審判者が——よいにしろ、悪いにしろ、守り神が——慎ましい姿で、そこに待っているという霊感の知らせもなかったのです。メスルアが事故を起し、その人が近づいてきて、真面目《まじめ》くさった顔で助力を申し出たときでさえ、わたしは、そのことに気がつかなかった。あどけない、ほっそりとした人だった！　まるで紅雀《べにすずめ》がわたしの足下へぴょんと飛んできて、その小っぽけな翼にわたしを乗せて運んであげましょうと申し出たような気がした。わたしは、むっつりしていた。だが、その人は立ち去ろうとはしなかった。妙に根気よくわたしのそばに立っていて、なにか権威のある目でこちらをながめ、話しかけるのです。わたしは助けてもらわなければならなかった。しかも、その人の手で。そしてわたしは助けてもらった。

「ふとわたしが、そのか細い肩を押えたとき、なにか新しいもの——新鮮な生気と感覚とが、わたしの体内にそっと忍びこんできた。この小妖精《しょうようせい》が、ソーンフィールド館へ戻るはずだということ——その丘の下のわたしの屋敷の人間だということを知ったのは、わたしにとって、幸いだった。さもなければ、それがわたしの手の下をくぐり抜けて、薄暗い生垣《いけがき》の陰に消えて行くのを、わたしは不思議な心残りを感じないでは見送ることができなかったにちがいない。おそらくあなたは、わたしがあなたのことを思ったり、あなたの姿に気をつけていたりしたことに気がつかなかったかもしれないが、わたしはその夜、あなたが戻ってきたのを聞いた。翌日わたしは、あなたがアデールと廊下で遊んでいるところを、半時間も――わたし自身は見られないようにして――見ていた。いまも思いだすが、雪の降った日で、あなたは外へ出ることができなかった。わたしは自分の部屋にいた。ドアが、すこし開いていて、聞くことも見ることもできた。しばらく、表面あなたの注意は、アデールに注がれているようだった。しかし、あなたの考えは、ほかのところにあったらしい。だが、あなたは、ずいぶん辛抱強く、あの子の相手をしていましたね、わたしのジェーン。長いこと、あの子と話し、遊ばせてやっていました。やっとあの子が行ってしまうと、あなたは、すぐに深い物思いに耽《ふけ》っていました。あなたは、廊下をゆっくりと歩きはじめた。窓ぎわを歩きながら、ときどきあなたは、降りしきる雪を見ていた。また風のすすり泣きに耳を傾け、そして、ふたたび静かに歩みつづけ、なにかを夢みているようでした。あなたの、あのときの真昼の夢想は、暗いものではなかったようです。あなたの目には、ときおり、楽しげな光がきらめき、顔には軽い興奮の色が浮び、苦しげな、気むずかしい、憂鬱《ゆううつ》な物思いをしているようすは、どこにもなかった。その表情は、むしろ青春の魂が、理想の天国へ高く高く飛んで行く希望のあとから、嬉《うれ》しそうに翼を張ってついて行くときの、楽しい物思いを表わしていました。ホールで召使に話しかけているフェアファックス夫人の声が、あなたの夢をさましました。そしてあなたは、一人で自分に向って、なんと奇妙な微笑を浮べたことでしょう。ジャネット、あなたの微笑は意味の深いものだった。非常に油断のならない笑いで、自分の放心状態を軽蔑《けいべつ》しているように見えた。それは、こう言っているようでした——『わたしの美しい幻想は、みんなとてもいいものだけれど、わたしは、それが絶対に現実のものでないことを忘れてはならない。わたしは頭のなかにバラ色の空と花咲きにおう緑のエデンの園を持っているけれど、でも外には、たどらねばならぬ険しい道が、足下に横たわり、周囲には、遭遇しなければならぬ黒い嵐《あらし》が迫っていることをわたしは知っている』あなたは階下へ駆けおり、フェアファックス夫人に、なにか自分のやる仕事はないか、とたずねた。毎週の家計簿をつけるとか、なにか、そんなことだったように思う。わたしは、あなたが視界から消えてしまったので、残念でならなかった。

「わたしのところへ、あなたを呼びよせることのできる夕刻のくるのを、わたしは、じれったい思いで待っていた。あなたの性格は——わたしにとっては——珍しい、まったく新しいものに思われた。わたしはそれを、もっと深く探り、もっとよく知りたいと思った。あなたは、はにかんだような、それでいて自負心に満ちた表情と態度で、わたしの部屋へ、はいってきた。あなたは妙な服装をしていた——いま着ているのと同じような服装をね。わたしは、あなたに話をさせたが、ほどなく、あなたが不思議な対照に満ちていることに気がついた。あなたの服装や態度は規則に束縛されているし、物腰は、しばしば遠慮深く、同時にそれは先天的に洗練されたものであったけれど、まったく人との交際に慣れていず、不作法な言葉遣いや失策をして、相手の気を悪くしはしないかと、しきりにそれを恐れているふうであった。それでいて、話しかけられると、相手の顔に、鋭い、勇敢な、きらりとした目を向ける。その眼差しには、洞察力《どうさつりょく》と力強さとがこもっていた。矢つぎ早に質問を浴びせかけられても、即座に、てきぱきと返答した。あなたは、すぐにわたしに慣れたようでした。あなたは、あなたと、あなたのこわい気むずかしい主人とのあいだに、なにか共鳴する点があるのを感じたはずです。というのは、ある快い気安さが、どんなに、急速にあなたの態度を落ち着かせたかは、見るも驚くほどであったからです。わたしがあたりちらそうとしても、あなたは、わたしのその気むずかしさに、驚きもしなければ、恐怖の色も、当惑の色も、不愉快な色も見せはしなかった。じっとわたしを見守り、ときどき、なんとも言えない無邪気な、聡明な愛嬌《あいきょう》をもってわたしにほほえみかけた。わたしは、それを見て満足し、同時に刺激された。その表情が気に入り、もっと見たいと望んだ。しかし、長いあいだ、わたしは、あなたをよそよそしくあしらい、めったに相手になろうとはしなかった。わたしは知的な美食家だった。だからわたしは、この新奇な、ぴりりと小味の利《き》いた人と親しく交わることによって得られる満腹感を、なるべく、先へ延ばそうとしたのです。それにまた、もしこの花を勝手に手折《たお》ったりしたら、盛りの花の色はうつろい――新鮮さのもつ甘美な魅力が散りうせてしまうのではないかという、しつこい不安に、しばらくのあいだ、悩まされたからです。そのころのわたしは、それが、はかない一時的な開花ではなく、むしろ不壊《ふえ》の宝石を刻んだかがやかしい造花だということを知らなかったのです。そのうえに、わたしがあなたを避けたら、あなたはわたしを捜すかどうか、それも見たかったのです――だが、あなたは捜さなかった。あなたはデスクや画架《イーゼル》と同じように、静かに勉強部屋に閉じこもった。偶然に顔を合せる機会があっても、あなたは、敬意をうしなわぬ程度に、かすかに会《え》釈《しゃく》を見せて、さっさと通りすぎてしまった。そのころのあなたの表情は、いつも考えこんだ顔をしていた――病気ではないのだから、元気のないようすではなかったが、うきうきと楽しそうではなかった。それは、あなたが、ほとんど希望を持たず、実際に楽しみもなかったからではありませんか。わたしは、あなたがわたしをどう考えているか――もしくはわたしのことを考えたことがあるかどうか、それを知りたいと思い、これをはっきりさせようと決心した。わたしは、あなたに注意しつづけた。話をするときのあなたの眼差しには、どこか嬉しそうなところがあり、態度にも晴れやかな感じがあった。人と親しみやすい心を持っているように、わたしには見受けられた。あなたを悲しくさせたのは、あのひっそりとした勉強部屋であり――あなたの生活の退屈さだったのです。わたしは、あなたに優しくする喜びを味わうことにしました。わたしの親切は、すぐにあなたの情感を刺激し、あなたの顔は、和《なご》やかになり、言葉は、優しくなりました。わたしは、あなたの唇《くちびる》から嬉しそうな、幸福そうなアクセントで、わたしの名を呼ばれるのが好きだった。そのころわたしは、あなたに会う機会を、いつも楽しみにしていました。あなたの態度には、奇妙なためらいがあった。ちょっと当惑したような――疑いが半ば解けかけたような顔でわたしを見た。わたしの気まぐれが、どういう形をとるか――主人の役を演じて厳格にしようとしているのか、友だちとして、優しくしようとしているのか――あなたは解《げ》しかねていた。しかしわたしは、最初の気まぐれを、始終くりかえすには、もうあまりに、あなたを好きになりすぎていた。わたしが心から手をさし伸べると、あなたのその若々しい、もの思わしげな顔には、ほんのりとした桜色と、明るさと、喜びの色とが、のぼってくる。そんなとき、その場であなたを抱きしめたい気持を抑えるのが、わたしにとっては、たいへんな努力だった」

「あのころのことは、もうおっしゃらないで」そっと目から涙をぬぐって、わたしはさえぎった。彼の言葉は、わたしには責め苦であった。なぜなら、わたしは自分がしなければならぬこと――それも、すぐにしなければならぬこと――を知っていたし、このような、さまざまな思い出や、このような彼の気持の告白は、わたしのしなければならぬ仕事を、ますます困難にするばかりであったからだ。

「そうだ、ジェーン」と彼は答えた。「現在が、これほどたしかであるのに、未来が、あれほどかがやかしいのに、くどくどと過去に思い耽る必要がどこにあろう?」

わたしはこの夢のような断言を聞いて身ぶるいした。

「どんな事情か、これでわかったでしょう――え、どうですか?」と彼は言いつづけた。「青年期と壮年期を、半分は言いようもない悲惨な状態のうちに、半分は陰鬱な孤独のうちにすごしたあとで、わたしは、初めて、真実愛しうるものを見いだした。――あなたというものを見いだしたのです。あなたはわたしの共鳴者であり――よりよいわたし自身であり、わたしのよき天使です。強い愛着でわたしはあなたに結びつけられています。あなたは善良で、才能があり、愛らしい人だと思う。わたしの胸には、熱烈な、厳粛な愛情が宿っている。それは、あなたの方へ傾き、あなたをわたしの中心、生命の泉へ引きよせ、わたしの存在で、あなたをおおい包み、清らかな強い炎のなかで燃えかがやきながら、あなたとわたしを一つに溶かしてしまうのです。

「わたしがあなたと結婚しようと決意したのは、このことを感じ、このことを知ったからです。わたしにはすでに妻があるというのは無益な嘲《あざけ》りです。わたしにはただ、いとわしい悪魔がいるだけだということは、いまは、あなたも知っている。あなたを欺《あざむ》こうとしたのは、わたしのまちがいだった。ただわたしは、あなたの性格の一つである強情を恐れたのです。早めに吹きこまれる偏見を恐れたのです。危険な告白をする前に、あなたを確実に、自分のものにしておきたかったのです。これは卑怯《ひきょう》だった。いまやっているように、初めから、あなたの高貴な、寛大な心に訴えるべきでした――苦悩に満ちたわたしの一生を、ありのままに、あなたにうち明けるべきでした――より高い、より尊い生活に飢え渇いていることを、あなたに説明すべきでした――わたしの決心（この言葉は弱すぎる）ではなく、誠実に深く愛したいというわたしの抑えることのできぬ熱望を、あなたに示すべきでした（その代りにわたしもまた誠実に深く愛されたい）。そのうえで、わたしの真実の誓いを受けいれてくれるよう、またあなたもわたしにその誓いを与えて下さるよう、お願いすべきでした。ジェーン――いまそれをわたしに下さい」

沈黙。

「どうして黙っているの、ジェーン？」

わたしは恐ろしい試練を受けていた。灼熱《しゃくねつ》した鉄の手がわたしの心臓をつかんでいるのだ。恐ろしい瞬間であった！　血みどろの戦いと暗黒と火炎に満ちた瞬間であった！　おそらくこの世に、いまわたしが愛されている以上に愛されたいなどと望みうる人間は、かつて一人もなかったであろう。そして、こんなにもわたしを愛している彼を、わたしは絶対に敬慕しているのだ。しかもわたしは、愛と偶像とをなげうたねばならなかった。「去れ！」というきびしい一語のなかに、わたしのせつない義務はふくまれていた。

「ジェーン、わたしがあなたに、なにを望んでいるか、わかったでしょう？　ただ、この約束を、ジェーン――『ロチェスター様、わたしはあなたのものになります』と」

「ロチェスター様、わたしはあなたのものにはなりません」

ふたたび長い沈黙。

「ジェーン！」と彼は、優しい調子で、また言葉をつづけた。それが、悲しみでわたしをうちのめし、不吉な恐怖でわたしを石のように凍らせた――なぜなら、この穏やかな声は、まさに起きあがろうとする獅子《しし》のあえぎであったからだ。――「ジェーン、この世であなたは一方の道を行き、わたしには別の道を行かせるつもりなのですか?」

「さようでございます」

「ジェーン」(と、わたしの方に身をかがめ、わたしを抱きながら)、「そして、いますぐそれを実行するつもりなの?」

「はい」

「いま?」わたしの額と、頰《ほお》に、そっと接吻《せっぷん》しながら言った。

「はい」彼の抱擁から、すばやく、完全に抜け出しながら、わたしは言った。

「おお、ジェーン、それはひどすぎる! それは——それはいけない。わたしを愛するのは悪いことではないはずだ」

「あなたのお言葉に従うのは、よくないことでしょう」

狂暴な表情が彼の眉《まゆ》をつり上げ——彼の顔をよぎった。彼は立ちあがった。しかし、彼はまだ耐えていた。わたしは、体を支えるため、椅子《いす》の背に手を置いた。わたしはふるえた。わたしは恐れた——しかしわたしは覚悟をきめた。

「ちょっと待って、ジェーン。あなたが行ってしまってからのわたしの恐ろしい生活を、一目見て下さい。すべての幸福は、あなたとともに、バラバラになってしまうのです。そのときわたしには、なにが残るだろう? 妻として三階の狂女が残されるだけだ。そんなことなら、いっそ向うの墓地の死骸《しがい》に引きあわせてくれた方が、まだましだ。どうすればいいのです、ジェーン？　どこを向けばわたしは相手を求め希望を求めることができるのです？」

「わたしのする通りになさいませ。神様とあなたご自身を信じることです。天を信じることです。そうすれば、ふたたび希望にめぐり逢《あ》うことができるでしょう」

「では、あなたはわたしの願いを聞いてくれないのですね？」

「はい」

「では、あなたはわたしに、悲惨な生活をして、呪《のろ》われて死ねと宣告するのですね？」彼の声は高くなった。

「わたしは、あなたに罪を犯すことなくお暮しになることを、おすすめいたします。安らかな死をお迎えになることを望んでおります」

「では、あなたは、わたしから愛と純潔とを奪いとってしまうのですか？　純愛から肉欲へ——仕事から不行跡《ふぎょうせき》へ、わたしを突き戻《もど》すのですか？」

「ロチェスター様、わたしは、自分がそんな運命を捕えようとはしないように、あなたにも押しつけはいたしません。わたしたちは苦しむために、忍従のために生れてきたのです——あなたもわたしも、同じように、ご辛抱なさることです。わたしが、あなたを忘れてしまう前に、あなたはわたしをお忘れになるでしょう」

「そんなことを言って、あなたはわたしを嘘《うそ》つきにするのだ。わたしの名誉を傷つけるのだ。わたしは、けっして変ることはないと言った。それなのに、あなたは、わたしがすぐに変ってしまうと、面と向って言う。いかにあなたの判断がこじつけか、いかにあなたの考えがつむじ曲りかは、あなたのやり方に、よく表われている！　それに背《そむ》いたからといって、誰《だれ》もそこなわれることのない単なる人間の法律に背くよりも、一人の友だちを絶望へ追いやった方が、あなたはいいのですか——なぜなら、わたしといっしょになることによって、おこらすかもしれぬと心配しなければならぬような親戚《しんせき》や知人を、あなたは持ってやしないじゃありませんか」

それは真実であった。しかも彼が語っているあいだに、わたしの良心と理性は、わたしに背いて敵側につき、彼に逆らうのは罪悪である、とわたしを非難した。良心と理性は、感情にも劣らぬくらい大きな声でどなった。そして、感情は狂気のごとく喚《わめ》いていた。「おお、承諾なさい！」と感情は言った。「あの方の不幸を考えなさい。あの方の危険を思いなさい——ただ一人、とり残されたときの、彼の様子を見なさい。彼のひたむきな性質を忘れてはいけない。絶望のあとにくる、無鉄砲さを考えてみなさい。——あの方を、なだめてあげなさい。救ってあげなさい。愛してあげなさい。

あの人を愛していると言いなさい。あの人のものになりますと言いなさい。この世で、誰が、おまえのような者を心にかけてくれるだろう？　また、どこにおまえの行為で傷つけられる人がいるだろう？」

けれども答えは、なおもひるまず、たじろがなかった。「わたしは自分が大事だ。孤独であればあるほど、友もなく庇護《ひご》もなければないほど、ますますわたしは自分を尊重する。わたしは、神によって与えられ、人間によって認められた法律を守ろう。わたしは、自分が正気で狂ってはいないとき――いまのわたしのように――わたしが受けいれた道徳を守ろう。法律や道徳は、誘惑のないときのためにあるのではない。肉体と魂が、法律や道徳の峻厳《しゅんげん》に対して反逆したとき、そのようなときのためにあるのだ。法律や道徳は厳酷なものである。それは侵されてはならぬ。もし自分一個の便宜のために、それを破っていいものなら、その価値はどこにあろう？　それは価値あるものだ――わたしは、いつも、そう信じてきた。もしいま、それが信じられないならば、それはわたしの精神に異常があるからだ――完全に異常がある証拠だ。血管に火が駆けめぐり、心臓は鼓動がかぞえきれぬほど早くうってくる。以前からいだいていた意見や決心だけが、このようなときにわたしの堅く守るべき唯一《ゆいいつ》のものだ。そこにわたしは、しっかりと足を据《す》えなければならぬ」

そしてわたしは、そのように、しっかりと足を据えた。ロチェスター氏は、わたしの表情を読み、わたしがそうしたことを見てとった。彼の憤怒《ふんぬ》は絶頂に達した。あとがどうなろうとも、彼は、しばらくは怒りに身を任せなくてはならなかった。彼は、床を横ぎってきて、わたしの腕を捕え、腰をつかんだ。彼はその炎のような目で、わたしを焼きつくそうとするのかと思われた。その瞬間、わたしは肉体的には、溶鉱炉の炎と熱にさらされた麦の切り株のように無気力になるのを感じた。しかし精神的には、なおまだ自分の魂をうしなわず、そしてこの魂さえあれば結局無事に終ることを確信していた。幸い魂は、一人の通訳者——それは、しばしば意識されることのない、しかも真実に満ちた通訳者——である目を持っていた。わたしの目は彼の目を見あげた。そのすさまじい顔を見ながら、わたしは思わず吐息をもらした。彼につかまれているのは苦しかった。重すぎる負担に、わたしの力は尽き果てようとしていた。

「かつて」と、彼は歯ぎしりしながら言った。「これほどかよわいくせに、これほど屈せぬものを見たためしがない。この人は、わたしの手のなかでは、まるで葦《あし》くらいの感じしかない！（ぎゅっと握りしめたまま彼は、わたしを揺さぶった）親指と人さし指で折り曲げることもできる。だが、折り曲げたところで、引き裂いたところで、握りつぶしたところで、それがなんになろう？　この目を見るがよい。勇気以上のもの――きびしい勝利をもって、わたしに反抗しながら、その目のなかからのぞいている、毅然《きぜん》とした、はげしい、自由なものを見るがよい。それがはいっている檻《おり》を、どうしようとも、わたしは、それを捕えることはできぬ――その残酷な美しい生きものを！　檻をこわしたところで、牢《ろう》をうち破ってみたところで、わたしの乱暴は、ただ囚人を逃がしてやるだけのことだ。わたしは、その建物の征服者になるかもしれぬ。だが、その住人は、自分をその肉体の所有主と呼ぶ前に、天国へ逃げてしまうだろう。わたしの望むのは、あなたなのだ――意志と力と美徳と純潔さを備えた――あなたの魂なのだ。その脆弱《ぜいじゃく》な肉体だけではない。もし、あなたがその気になれば、自分から優しく飛んできて、わたしの胸により添うこともできるのに。意志に背いて捕えたなら、それは香気のように手のなかから消えうせるだろう――馥郁《ふくいく》たるあなたの香りをかぎとらぬうちに、あなたは姿を消してしまうだろう。おお！　来ておくれ、ジェーン、来ておくれ！」

そう言いながら、彼は手をゆるめ、ただじっとわたしを見つめていた。その表情は、狂気のような抱擁よりも、はるかに抵抗しがたいものであった。とはいえ、いまになってひるむのは、白痴のみのすることである。わたしは彼の激情に立ち向い、それにうち勝った。彼の悲しみから逃がれ出ねばならぬ。わたしはドアの方へ退いた。

「行くのか、ジェーン？」

「まいります」

「わたしを残して？」

「はい」

「来てはくれないのか？　わたしの慰め、わたしの救いにはなってくれないのか？　わたしの深い愛も、わたしのはげしい悲しみも、わたしの狂気の祈りも、あなたには、なんの意味もないのか？」

なんと、いうにいわれぬ哀愁が、その声には、こもっていたことだろう！　「わたしは行きます」と、きっぱりくりかえすのが、なんとつらかったことだろう！

「ジェーン！」

「ロチェスター様！」

「では行きなさい――もういい。だが忘れないでほしい、苦しみのなかにわたしを残して行くのだということを。あなたの部屋へ引きとりなさい。わたしが言ったことを、すっかり、初めから考えてみて、わたしの苦しみを一目見てほしい――わたしのことを考えてほしい」

彼は向うをむき、ソファにうつぶせに身を投げた。「おお、ジェーン！　わたしの希望——わたしの愛——わたしの生命《いのち》！」もだえる声が彼の唇からもれた。それから深い、はげしい慟哭《どうこく》が聞えた。

わたしは、すでにドアのそばへ来ていたけれども、読者よ、わたしは引きかえした——立ちあがったときと同じように、決然と引きかえした。彼のそばに跪《ひざまず》き、その顔をクッションからわたしの方へ向け、頰に接吻し、髪を撫《な》でた。

「神の祝福が、あなたの上にありますように、いとしいご主人様！」とわたしは言った。「神が、あなたを、わざわいや過失からお守り下さいますよう——あなたを導き、慰めて下さいますよう——わたしに対するご親切に対して十分よい報いがありますよう」

「ジェーンの愛が、わたしにとっては、なによりの報いなのに」彼は答えた。「それがなくてはわたしの胸は、はり裂けてしまう。だが、ジェーンは、その愛をくれるにちがいない。そうとも——気高く、惜しみなく」

彼の顔に、さっと血がのぼった。目は炎のようにかがやいた。すっと立ちあがって、腕をひろげた。しかしわたしは抱擁を避け、すぐに、部屋を出た。

「さようなら！」これが彼のもとを去るときの、わたしの心の叫びであった。「さようなら、とこしえに！」と絶望がこれに言いそえた。

＊

その夜わたしは眠ろうとはすこしも思わなかったのに、ベッドに横たわると、すぐ眠りに落ちた。夢がわたしを幼い子供時分の情景に運んで行った。ゲーツヘッドの赤い部屋に横たわっている夢である。暗い夜で、心は奇妙な恐怖におびえていた。昔わたしを失神させた、あの光が、この夢のなかにも現われ、すっと壁の上をはい上がり、薄暗い天井のなかほどにとまって、揺れ動いているようであった。わたしは、頭をあげて、それを見ようとした。天井は高く、おぼろげな雲と変り、例の光は、月がいまはなれようとしている雲に投げかけるような微光であった。わたしは月の出るのを見守っていた――なにか運命の言葉が、その丸い表面に書いてあるかのような不思議な期待をもって見守っていた。月は、これまで見たこともないような現われかたで雲を破って出てきた。まず一本の手が黒雲の層へ差しこまれ、それを払いのけた。それから、月ではなく、白い人間の姿が、かがやかしい額を地上に向けて大空にかがやいた。それは、じっとわたしを見つめた。わたしの心に話しかけた。その声は、はかりしれぬほど遠方から響いた。しかも、すぐ近くのように、わたしの心にささやきかけた――

「娘よ、誘惑から逃がれなさい」

「母よ、お言葉に従います」

昏睡《こんすい》したような夢からさめたとき、わたしは、こう答えたのであった。まだ夜であった。しかし、七月の夜は短い。真夜中と思ううちに、夜明けがくる。（なしとげねばならぬ仕事にとりかかるのに、どんなに早く始めても、早すぎるということはない）とわたしは思った。わたしは起きあがった。服は着ていた。靴《くつ》のほかは、なにも、脱いではいなかったからである。わたしは引出しのどこに下着類やロケットや指輪がはいっているかを知っていた。これらの品々を捜しているうちに、二、三日前ロチェスター氏が、むりやりわたしに受けとらせた真珠の首飾りの玉に、自然と手が触れた。わたしはそれを残しておいた。それはわたしのものではない。それは空に消えうせた幻の花嫁のものだ。ほかの品物は一包みにまとめ、二十シリング（それがわたしの持ちあわせの全部であった）はいっている財布をポケットに入れた。麦藁《むぎわら》帽子をかぶって、紐《ひも》を結び、ショールをピンでとめ、包みと、まだはきたくなかった靴とを持って、部屋を出た。

「さようなら、親切なフェアファックス夫人！」と、彼女の部屋のドアの前を、そっと通り抜けるとき、わたしはささやいた。「さようなら、かわいいアデール！」子供部屋へ、ちょっと目をやりながら、わたしは言った。アデールを抱くために、その部屋へはいろうという考えは、許されなかった。わたしは(あの方の)敏感な耳を欺かなければならなかった。たぶん、いまごろ彼は、じっと耳を澄ましているかもしれない。

わたしはロチェスター氏の部屋の前は、立ちどまりもせずに通りすぎたいと思っていた。けれども、その入り口のあたりで、わたしの心臓は、はたととまり、足もまた、どうしようもなく、とまってしまった。眠っている気配はなかった。部屋の主は、落ち着かぬ足どりで、壁から壁へと歩きまわっていた。わたしが耳を澄ましているあいだ、いくどか彼は吐息をもらした。もしわたしが望みさえするならば、この部屋のなかには、わたしの天国――一時的な天国があるのだ。わたしはただなかへはいって行って、「ロチェスター様、わたしはあなたを愛します。死ぬまで、ずっと、ごいっしょに暮します」と言いさえすればよいのだ。そうすれば、歓喜の泉は、わたしの唇《くちびる》に、あふれてくるはずであった。

あの優しい主人は、いま眠ることもできずに、いらいらしながら夜の明けるのを待っている。朝になればわたしを呼びによこすだろう。わたしは、もういなくなっている。彼はわたしを捜すだろう。むなしく、あの方は捨てられたと思うだろう。あの方の愛は拒絶されたと思うだろう。あの方は苦しむにちがいない。おそらく自暴自棄になるだろう。わたしは、このこともまた思った。わたしの手は錠前の方に動いた。だが、その手を引っこめると、わたしは音のしないように歩み去った。

わびしい思いで、わたしは階下へ降りて行った。自分のしなければならぬことはわかっており、わたしは機械的にそれをした。台所のわき戸の鍵《かぎ》を捜した。油の小瓶《こびん》と羽根も捜し出し、鍵と錠前に、油を引いた。水をすこし飲み、パンを食べた。きっと遠い道を歩かなければならぬだろうし、最近ひどく痛めつけられて弱っている体力を、だめにしてはならないからである。わたしは、そのすべてを、音も立てずにした。とびらをあけ、外へ出ると、そっと、とびらを締めた。ほのかな暁が、裏庭に明け初《そ》めていた。正門は、みなしまって、錠がおりていた。しかし、そのなかの一つのくぐり戸は、かけ金がかかっているだけであった。そこを抜け出ると、くぐり戸を締めた。いまわたしはソーンフィールド館《やかた》の外にいた。

畑地の向うの、一マイルほどはなれたところに、ミルコートとは反対の方向へ伸びている道が一筋あった。一度も通ったことはなかったが、なんどもながめては、どこへ通じているのかしらと思っていた道である。その方へわたしは足を向けた。どのような追憶も、いまは許されなかった。一目だって振りかえることはできない。先を見ることすらできなかった。過去へも未来へも思いを馳《は》せてはならなかった。前者は天国のように楽しく――また死ぬほど悲しい一ページであり、その一行を読んでも、それはわたしの勇気を挫《くじ》き、元気をなくすることだった。後者は、恐ろしい空白であった――大洪水《だいこうずい》のすぎ去ったあとの世界に似ていた。

日がのぼってからあとまでも、わたしは、畑地や生垣《いけがき》や小径《こみち》に沿って歩いて行った。美しい夏の朝であったと思う。館を出るときにはいた靴が、すぐに露でぬれてしまったのをおぼえている。けれどもわたしは、のぼりくる太陽も、ほほえみかける空も、目ざめつつある自然も、見はしなかった。美しい風景のなかを通って断頭台へ引かれて行く人は、道端にほほえんでいる花のことは思わず、ただ首切り台と斧《おの》の刃のことばかりを思う。骨と血管が切りはなされることや、行きつくところに口をあけて待っている墓穴のことを考える。わたしは、寂しい逃亡と、宿るところもない放浪のことを思った――それに、おお！　あとに残してきた人のことを、苦しみもだえつつ思った。思わずにはいられなかった。いま――その部屋で――日の出をながめている彼、やがてわたしがはいって行って、彼といっしょに生活し、彼のものになりますと言うのを待ち望んでいる彼のことを思った。わたしは彼のものになりたかった。わたしは引きかえしたくて、せつなかった。まだ、遅くはない。まだ彼に、痛ましい喪失の苦しみを与えずとも済む。きっとまだわたしの逃亡は知られていないはずだ。わたしは、戻《もど》って行って、彼の慰めとなり——彼の誇りとなり、そして彼を悲惨な生活から救い、たぶんまた破滅を救う人ともなることができるのだ。おお、彼が自暴自棄に——わたしの自己放棄よりも、ずっと悪い——なりはせぬかとの不安が、どんなにわたしを突き刺したことであろう！　それはわたしの胸に突き刺さった鐖《かぎ》のついた鏃《やじり》であった。抜こうとするとわたしを引き裂き、思い出が、なおも深くそれを突き刺したとき、わたしは気分が悪くなった。茂みや雑木林のなかで小鳥が歌いはじめた。小鳥は、その配偶者に誠実である。小鳥は愛の象徴である。わたしは、なんだろう？　胸の苦しみと、道徳を守ろうと狂気の努力をしているさなかにも、わたしはわたし自身を憎み嫌《きら》った。自分を称《たた》えてみても、いや、自分を尊敬してみてさえ、慰めは得られなかった。わたしは主人をそこない——傷つけ——捨ててきたのだ。自分自身の目に自分が憎らしく映った。それでもやはり、向きを変えることができず、一歩も引きかえすことはできなかった。神がわたしを前へ前へと導いてくれたのにちがいない。わたしの意志と良心についていえば、一つは悲しみに踏みにじられ、一つは息をふさがれていた。ただ一人道を歩みながら、わたしは、はげしく泣いていた。早く、さらに早く、わたしは熱に浮かされた人のように歩きつづけた。心の奥にはじまり、手足にひろがってきた衰弱が襲ってきて、わたしは倒れてしまった。ぬれた芝土の上に顔を押しあて、しばらくのあいだ、わたしは地面に横たわっていた。このまま死ぬかもしれぬという恐怖――それとも希望――がわたしにはあった。しかし間もなくわたしは身を起し、手と膝《ひざ》をついて、這《は》い進み、それから、ふたたび立ちあがった――さっき、あの道へ行きつこうとしたときのように熱心に、そして決意にあふれて。

その道に行きついたとき、わたしは生垣の下に坐《すわ》りこんで、体を休めないわけにはいかなかった。坐っているうちに、車輪の響きが聞え、一台の駅馬車が近づいてくるのが見えた。わたしは立ちあがって、手をあげた。馬車はとまった。どこへ行くのかとわたしはたずねた。御者は、ある遠くはなれた土地の名を言った。そこは、たしかロチェスター氏とは、なんの関係もない土地であった。わたしは御者に、そこまでいくら出せば行ってくれるのかと、たずねた。三十シリング、と彼は言った。二十シリングしか持ちあわせていないのですが、とわたしは言った。そうだね、それじゃ、それでやりましょう、と彼は言った。馬車は、からだった。だから御者は、わたしになかへはいることを許してくれた。わたしは、なかへはいった。とびらが締められ、馬車は、目ざす方向に走り出した。

優しい読者よ、そのときわたしが感じたような悲しみを、あなた方は、けっして感じることがありませぬようにと、わたしは心から祈る。わたしの目からあふれ出た、あのはげしい、にえたぎる、心をしぼるような涙を流すことのないように！　あのときわたしの唇をついて出た、絶望に満ち、もだえ苦しむほどの祈りを神に捧《ささ》げることのないように！　愛しきっている者のためには、悪の手先となることをも、けっしてわたしのように恐れたりなさらぬように！

28

二日すぎた。夏の夕暮れであった。御者はわたしをウィットクロスというところで降ろした。わたしが払った金額では、これ以上乗せてくれなかったのであるが、わたしはもうこの世に一シリングだって持ってはいなかったのだ。馬車はもう一マイルも先へ行ってしまって、わたしは一人そこへとり残された。このときわたしは、安全なようにと馬車の袋棚《ふくろだな》にしまっておいた包みをとり出すのを忘れたことに気がついた。袋棚にあるのだ。あそこのなかにちがいない。いまこそわたしは文字通り無一物になってしまった。

ウィットクロスは町でもなければ、村落でさえもなかった。四本の道が出あう辻《つじ》に立っている石の柱にすぎなかった。石の柱は遠方からでも夜分でもよく見えるためであろう、白く塗ってあった。柱のてっぺんから四本の腕木がつき出ていた。刻んである文字によると、腕木が示している一番近い町は十マイル、一番遠いのは二十マイル以上もはなれていた。それらの町々のうち、もっともよく知られている町の名から判断して、わたしがいま降りたところが何州にあるかということがわかった——陰鬱《いんうつ》な高原と、山また山のために起伏の多い中部地方の北部よりの××州であることがわかった。背後にも左右にも広大なヒースの草原がひろがり、足もとの深い谷間の、はるか彼方《かなた》には、山脈が波うっていた。ここには、きわめてまばらにしか、人は住んでいないにちがいない。道にも、一人の通行人も見えなかった。道は東西南北に——白っぽく、ひろびろと、もの寂しく伸びていた。どの道もヒースの草原をつらぬいて伸びており、ヒースは道の両側のすぐきわまで、ぼうぼうと茂っていた。それでも、旅人がふと通りすぎることがあるのかもしれない。いまのわたしは、誰《だれ》にも見られたくなかった。知らぬ人は、見るからにあてもなく、途方にくれて、道標のあたりをうろついているわたしを、なにをしているのかと怪しむにちがいない。言葉をかけられるかもしれない。だがわたしは、ほんとうとは思えぬような、かえって疑惑をそそるような返事しか、答えられないだろう。いまは、わたしを人間の社会へ結びつける一本の絆《きずな》もなく——わたしを人間の仲間のいるところへ呼びよせる魅力も希望もなかった。

わたしに、優しい気持や好意をいだいてくれる人は、一人もいないにちがいない。わたしには、宇宙の母、自然のほかにには、ただ一人の血縁もないのだ。わたしは彼女の胸を捜し、そこに、憩《いこ》いを求めることにしよう。

わたしは、まっすぐにヒースの原へと進んで行った。褐色《かっしょく》の草原地帯を深く凹《くぼ》ませている窪地《くぼち》に向って歩きつづけた。深い茂みのなかを、膝まで没しながら、渡った。曲り角についてまわると、その陰の隅《すみ》に、苔《こけ》むして黒ずんだ花崗岩《かこうがん》の巨岩を見つけた。わたしはその岩の下に腰をおろした。周囲は草原の高い土手になっており、岩は頭上をおおい、その上に大空がひろがっていた。こんな場所でさえ、気持が落ちつくまでには、かなり時間がかかった。野牛が近づいてきはしないか、狩猟家や密猟者に発見されはしないかという漠然《ばくぜん》とした不安があった。荒野を吹きすぎる風の音を聞けば、雄牛が突進してきたのではないかと上を見あげ、千鳥の鳴くのを聞けば人間ではあるまいかと思った。けれども、やがてこの懸念《けねん》が根拠のないものとわかり、たそがれが夜に近づくにつれてあたりを支配する深い静寂に静められて、わたしの心も安定をとり戻した。それまでは考えることができなかった。ただ耳を澄まし、目を見はり、不安におののいていた。やっといま反省する力をわたしはとり戻した。

わたしは、どうしたらいいのか？　どこへ行けばいいのか？　ああ、せつない問いよ！　なにごともなしえず、行くべきところもないとき、人家へたどりつくまでに、なおもこれからこの疲れはて、ふるえている足で、遠い道を歩いて行かねばならぬとき――一夜の宿をうるには、その前に冷たい人の情けにすがらねばならないとき――わたしの物語に耳を傾けてもらう前に、わたしの願いの一つがかなえられる前に、いやいやながらも人の同情をせがまねばならず、それも、たいてい拒絶されてしまうとき！

わたしはヒースにさわってみた。それは、乾いており、しかも夏の日中の熱で温かだった。わたしは空をながめた。空は澄みきっていた。断層をなしている土手の上に、優しい星が一つ、かがやいている。露が降りたが、それは好意のある優しさをもっていた。そよとの風もない。自然はわたしにとって、優しく、親切であるように思われた。わたしは人からは捨てられたが、自然はわたしを愛してくれるように思われた。人からは不信と排斥と侮蔑《ぶべつ》しか期待できないわたしは、親を慕う心で自然によりすがった。せめて、今宵《こよい》だけは、わたしは自然の客になれるだろう。わたしは彼女の子供なのだから。お金もとらず、無報酬で、母はわたしを泊めてくれるにちがいない。わたしは、まだパンを一片持っていた。それは、お昼に町を通りすぎるとき、どこかへまぎれこんでいた一ペニー、最後の銅貨で買ったロールパンの食べ残りであった。わたしはヒースのなかのあちこちに、熟《う》れた苔桃《ビルベリー》の実が数珠玉《じゅずだま》のように光っているのを見た。それを手にいっぱい摘み集め、パンといっしょに食べた。はげしい空腹が、十分ではないにしても、この仙人《せんにん》の食物でなだめられた。この食事が済むと夕べの祈りを捧げ、それから寝床を選んだ。

岩のそばはヒースが非常に深かった。横になると、足がヒースに埋まった。両側にヒースが高く伸びているので、夜気が侵入してくるには、ごくわずかな隙間《すきま》しかあいていなかった。わたしはショールを二重《ふたえ》にたたみ、掛け布団《ぶとん》の代りに、体の上にかけた。苔の生えた低く盛りあがった土をまくらにした。こうして宿をとったわたしは、すくなくとも夜になりはじめたころは、寒くなかった。

胸の悲しみさえ、妨げなかったなら、わたしの憩いは、十分安らかなものであっただろう。悲しいわたしの心は、口をあけている胸の傷を、そのなかの出血を、引き裂かれた縁弦《えにし》を、なげき悲しんだ。心はロチェスター氏とその運命を思ってふるえ、深い同情をもって彼の身の上を悲しみ、そしてたえず彼を憧《あこが》れ求めた。両の翼を傷つけられた小鳥のように、無力ではあったが、なおも彼を求めて、打ち砕かれた心の翼を、むなしくふるわせた。

このような苦しい思いに疲れ果てて、わたしは身を起して、跪《ひざまず》いた。夜になり、星が出た。安らかな、静かな夜であった。不安を感じるには、あまりにものどかだった。わたしたちは、神はどこにでもいることを知っている。しかし、その仕事がわたしたちの前にもっとも雄大な規模でくりひろげられたとき、もっとも確実に、その実在を感じるものである。また、わたしたちが、神が無窮であること、神が全能であること、神が普遍の存在であることを、もっともはっきり読みとるのは、神のおつくりになった世界が、音もなくその軌道を運行している晴れわたった夜空においてである。わたしは、ロチェスター氏のために祈ろうとして、跪いていた。涙に曇る目をあげて、わたしは広大な銀河を見た。銀河が、なんであるか——いかに無数の世界が、そこには、軟らかな光の尾をひいて、ひろがっているかを思い浮べたとき、わたしは神の権威と力とを感じた。神は神みずからがおつくりになったものを救う力を持っていることを、わたしは、かたく信じた。大地は、けっして滅びるものではなく、大地が大切にしている人間の一人もまた滅びるものではないと、わたしは、次第に自覚してきた。わたしの祈りは感謝に変った。生命の創造主はまた魂の救い主でもあった。ロチェスター氏は安全だ。彼は神の子であり、神によって守られているにちがいない。わたしは、ふたたび丘の懐《ふところ》ろに身をよせ、やがて眠りのなかに悲しみを忘れた。

けれども翌日、青ざめた裸の欠乏がわたしを訪れてきた。小鳥が巣をはなれ、蜜蜂《みつばち》が露の乾かぬ間にヒースの蜜をあつめようと、さわやかな朝のうちにやってきてから、よほどたって――長い朝の影が短くなって、太陽が大地と空に満ちあふれたころ――わたしは起きあがって、周囲を見まわした。

なんという静かな、暑い、晴れわたった日であろう！　このひろびろとした荒野は黄金の砂漠であった！　どこも、一面の日の光である。そのなかに住み、そのなかで生きていくことができたら、とわたしは思った。わたしはとかげが、岩の上を走るのを見た。蜜蜂が甘い苔桃《ビルベリー》のあいだを、忙しそうに飛びまわっているのを見た。そのときわたしは、適当な食物を見つけ、永遠の住み家を見いだすために、いっそ、蜜蜂かとかげになりたいと思った。けれどもわたしは人間であり、さまざまな人間の欲望を持っていた。それらの欲望を満たしてくれるものが、なに一つない場所に、いつまでも居つづけるわけにはいかなかった。わたしは立ちあがり、あとに残した寝床を振りかえった。将来に、なんの希望もないわたしは、ただこれだけを願った――昨夜私の眠っているあいだに、神が、わたしの魂をお召しになるのが至当だとお思いになってくれればよかったのにと。それからまた、この疲れきった体が、死によって運命にたち向うこれ以上の戦いから解放され、ただ静かに朽ち果て、安らかにこの荒野の土と化せばよいのにと。しかし生命は、その一切の欲求と苦痛と責任とともに、やはりわたしの物であった。重荷は運ばなければならない。欲求は満たされ、苦しみは耐え忍ばれ、責任は果たされなければならない。わたしは出発した。

ふたたびウィットクロスへ着いた。太陽は、いま高くのぼってわたしを照りつけた。わたしは日陰になっている道を歩みつづけた。日陰を行こうとすること以外は、どちらの方向へ行ったらよいか、それをきめる意志もわたしにはなかった。わたしは長いあいだ歩いた。そして、ほとんど歩けるだけ歩きつくした。もういまは、この耐えられぬほどの疲労に負けても、心に咎《とが》めることはあるまい――この無理な歩みを休め、そこらに見える石の上に腰をおろし、身と心をふさぐこの無感動に身を任せても、気が咎めることはあるまいと思ったとき、わたしは鐘の音――教会の鐘の音を聞いた。

わたしは音のする方を向き、すでに一時間ほど前から、その変化や姿に注意することをやめてしまったロマンティックな丘と丘のあいだに、小さな村落と一つの尖塔《せんとう》を見た。右手の谷間は、一面牧場と麦畑と森におおわれ、きらきらとかがやく一筋の小川が、さまざまな緑の木陰や、熟れた穀物や、くすんだ色の森や、くっきりと日に照り映えた草地などのあいだを、ジグザグに流れていた。前方の道に、ごうごうと響いてくる車輪の音に、われに返ると、山のように荷物を積んだ荷車が、苦労しいしい丘を登って行くのが見え、あまり遠くないところに二匹の雄牛と牛追いの姿が見えた。

人間の生活と労働とが、すぐ近くにあるのだ。わたしは戦いをつづけねばならぬ――ほかの人たちと同じように、生きるために努力し、懸命に働かねばならない。

午後二時ごろ、わたしは村へはいって行った。その一本道のはずれに、窓にパン菓子を並べた小さな店があった。わたしは、そのパン菓子がほしくてたまらなかった。あの菓子を食べたら、いくらか元気をとり戻《もど》すことができるだろう。そうでもしなくては、先へ進むことはむずかしい。同じ人間の仲間へはいるやいなや、いくらかの力と元気をほしいという望みが、わたしによみがえってきた。小さな村の敷き石道の上で、飢えのために気をうしなうなんて、恥ずかしい話だと思った。あのロールパンと交換できるものを、なにかわたしは持っていなかっただろうか？　わたしは考えた。わたしは首に巻きつけた小さな絹のハンカチを持っていた。それと手袋がある。男でも女でも、貧窮のどん底に落ちこんだときには、いったい、どうすればいいのか、わたしには、ほとんどわからなかった。この二つの品物のうち、どちらかをお金の代りに受けとってもらえるものかどうかも、わからなかった。おそらくだめであろう。けれどもわたしは、ためしてみなくてはならない。

わたしは店へはいって行った。一人の女がいた。わたしが相当の身なりをしているので、身分のいい婦人とでも思ったのだろう、彼女は、丁寧な物腰で近づいてきた。

だが、このわたしから、どんなご用をうけたまわることができよう？　わたしは恥ずかしさに襲われた。わたしの舌は、用意していた言葉なぞ言ってはくれないだろう。わたしは、使い古した手袋や、しわくちゃのハンカチをさし出す気には、とてもなれなかった。そのうえ、そんなことをするのは、馬鹿《ばか》げたことのように思われた。疲れているから、ちょっと腰をかけさせて下さい、とわたしは頼んだだけであった。お客かと思ったあてがはずれて、女は、無愛想にわたしの頼みを聞き入れた。彼女は一つの椅子《いす》を指さし、わたしはそれにぐったりと腰をおろした。わたしは、いまにも泣きだしそうになった。けれども、そのような行為が、どれほど、この場にふさわしくないかに気がつくと、涙を抑えた。間もなくわたしは、こうたずねた。「この村に、洋服屋さんか仕立て屋さんはありませんでしょうか？」

「ありますよ、二軒や三軒は。けっこう間にあうだけはね」

わたしは考えこんだ。いまは、ぎりぎりのところまで追いつめられていた。窮乏と面と向っているのである。とるべき手段もなく、友もなければ、お金もない立場に立っているのである。なにかしなくてはならない。なにを？　どこかで使ってくれるように頼まねばならぬ。どこで？

「このあたりで、どこか女中さんを求めているような家《うち》をご存じではないでしょうか？」

「さあ、ちょっとわかりかねますが」

「この村では、おもな職業は、なんですか？　村の人は、たいてい、なにをなさっているのですか？」

「お百姓もいますが、おおかたはオリヴァーさんの針工場と鋳造所で働いています」

「オリヴァーさんは女の人はお使いになりませんか？」

「いいえ、男の仕事ですよ」

「では、女の人は、なにをしているのですか」

「知りませんね」というのが、その返事であった。「みんな、あれこれ、やっていますよ。貧乏人は精いっぱい働いて暮さにゃなりませんからね」

　その女は、わたしの質問には、嫌気《いやけ》がさしたようであった。また事実、わたしがしつこく訊《き》きだす権利が、どこにあろう？　近所の人が、一人、二人、はいってきた。わたしの腰かけている椅子が必要なことはわかりきっていた。わたしはそこを出た。

　右左と一軒残らず家々に目を配りながら、わたしは通りを進んで行った。しかしどの家にも、はいって行く口実も見つからず、そんなきっかけもなかった。わたしは、一時間か、あるいはそれ以上も、しばらく行っては、また引きかえしたりして、小さな村のなかをうろついていた。へとへとに疲れ、ひどく空腹に苦しみながら、わたしは横道にそれて小径《こみち》へはいり、生垣《いけがき》の根元に坐《すわ》りこんでしまった。けれども、幾分もたたぬうちに立ちあがり、ふたたび、なにかを求めて――なにか飢えをしのぐ手段を、さもなければ、せめてそのような手段を教えてくれる人を求めて、歩きだした。小径のはずれに、小ぢんまりした家が一軒建っており、家の前に、とても美しく、見事に花の咲きほこっている花園があった。その前でわたしは立ちどまった。だが、いったいわたしは、なんの用があって、その白いドアに近づき、ぴかぴか光るノッカーに手を触れるのだろう？　この家の人たちに、わたしの用向きに耳を傾けてくれるような興味を起させることが、どうしてできるのだろう？　清潔な身なりをした、優しい顔つきの若い女が、ドアをあけた。望みをうしなった心と、息もたえだえな体にふさわしい声を出して――みじめなほど低い、へどもどした調子で――わたしは、こちらでは女中はご入用ではないでしょうか、とたずねた。

「いいえ」と彼女は言った。「わたしどもでは女中をおきませんのよ」

「なにか仕事につけるようなところをご存じではないでしょうか？」わたしは言いつづけた。「わたしは、初めてこの村へまいりました者で、ここには知り合いもございません。なにか仕事がほしいのでございますが――どんなことでもけっこうでございます」

　けれども、わたしのために考えてくれたり、わたしのために働くところを捜してくれたりするのは、彼女の仕事ではなかった。そのうえ、彼女の目には、わたしの人柄《ひとがら》や、境遇や、話が、どんなにか疑わしく見えたことであろう。彼女は頭を振った。

「お気の毒ですけれど、心あたりがありません」そう言って、白いドアを静かに、しとやかに締めた。わたしは、締めだされたのである。もうすこし、あけておいてくれたら、わたしは一片のパンをねだったにちがいない。なぜなら、そのときわたしは、それほど卑《いや》しい気持になっていたからである。

　わたしは、あの下品な、しかも助けてもらえそうな見込みのまるでない村へなんぞ、どうにも引きかえす気にはなれなかった。むしろわたしは、あまり遠くないところに見えている森の方へ向きを変えたいくらいであった。その森は、深い木陰にわたしの心を引きつける隠れ家を提供してくれそうであった。わたしは、自然の欲求で、ひどく気分が悪く、弱りはて、苦しめられていたので、本能は、わたしを、食物にありつけそうな人家のまわりを、いつまでもうろつかせていた。飢えというはげたかが、こうして嘴《くちばし》と爪《つめ》を、わたしのわき腹へ刺し通しているあいだは孤独も孤独ではなく、休息も休息ではなかった。

わたしは家々に近づいては、そこをはなれ、また引きかえしてきては、ふたたびさまよい去った。そのたびに、自分には物を乞《こ》う権利もなければ孤独なわたしの身の上に関心をよせてくれるようにと望む権利もありはしないのだという意識のために、そこを追い払われるのであった。とかくするうち、こうしてわたしがのら犬のように飢えさらばえて、うろつきまわっているあいだに、夕暮れが近づいてきた。畑地を横ぎろうとして、ふとわたしは前方に教会の尖塔を見た。わたしは、その方に急いだ。墓地の近く、広場の中央に、小さいが、立派な建築の家があった。牧師館にちがいない。知人もいない土地に着いて、仕事を求めようとする旅人は、よく牧師に紹介や援助を依頼することがあるということを、わたしは思いだした。自分の手で働いて生きていこうとする人を助けてやること――すくなくとも助言を与えてやることは、牧師の役目である。わたしは、ここでなら、わたしにも助言を求める権利のようなものが、あるのではないかと思った。わたしは勇気を新たにし、微《かす》かに残っている力をかき集めて、つき進んだ。その建物に着くと、台所のドアをノックした。年とった婦人がドアを開いた。こちらは牧師館ですか、とわたしはたずねた。

「そうです」

「牧師さんは、いらっしゃいますか?」

「おりません」

「すぐお帰りになるでしょうか?」

「いいえ、お出かけになっているのです」

「ご遠方へ」

「そんなに遠方ではありません。——三マイルほどのところです。牧師さんは、お父様が突然亡《な》くなられたので、呼ばれてお出かけになったのです。いま、マーシュ・エンドにいらっしゃいます。きっと二週間くらいはご滞在になるでしょう」

「どなたか、おうちの方は、いらっしゃいませんでしょうか?」

「いいえ、わたしのほかは、どなたも。わたしがここの家政婦をしているのです」読者よ、だがわたしは、空腹で、その場に倒れそうなほど弱ってはいたが、どうにも彼女に助けを求める気には、なれなかった——まだ物乞いをすることはできなかった。よろよろと歩き去った。


もう一度わたしはハンカチをとり出し——もう一度あの小さな店のパン菓子をと思った。ああ、せめてパンのかけらでもよい! この飢えの苦しみをやわらげるのに、ほんの一口でも! わたしは本能的に、ふたたび足をその村に向けた。そして、ふたたび、その店を見つけだし、なかへはいって行った。そこには、さっきの女のほかにも人がいたが、わたしは思いきって頼んでみた。——「このハンカチと引換えにロールパンを一ついただけないでしょうか？」

その女は、ありありと疑いの色を見せてわたしを見た。「いやですね、わたしは店の物を、そんなやりかたで売ったためしはないですよ」

必死になってわたしは、では半分でも、と頼んだ。「おまえさんが、どこでそのハンカチを手に入れたか、わかったもんじゃないからね」

「では、この手袋をとって下さいませんか？」

「だめですよ！　そんなもの、もらったところで、わたしがいったい、どうするの？」

読者よ、こんなことをこまごまと述べたてるのは、すこしも愉快なことではない。人によっては、過去の苦しい経験を振りかえるのは楽しいというけれども、現在のわたしには、いま書いている当時のことを追想するのは、ほとんど耐えられない思いである。肉体的な苦痛を交じえた精神的な堕落は、喜んで述べたてるには、あまりにも、痛ましい思い出をなしているのだ。わたしは、自分をはねつけた人たちを、咎めだてはしない。それは当然予期されたことではあり、助けてもらえるはずもないと、わたしは感じていたのだ。普通の乞食《こじき》も、しばしば怪しまれるものだが、よい身なりをした乞食は、必ず疑惑の対象となる。いかにもわたしの乞うたものは仕事であった。しかしわたしに仕事の口を捜してくれるのは、いったい、誰《だれ》の務めなのだろう？　初めてわたしに会った人の仕事でもなければ、わたしの人となりについては、なにも知らない人の仕事でもないことは、たしかである。それに、わたしのハンカチとパンを交換してくれなかった女の場合にしても、その申し出が彼女にとって気味の悪いものに見え、そのような交換が不利益と感じられたとしたら、彼女の方が正当なのだ。もう、つづめて語ることにしよう。この話には、わたしもいやになっているのだ。

日が暮れるすこし前、わたしは一軒の農家の前を通りかかった。その家のあけ放されたとびらのそばに、農夫が腰をおろして、チーズつきのパンを食べていた。わたしは歩みをとどめて言った――

「パンを一きれ下さいませんか。わたし、とてもおなかがすいているのです」農夫は、あっけにとられて、こちらを見たが、返事もせずに、パンの塊《かたま》りを分厚に切ると、それをわたしにくれた。おそらく彼はわたしを、乞食とは思わず、その黒パンを急に食べてみたくなった風変りな婦人とでも思ったのであろう。わたしは、その農家が見えなくなるところまでくると、すぐさま腰をおろしてパンを食べた。

屋根の下に泊ることは、とても望めなかったので、わたしは、さっき話した森のなかに寝る場所を捜した。けれどもその夜も、みじめなものであった。わたしの憩《いこ》いは破られた。地面は、湿っており、空気は冷たい。そのうえ、闖入者《ちんにゅうしゃ》が一度ならずわたしのそばを通りすぎるので、幾度か宿を変えねばならなかった。安全とか、平穏といった感じには、すこしも恵まれなかった。明け方近く雨が降った。そして翌日は、一日じゅう降りつづいた。読者よ、その日の詳細な説明は、どうかわたしに求めないでいただきたい。前の日と同じように仕事を捜し、同じように拒絶され、同じように飢えに悩み、――だが、たった一度だけ、食物がわたしの口を通った。一軒の小屋の戸口のところで、一人の少女が、冷たくなったおかゆを、豚の飼料桶《しりょうおけ》に投げこもうとしているのをわたしは見た。

「それをわたしに下さいませんか？」とわたしは頼んだ。

彼女は、びっくりしてわたしを見た。「お母さん！」と彼女は叫んだ。「このおかゆをくれっていう女の人が来てるよ！」

「そうかい」と、なかから声がした。「乞食なら、くれてやんなさい。豚はほしがりゃしないよ」

少女は、固くなったかゆの塊りを、わたしの手のなかへあけてくれた。わたしはそれを、がつがつと食べた。

雨のなかを、宵《よい》やみが、しだいに濃くなるころ、わたしは、一時間あまりもたどりつづけてきた寂しい馬道で立ちどまった。

（もうすっかり力が尽きた）と、わたしはひとり言を言った。（これ以上歩けそうもない。今夜もまた宿なしか。こんなに雨が降っているのに、冷たい、ぬれた地面の上に寝なければならないのか。なんとも、ほかにしようはないだろう。誰も泊めてくれる人がいないのだから。それにしても、こんなひもじい、息もたえだえの、寒い思い、心細い気持――望みをうしない、すっかりめいりこんだ気持では、この野宿も、ずいぶん恐ろしいものだろう。けれども、おそらく朝までには死んでしまうだろう。どうして死ぬあきらめがつかないのだろう？　なぜ、こんな、なんの値うちもない命を、生き長らえようと、もがくのだろう？　ロチェスター氏が生きていることを知っており、そのことを信じているからだ。また、飢えや寒さのために死ぬことは、人間として、おとなしく服従することのできぬ運命であるからだ。おお、神様！　いましばらくわたしを生かしておいて下さい！　お助け下さい！――お導き下さい！）

わたしのどんよりとした目は、薄暗い霧の景色の上をさまよった。わたしは、村から遠くはなれたところまで迷い歩いてきたことを知った。村は、もうまったく見えない。村の周囲をとり巻く畑地さえも見えない。わたしは道の交差しているところや間道を通り、もう一度ひろびろとした草原のあたりまで来た。わたしと、薄暗い丘とのあいだには、開墾したとは名ばかりのヒースの原と変らぬほど荒れ果てた、わずかばかりの不毛の畑地が横たわっていた。

（そうだ、町中や、人通りの多い道端で死ぬよりも向うの丘で死んだ方が、はるかにましだ）とわたしは思った。（救貧院の棺桶《かんおけ》に押しこめられ、貧民のお墓のなかで朽ち果てるよりも、烏《からす》や大烏――もしこのあたりに大烏がいるものなら――に、わたしの骨から肉をついばみとらせた方が、ずっとましだ）

それからわたしは丘へ向って歩いた。やがて、そこへたどり着いた。いまはただ、体を横たえて、安全とまではいかぬにしろ、せめて、体を隠したという気持だけでも与えてくれる、窪地《くぼち》を捜すことが残っているばかりであった。けれども荒地の表面は、どこもみな平坦《へいたん》なようであった。色がちがっているほかは、なんの変化もなく、灯心草と、苔《こけ》が、沼地をおおって茂っているところは緑色であり、ヒースだけが生えている、乾いた土のところは黒かった。夕やみが迫ってきたけれど、その変化は、まだ見わけられた。日の光が薄れるとともに、色も薄れてしまったので、ただもう明暗の交錯にすぎなかったのだけれど。

わたしの目は、なおも荒漠《こうばく》とした風景のなかに消えてゆく陰鬱《いんうつ》な丘の上や、曠野《こうや》の地平に沿って、さまよっていたが、そのとき沼地と丘のあいだの、はるか向うの薄暗い地点で、一つの光が、ぴかりと光った。（鬼火だ）と最初は考えた。そして、その光は、すぐ消えるものと思っていた。ところが、その光は、遠のきもせねば近よりもせず、じっと動かずに燃えつづけているのであった。（では、いま燃やしはじめたばかりの野焼きの火でもあろうか？）とわたしは、いぶかった。わたしは、それが燃えひろがっていくのを見ようと、目を凝らしていた。だが、そうではなかった。火は、小さくもならず、大きくひろがりもしなかった。（人家のロウソクの灯《ひ》かもしれない）と、わたしは想像した。（だがそれにしても、わたしは、とてもあそこまでは行けない。あまりに遠すぎる。また、たとえあの光が一ヤード以内のところにあったとしても、それが、なんの役に立とう？　ドアをたたいたところで、鼻先で締められるだけの話だ）

くずれるように、その場へへたりこみ、わたしは地べたに顔を押しつけた。しばらくは身動きもせず横たわっていた。夜風は丘を越え、わたしの上を越えて吹きすぎ、悲しい声をあげながら遠い彼方《かなた》に消えていった。降りしきる雨は、また新たにわたしの肌《はだ》をぬらした。こうして、体が凍りついて動かぬ一塊りの氷にさえなってしまえば、それは——なつかしい死の無感覚である——たたきつける雨も、なんでもないだろうに。わたしはもう、それを感じはしないのだから。けれども、まだ生きているわたしの肉体は、雨の冷たさに、ふるえつづけた。間もなくわたしは起きあがった。光は、やはりそこにあり、雨を通して、ぼんやりとではあるが、たえずかがやいていた。もういちどわたしは、歩こうとつとめ、疲れきった足を、その光の方に引きずって行った。火を目ざして、ひろい沼地をすぎ、丘を斜めに越えて行った。沼は、冬だったら渡れなかったにちがいない。真夏のいまでさえ、ぬかって、水でぴちゃぴちゃ揺れていた。わたしは二度も倒れた。そのたびに立ちあがっては、気力をとり直した。その光は、わたしにとっては、微かな希望であった。どうでもわたしは、あそこまでたどりつかねばならないのだ。

沼地を横ぎると、荒野のなかに白色の筋が見えた。そこへわたしは近づいた。街道か、人の踏みならした跡である。それが、あの火のところまで、まっすぐに通じているのだ。火は、そのとき、木立ち——薄やみを通して、木の形や葉の形から判断したところでは、どうやら、にれの木立ちらしい——に囲まれた小高い丘のようなところからかがやいていた。目ざすわたしの星は、近づいて行くと消えてなくなった。なにかわたしと光のあいだに、邪魔になるものがはいったのだ。わたしは手を伸ばして、目の前の黒い塊りに触れてみた。ざらざらした低い石塀《いしべい》の表面《おもて》であることがわかった

——上部に柵《さく》のようなものがあり、内側は背の高い、とげとげした籬《まがき》になっていた。わたしは手探りをつづけた。すると、また白っぽいものが目の前で光った、門——木戸である。さわってみると、ちょうつがいが開いた。両側には、黒い茂み——ひいらぎかいちいかの茂みがあった。

門のなかへはいり、茂みのそばを通ると、黒く、低く、やや細長い家のシルエットが目の前に浮きあがった。しかし、わたしをここまでつれてきてくれた例の灯は、どこにもかがやいていなかった。あたりはすべて、黒々としたやみである。家の人たちは休んでしまったのか？ それにちがいないと思った。入り口を捜しながら、わたしは家の角を曲った。するとあのなつかしい光が地面から一フィートほどのところにある、とても小さな格子《こうし》窓《まど》の、ひし形の窓ガラスからかがやいてきた。きづたかなにかのつる草が生え茂って、その葉が窓のある壁面を一面におおっているので、窓は、いっそう小さくなっている。窓の開いている部分が、それほど葉におおわれ、せばめられているので、カーテンも、鎧戸《よろいど》も不必要のように思われた。身をかがめて、窓の上につき出ている葉や枝をかきのけると、すっかり内部を見ることができた。そうじのよく行きとどいた砂床の部屋が、はっきりと見えた。くるみ材の食器戸棚《とだな》が、幾列にも並んだ白鑞《はくろう》（訳注スズと鉛の合金）の皿《さら》を載せて、燃えさかる泥炭《でいたん》に火の赤味と光を反射している。柱時計、白い松材のテーブル、数脚の椅子《いす》などが見える。その光がわたしの道しるべとなったロウソクは、テーブルの上で燃えており、灯火のそばに、どことなくごつごつした感じはあるが、周囲のすべてのものと同じように、きちんと身ぎれいにした、一人の老女が、靴下《くつした》を編んでいた。

わたしはこれらのものを、さっとながめただけであった——とくに変ったものも、そこにはなかったからである。もっと興味のあるものが、煖炉《だんろ》のあたりに満ち満ちているバラ色の平和と暖かさに包まれて、静かに腰をおろしていた。二人の優美な婦人——どこから見ても淑女らしい婦人たち——が、一人は低い揺り椅子に、一人は、もっと低い腰掛けに腰をおろしているのだ。二人とも、クレープとボンバジーンの黒い喪服を着け、その地味な衣服が、とりわけ美しい彼女たちの首筋や顔を引きたたせていた。老いた大きなポインター種の犬が一匹、大きな頭を、一人の婦人の膝《ひざ》に、もたせかけており——もう一人の方の膝には黒ネコが深々とうずくまっていた。

この簡素な台所は、このようなひとたちがいるにしては、奇妙な場所であった。彼女たちは、どんなひとたちなのであろう？　彼女たちが、テーブルのそばにいる老女の娘であるはずはない。老女は、いかにも、田舎者らしいのに、彼女たちは、優雅で教養のあるひとたちに見えたからだ。彼女たちのような顔を、わたしは見たことがない。しかも、じっと見ていると、目鼻だちのどこにも、何か親しみが感じられてくるのであった。二人とも美人とはいえない――美人と呼ぶにしては、あまりに青白く謹厳であった。彼女たちが本の上に顔を伏せているところは、厳格に近いほど思慮深い感じがした。二人のあいだに置かれた台の上には、二本目のロウソクと、一冊の大きな書物が載っていた。見ると彼女たちは、わたしたちが翻訳の仕事をするとき、その助けを借りるために辞書と相談するように、手にした小さな本と見比べては、しきりに、その大きな書物をめくって見ていた。この光景は、すべての姿が影絵であり、火の燃えている部屋は一幅の絵画でもあるかのように、静まりかえっていた。炉格子から燃え殻《がら》が落ちる音、薄暗い隅《すみ》っこの時計の時を刻む音が聞えるほど、それほど静かだった。老女の手にした編み針のかちりかちりと鳴る音さえも、わたしは、聞くことができたように思った。だから、ついに、一人の声が、この不思議な静寂を破ったとき、それは十分わたしの耳にも聞きとれたのである。

「ちょっと、お聞きなさいよ、ダイアナ」と書物に気をとられていた一人が言った。「フランツとダニエル老人は、夜ふけて、いっしょにいたのよ。そしてフランツが恐怖のあまり目をさました夢のことを話しているのよ――ねえ、ちょっとお聞きなさいったら！」そして低い声で、何か読んでいたが、一言もわたしには意味がとれなかった。それはフランス語でもラテン語でもなく——わたしの知らない国語であったからである。ギリシャ語なのかドイツ語なのか、わたしにはどっちともわからなかった。

「ここのところがすばらしいわ」読み終ると、彼女は言った。「この句が気に入ったわ」顔をあげて妹の読むのに聞き入っていたもう一人の婦人は、火を見つめながら、いま読まれた一行をくりかえした。ずっと後になって、わたしは、その国語や書物を知った。それゆえ、ここにその数行を書いておくことにしよう。もっとも、初めて聞いたときには、ただ真鍮《しんちゅう》でもたたいているように聞えただけで、ぜんぜん意味が通じなかったのだけれども——

「『おりしも、星のかがやく夜の空を見んとて、一人の者、歩みいでぬ！』すばらしいわ！　すばらしいわ！」黒い深い目をかがやかせて彼女は叫んだ。「もうろうとした偉大な大天使が、現実に、あなたの前に現われたような気がするでしょう。この句は、誇張したものを百ページ読むくらいの価値があるわ。『われは、その思いを、わが怒りの秤皿《はかりざら》に載せ、その業《わざ》を憤《いきどお》りの分銅もてはかりぬ』ここが好きよ」

二人とも、また黙りこんだ。

「そんなぐあいにお話しする国が、どこにあるんでございますか？」と、編物から顔をあげて、老女がたずねた。

「あるのよ、ハンナ――イングランドよりも、ずっとひろい国よ。そこでは、こんなふうにしか話さないのよ」

「へえ、そんなふうにして、どうして、お互いに通じ合うんでございますかね。お嬢様方のどちらかが、そのお国に行きなさっても、その連中の言うことが、おわかりになりますか?」

「言うことが、幾分わかると思うわ――でも全部ではないことよ――あなたが考えるほどわたしたち賢くないのよ、ハンナ。わたしたち、ドイツ語は話せないのよ。字引きの助けがないと読む方もだめよ」

「それで、そのドイツ語は、お嬢様方に、何かお役に立つんでございますか?」

「わたしたちは、いつかドイツ語を教えるつもりなのよ、せめて初歩だけでもね。そうすれば、いまよりもっとたくさんお金がはいりますもの」

「そうだと、ほんとにけっこうなんでございますが。でも、もうおやめなさいましよ。今晩は、もうずいぶんご勉強なさいましたですから」

「そうね――とにかくわたし、疲れたわ。メアリ、あなたは?」

「わたしも、とっても疲れたわ。結局、辞書だけで先生なしで語学をこつこつ勉強するなんて、骨の折れる仕事ね」

「ことに、こんな難解で、そのくせ、すばらしく立派なドイツ語のような国語はね。セント・ジョンは、いつお帰りになるのかしら」

「きっともう間もなくよ。ちょうど十時よ（彼女は帯のあいだからとり出した小さな金時計を見た）。雨が降りしきっているわ。ハンナ、済まないけど客間の火を見てきて下さいな」

老女は立ってドアをあけた。そこから、微かに廊下が見えた。やがて奥の部屋で火をかきたてる音が聞え、ほどなく老女は引きかえしてきた。

「ああ、お嬢様方」と老女は言った。「こんなとき、向うのお部屋へまいりますのは、ほんにつらいことでございます。からっぽの椅子が隅っこに片づけてありますで、えらく寂しい気持がいたします」

彼女はエプロンで目をふいた。真剣な表情をしていた二人の婦人が、そのとき悲しげな顔になった。

「でも、お父様は、ここよりずっとよい国にいらっしゃるのです」とハンナは言いつづけた。「ですから、もういちどお帰りになっていただきたいなどと思ってはなりません。それに、お父様くらい安らかに天国へ旅立つことができれば、何も申すことはございませんよ」

「お父様は、わたしたちのことを、なんにもおっしゃらなかったんですって？」と若い令嬢の一人が、たずねた。

「おっしゃる暇が、なかったんでございますよ、お嬢様。ほんのわずかなあいだに、お亡《な》くなりになりましたのでね。前の日と同じで、ちょっとばかり、お加減が悪いようでしたが、大したことはございませんでした。それにセント・ジョン様が、あなた方のどちらかをお呼びしましょうかとおたずねになると、お父様はお笑いになったくらいでした。その翌日――きょうから二週間前にあたりますが――また、すこしお頭《つむ》が重いということで、おやすみになりましたが、それっきり、もうお目ざめにならなかったのです。お兄様が、お部屋へおいでになって、お父様をご覧になったときには、もうだいぶ、お体が、固くなっておいでで した。ああ、お嬢様！　お父様は古い血統の最後のお方でございました――あなた様方やセント・ジョン様は、亡くなられた方とは、どこか、ちがう質《たち》のように思われます。お母様は、あなた方に、よく似ておいでで した。とても学問の好きなお方でしてね。メアリ様、あなたにそっくりのお方でしたよ。ダイアナ様は、一番お父様に似ていらっしゃいます」

わたしには、その二人の令嬢が、とてもよく似ているように思えたので、どこに、この年老いた女中（わたしはそのような者ときめてしまっていた）の言う、ちがいがあるのかわからなかった。二人とも、美しい顔色で、きゃしゃな、体つきであった。どちらも個性の強い知性に満ちた顔の持ち主であった。一人は、たしかにもう一人の娘よりも、幾分髪の毛が黒く、髪の結い方も、ちがっていた。メアリの薄茶色の巻き毛は二つにわけて、奇麗に編んであった。ダイアナの、もっと黒みがかった髪の毛は、大きく縮らして首筋をおおっていた。時計が十時をうった。

「お夜食をあがりたくなりましたでしょう」とハンナが言った。「それにセント・ジョン様も、お帰りになったら召し上がるでしょう」

そして彼女は食事の用意にかかった。娘たちは立ちあがった。居間へ行こうとしているらしい。わたしは、このときまで一心に彼女たちを見守っており、そのようすや会話に、強く興味をそそられていたので、自分のみじめな身の上を、半ば忘れかけていた。いまそれが、ふたたび心によみがえった。いままでよりも、いっそうみじめで、絶望的に思われたのは、この家の人たちとわが身を、引き比べたせいでもあろう。そして、わたしの身の上のことで、この家の人たちの心を動かすことが、どんなに不可能に思われたことであろう！　わたしの飢えと苦しみを真実彼女たちに信じさせることが——さまよいつづけるこの身に休息の宿を与えてくれるような気持を彼女たちに起させることが！　入り口を手探りで捜しあて、ためらいながら、ドアをノックしたときには、泊めてもらうなどという考えは、妄想《もうそう》もはなはだしいような気がした。

「なんのご用ですか?」手にしたロウソクの光でわたしを見ながら、老女は驚いた声でたずねた。

「お嬢様方にお話し申したいのですが」とわたしは言った。

「お嬢様方に話したいことがあるなら、わたしに言いなさるがいい。どこから来なさったのかね?」

「わたし、よその土地の者です」

「こんな時刻に、この家に、なんの用があるのかね」

「納屋《なや》でもどこでもけっこうなのですが、一夜の宿をお願いいたしたいと存じまして。それにパンをすこしばかり」

わたしが何より恐れていた疑惑の色が、ハンナの顔に浮んだ。「パンくらいならあげるがね」と、しばらく黙っていてから、彼女は言った。「しかし、この家では宿なしを泊めるわけにはいかないよ。とんでもない」

「お嬢様方に会わせて下さいまし」

「いいえ、だめですよ。お嬢様方だって、何も、おまえさんにしてあげられることはないよ。いま時分うろつきまわってはいけないよ。よくないやつだと思われるからね」

「でも、あなたに追い払われたら、わたしは、いったい、どこへ行ったらいいのでしょう？　どうすればいいのでしょう？」

「なんだって？　どこへ行って、何をするか、それは、おまえさんの知っていることじゃないかね。まちがったことをしないようにしなさいよ。いいかね、一ペニーあげるよ。さあ、行きなさい――」

「一ペニーではわたしの空腹の足しにはなりません。それにもうこれ以上歩く力がないのです。ドアをお締めにならないで――おお、後生《ごしょう》ですから、締めないで下さい！」

「締めずにおけるものかね、雨が降りこんで――」

「お嬢様方に取り次いで下さい。わたしを会わせて――」

「ほんとにだめだというのに。おまえさん、少々気が変なんじゃないのかね。さもなければ、そんなに騒ぎたてるわけがない。行きなさい」

「でも、わたし、ここを追い払われたら、死ぬほかありません」

「死ぬもんかね。おまえさん、何かよくないことをたくらんでいるのではないかね。だから夜分こんな時刻に人の家のまわりをうろつくのだろう――もしも、おまえさんの仲間が——強盗か、そんなようなやつが、その辺にいるのなら、言っておくれ。この家には女だけじゃない。男も、犬も、鉄砲も、あるってね」こう言うと、その実直ではあるが、頑固《がんこ》な女中は、ドアをぴしゃりと締め、なかからかんぬきをかけた。

これが頂点だった。言いようもない苦痛——真の絶望の激痛——が、わたしの胸を、ずたずたに引き裂いた。文字通り精根尽き果てていた。一歩も動けなかった。わたしは雨にぬれた入り口の踏段の上にへたりこんだ。わたしはうめいた。——諸手《もろて》をふりしぼった——あまりの苦しさに声をあげて泣いた。おお、この死の幽霊！　おお、この恐怖のさなかに近づきくる最後のとき！　ああ、この孤独——人間社会からの放逐！　希望の錨《いかり》が切れたばかりでなく、いまは勇気の足がかりさえ、くずれ去った——すくなくとも、しばらくのあいだは。けれどもわたしは間もなく、もう一度、不屈の勇をふるい起そうとあがいた。

（死ぬほかはない）とわたしは言った。（わたしは神を信じている。静かに神の御心《みこころ》を待つことにしよう）

この言葉を、わたしは心で思っただけでなく、口にも出して言った。わたしは、すべて苦難を胸のなかへつき戻《もど》し、むりやりそこへ押しこんでおこう——黙って静かにさせておこうと、一生懸命につとめた。

「人は、誰《だれ》でも死ななければならぬ」と、一つの声が、すぐそばで聞えた。「だが、あなたがいま、仮にここで飢えのために死ぬとしても、すべての人が、ぐずぐず悩んだあげく、天寿を全《まっと》うすることなく死ぬような運命にさだめられているとはかぎらない」

「どなたが、いいえ、何者が、言うのですか？」どのような出来事からも、まるで救いの希望が絶たれてしまったいま、わたしは思いもかけぬ声におののいて叫んだ。すぐかたわらに一つの人影があった。——あやめも分かぬ暗やみと、衰えきった視力のため、それが、何者であるか、はっきり見分けることがわたしはできなかった。すると、その新来の人は、音高く、長いあいだドアをノックしつづけた。

「セント・ジョン様でございますか？」とハンナが叫んだ。

「そうだ——そうだよ。早くあけてくれ！」

「おや、さぞまあ、ぬれて冷えこまれたことでございましょう。ほんとに、ひどい晩ですこと！　さあ、おはいりなさいませ——お妹様方も、とても心配していらっしゃいます。その辺を、よくないやつがうろついておりますで。さきほどまで女の乞食《こじき》がおりまして——おや、まだいる！——こんなところに寝ている——起きなさい！　なんということです！　行きなさいというのに！」

「静かになさい！　ハンナ、この女に話すことがある。この女を追っぱらったことで、おまえはもう、おまえの義務《つとめ》を果たした。こんどは家へ入れてやってわたしの義務を果たすのだ。わたしは、さっきからここにいて、おまえの言うことも、この女の言うことも聞いていた。何か変ったわけがあるのだろう――ともかく一応調べてみる必要がある――娘さん、立ちなさい。そして、先に家へおはいりなさい」

やっとわたしは彼の言う通りにした。間もなくわたしは、あの清潔な、明るい台所に――煖炉《だんろ》のすぐそばに――ふるえ、吐き気を感じながら、立っていた。雨風にうたれて、このうえもなく不気味な、すさまじい、わが姿を意識しながら。二人の令嬢、その兄のセント・ジョン、それから年老いた女中、みんなわたしを見つめていた。

「セント・ジョン、その人、どなたなの？」と、一人がたずねる声を私は聞いた。

「誰だか知らない。入り口のところで見つけたのだ」と言うのが、その返事であった。

「すっかり青ざめていますね」とハンナが言った。

「土か死人みたいに真っ青だ」と、誰かが応じた。「倒れるよ。かけさせなさい」

実際わたしは目まいがしていた。わたしは倒れかかった。けれども、椅子《いす》がわたしを受けとめてくれた。そのとき、すぐには口はきけなかったが、まだ意識はうしなっていなかった。

「水を飲ませたら、きっと気分がよくなるでしょう。ハンナ、持っていらっしゃい。でも、まるで骨と皮だわ。なんてやせているのでしょう。なんて血の気がないんでしょう！」

「ほんとに幽霊みたいだわ！」

「病気なのかしら。それとも、ただおなかをすかしているだけかしら？」

「きっと、おなかがすいているんだわ、ハンナ、そのミルクを、こちらへちょうだい。それからパンをすこし」

ダイアナ（わたしの上に身をかがめたとき、わたしと火とのあいだに、その長い巻き毛が垂れたので、わたしは、それが彼女だと知った）は、パンをちぎってミルクにひたし、それをわたしの唇《くちびる》にあてがった。彼女の顔はわたしの顔とすれすれのところにあった。わたしは彼女の顔に、あわれみを見、急《せ》き込んだその息づかいに同情がこもっているのを感じた。ちょっとした言葉の端にも鎮痛剤のような優しい気持が表われていた。「食べてごらんなさいな」

「そうよ――あがってごらんなさい」とメアリも、優しくくりかえした。メアリの手は、わたしの雨にぬれた帽子を脱がせ、わたしの頭を持ちあげた。わたしは、さし出されたものを口にした。初めは弱々しく、だが、すぐに、はげしい勢いで。

「最初から、あまりたくさんあげてはいけないよ——控えさせなさい」と兄が言った。

「もう十分だ」彼はミルクのコップとパンの皿《さら》を引っこめた。

「もうすこしあげたら、セント・ジョン——あのほしそうな目をご覧なさいな」

「いまは、これ以上はいけないよ。口がきけるかどうか——名前を訊《き》いてごらん」

わたしは、ものが言えそうな気がして、答えた。——「わたしの名はジェーン・エリオットと申します」たえず発見されるのを避けようと気を遣っていたので、わたしは以前から偽名を使うことにきめていた。

「それで、どこに住んでいるのですか？　あなたの知り合いは、どこにいるのですか？」

わたしは黙っていた。

「どなたか、ご存じの方を、お呼びしましょうか？」

わたしは頭を振った。

「何か、ご自分のことについて説明なさいませんか？」

どういうものかわたしは、ひとたびこの家の敷居をまたぎ、そして、この家の人たちと顔を合せた以上は、もはや宿なしでも放浪者でもなく、このひろい世間から見放されたのでもないような気がしていた。思いきって、乞食の生活をやめてしまおう

――わたしの本来の態度と性格に戻ろうとわたしは思った。もういちどわたしは自分というものを知りはじめた。セント・ジョン氏から説明を求められたとき――すぐ答えるには、あまりに弱りきっていたので――しばらくあいだをおいてからわたしは言った――

「今夜は、何も詳しいことは申しあげられません」

「だが、それでは」と彼は言った。「あなたは、どうしてもらいたいと思いますか？」

「なんにも」とわたしは答えた。わたしの体力では、短い答えしかできなかった。ダイアナが、わたしの言葉を引きとってくれた――

「では、わたしたちは、あなたがお求めになる助力は、すっかりしてあげたとおっしゃるのですか？」と彼女はたずねた。「そして、あなたを、もういちどあの荒野と雨の夜のなかへ放してもよいとおっしゃるのですか？」

わたしは彼女を見た。善意と力に満ちた、すぐれた顔だちだとわたしは思った。わたしは、ふいに勇気をふるい起した。思いやりの深い彼女の視線に微笑で答えながら、わたしは言った――「あなたにお任せいたします。わたしが飼い主のないのら犬であったにしても、あなたは今夜この煖炉のそばからわたしを追い出しはなさらないと存じます。現にわたしをこうしておいて下さるのですもの、わたしは、ほんとに、すこしも不安を感じません。どうぞ、お好きなようになさって下さいませ。ですけれど、あまりたくさんわたしにしゃべらせるのは、お許し下さい——息切れがします——ものを言うと、痙攣《けいれん》しそうなのでございます」三人はわたしをながめ、そして三人とも黙りこくっていた。

「ハンナ」と、ようやくセント・ジョン氏が言った。「この人を、しばらくそのままかけさせておきなさい。何も問いかけたりしてはいけないよ。十分あまりたったら、ミルクとパンの残りをあげなさい。メアリもダイアナも、居間へ行って、よくこのことを相談しよう」

彼らは行ってしまった。すぐに姉妹の一人が引きかえしてきたが——メアリかダイアナか、わたしにはわからなかった。気持のよい火のそばに腰をおろしていると、一種の楽しい昏睡《こんすい》状態が忍びよってくるのだ。彼女は低い声で、何かハンナに指図を与えた。間もなく女中に助けられ、わたしは、やっとの思いで階段を上った。しずくの垂れているわたしの衣服は脱がされ、すぐに暖かい、乾いたベッドが、わたしを迎え入れてくれた。わたしは神に感謝し——言いようもない疲労のなかにも感謝に満ちた喜びを感じながら——眠ってしまった。

29

その夜から三日ほどの夜と昼の記憶は、わたしの心に、きわめておぼろげにしか残っていない。そのあいだに感じたいろいろな気持を思い浮べることはできるけれど、まとまった考えや、自分がした行為は、ほとんど思いだせない。自分が小さな部屋の、狭いベッドにいることは、知っていた。わたしは、そのベッドに根を生やしたようであった。石のように動かずに横たわっていた。そこからわたしを引きはなすことは、わたしを殺すも同様のことであったろう。時間の経過——朝が昼に変り、昼が夜になっていくのも、気がつかなかった。わたしは誰かが、その部屋へはいってきたり、出て行ったりするのを見た——それが、誰であるか、また、わたしのそばへ来て、何を言ったかも、わかっていたが、答えることはできなかった。唇を開くことも、手足を動かすことも、どちらもできなかった。女中のハンナは、一番足しげくやってきた。彼女の訪れはわたしの心をかき乱した。彼女がわたしを出て行かせたがっていること、わたしやわたしの事情を理解していないこと、わたしを誤解していることをわたしは感じた。ダイアナとメアリは、一日に一、二度、その寝室に姿を見せた。彼女たちは、わたしのベッドのそばで、こんな言葉をささやいた――

「この方を家へ入れてあげて、ほんとによかったわね」

「ほんとね。一晩じゅう外に置いておかれたら、翌朝はきっとドアのところで死んでいたでしょう。この人、どんなひどい目に遭ってきたのかしら？」

「きっと思いも及ばない苦難に遭ってきたのね――かわいそうに、やせ衰えて青ざめた放浪者！」

「言葉づかいからしても無教育な方ではないようね――アクセントが、とても奇麗ですもの。それに脱ぎ捨てた服だって、はねだらけで、ぐしょぬれになっていたけれど、ちっとも着古してない、立派なものだったわ」

「一種独特の顔をしているわ。やつれて、頰《ほお》が落ちているけれど、わたしは、むしろ好きな顔だわ。丈夫になって元気が出てきたら、きっと感じのいい顔だちになると思うわ」

二人の対話には、わたしにしてくれた親切な心づくしを後悔したり、わたしを怪しんだり、嫌《きら》ったりする言葉は、いちども聞かれなかった。わたしは、慰められた。

セント・ジョン氏は、一度しかやってこなかった。彼はわたしを見て、この昏睡状態は長くつづいた過度の疲労の、反動からきたものだと言った。医者を呼ぶ必要はない。自然に任せておけば、それがきっと一番よい療法になるだろう、と言った。なにか、ひどく神経を使いすぎたのだから、しばらくのあいだ、体全体を、すっかり眠らせておかなければならぬ、とも言った。病気ではない。いちどよくなりはじめたら、急速に回復するだろう、とも言った。彼はこれらの意見を、穏やかな、低い声で、口数すくなに述べ、ちょっと黙ってから、口数多い批評には慣れていない人の口調で言うのであった。「どちらかといえば、きわめて類のない顔だちだね。下品な、低級な感じは、少しもない」

「それどころではないことよ」とダイアナが答えた。「ほんとう言うと、わたし、この気の毒な方に、むしろ好意をいだいているのよ。いつまでも親切にしてあげられたらいいと思うわ」

「それは、とても、できそうもないな」というのが彼の答えであった。「この人が友だちを誤解して、おそらく無分別にその人たちのもとをとび出してきた、どこかのお嬢さんだということが、やがて、君たちにもわかるだろう。もしこの人が強情っぱりでなければ、たぶん、そのお友だちのところへ帰してあげることができると思う。しかし、この人の顔の意志の強そうな線から判断すると、どうやら、あまり素直な人とも思えないな」彼は、しばらくわたしを注視していたが、やがて、こうつけ加えた。

「思慮のある人のようだが、しかし、すこしも美人ではないね」

「だって、セント・ジョン、この人、ひどい病人なのよ」

「病気にしろ、病気でないにしろ、器量のわるいことに変りはないよ。優雅なところとか、美の調和とかいうようなものは、この顔には、まったく欠けている」

三日目には、わたしは、ずっとよくなった。四日目になると、話したり、体を動かしたり、ベッドの上に起きたり、向きを変えたりするのが、できるようになった。たぶんお昼食《ひる》どきだったと思うが、ハンナが、おかゆと、バターなしのトーストを、運んできてくれた。わたしは、おいしく食べた。食物がおいしい――これまでは熱のために変な味がして、食べる物を、まずくしていたが、それがなくなったのだ。ハンナが出て行ったあと、わたしは、かなり力がついて、よみがえったような気がした。間もなく寝ているのに飽き、なにかしてみたい欲望が起きて、わたしの気持を、そそりたてた。わたしは起きたかった。だが、何を着たらいいだろう？　地べたに寝たり、沼のなかでころんだりした、ぐしょぐしょにぬれて泥《どろ》まみれになった衣服しかなかった。そんな形《なり》をして、お世話になった人の前へ出るのは、恥ずかしくてならなかった。

だがわたしは、この恥ずかしい目には、遭わずにすんだ。

ベッドのそばの椅子の上に、せんたくして、乾かしたわたしの衣類が、いっさい載せてあった。黒い絹の上着は壁にかかっていた。沼のなごりの汚点も、奇麗に洗い落されており、雨でできたしわも、すっかりアイロンをかけて折りめ正しいものになっていた。靴下《くつした》や靴まで、奇麗に洗って、体裁よくなっていた。その部屋には、洗面の道具もあったし、髪を撫でつける、櫛《くし》やブラシも、置いてあった。五分おきくらいに休みながら、ものうげな動作で、わたしは身じまいを済ますことができた。げっそりとやせたため、服が、だぶだぶであったが、その欠陥をわたしはショールで隠した。それから清潔な、身奇麗な姿になって――わたしの大嫌いな、そしてわたしを下品に見せる泥の汚れも、だらしのない個所《かしょ》も、少しも残さず――手摺《てす》りにつかまりながら、わたしは石の階段を、這《は》うようにして降り、天井の低い、狭い廊下を過ぎ、やがて台所へ向った。

そこは、焼きたてのパンの芳香と、惜しげもなく燃やす火の暖かさに満ちていた。ハンナがパンを焼いていた。よく知られていることだけれど、偏見というものは、教育によって耕され、つちかわれたことのない心の土から、これを根絶してしまうことは、ずいぶんと困難なものである。それは、その人たちのなかに、石のあいだの雑草のように根強く生え茂っているのだ。実際初めのあいだハンナは、無愛想で、頑固《がんこ》なようすを見せていたが、このころには、すこしは、優しくなっていた。そして、いまわたしが、きちんと奇麗に身じまいして出てきた姿を見ると、彼女は、ほほえみさえ浮べた。

「おや、起きてきたんですか」と彼女は言った。「じゃ、もういいんだね。よかったら、その炉石の上のわたしの椅子にかけてもかまいませんよ」

彼女は、揺り椅子を指さした。わたしは、それにかけた。彼女は、ときどき横目でわたしをじろじろ見ながら、忙しそうに働いていた。竈《かまど》のなかからパンの塊りをとり出しながら、わたしの方を振りむいて彼女は、ぞんざいな口調でたずねた——

「ここへ来る前に、乞食《こじき》をして歩いたことがあるのかね？」

瞬間、わたしはむっとした。けれども、おこったところではじまらないし、事実彼女には、乞食に見えたのだろうと思い直すと、穏やかに、しかも毅然《きぜん》とした態度をなくさずに答えた——

「わたしを、乞食だなどと思うのは、まちがっています。あなたや、ここのお嬢様方と同じように、わたしは、乞食ではありません」

ちょっと間をおいて彼女は言った。「どうも、がてんがいかないね。だって、おまえさんは、家もなければブラス（お金）も持たんようだが」

「家もブラスも（あなたはお金のことを言っているのでしょうけど）ないことは、けっして、あなたの言う意味での乞食ではありません」

「おまえさんは学問をしなさったのかね？」と、やがて彼女はたずねた。

「ええ、かなりね」

「でも、学校へ行ったことはないだろう？」

「学校に八年もいましたよ」

老女は目をみはった。「それで、どうして自分でやっていかれないのかね？」

「わたしは自分の力で生活してきたのです。これから先も、そうするつもりです。そのすぐり《グーズベリー》の実は、どうなさるつもり？」わたしは彼女が果実のかごを持ち出してきたとき、こうたずねた。

「パイにしますのさ」

「わたしによこしなさいな。わたしがちぎりますから」

「いや、おまえさんに、何かしてもらおうなんて思っちゃいませんよ」

「でもわたし、何かしなくてはなりませんもの。お出しなさいな」

彼女は承知した。そのうえ彼女は、わたしの服の上にひろげる、きれいなタオルまで、持ってきてくれた。そして「着物を汚《よご》してはいけないからね」と言った。

「おまえさんは、女中仕事には慣れていなさらんね。その手を見ればわかるよ」と彼女は私を観察した。「おおかた仕立て屋だったのだろう?」

「いいえ、ちがいますわ。もう、わたしがなんであったかなどということは気にしないで下さい——わたしのことで、それ以上頭を使わないで下さい——それより、このお家《うち》の名を教えて下さいな」

「マーシュ・エンド(訳注 沼地のはずれの意)とかムーア・ハウス(訳注 曠野の家の意)とか言ってますよ」

「そして、ここにお住まいになっている方はセント・ジョン様とおっしゃるのですか?」

「いや、あの方は、ここにお住まいになっているのではなくて、ほんのちょっとお泊りになるだけですよ。お家にいなさるときはモートンのご自分の教区にいらっしゃるのです」

「なんマイルか先の、あの村?」

「そう」

「何をしていらっしゃるのですか?」

「牧師様ですよ」

牧師館をたずねて牧師に会わせてほしいと頼んだときの、あの老家政婦の返事をわたしは思いだした。

「では、ここはジョン様の、お父様のお家ですね？」

「そう、先代のリヴァーズ様が、ここにお住みでね。それからリヴァーズ様のお父様も、なおその前には、おじい様もひいおじい様も」

「では、あの方のお名前はセント・ジョン・リヴァーズ様とおっしゃるのね」

「そう、セント・ジョンというのは、あの方の洗礼名《クリスチャン・ネーム》だそうです」

「あの方のお妹さん方はダイアナ・リヴァーズさんとメアリ・リヴァーズさんとおっしゃるのですね」

「そうですよ」

「お父様は、お亡《な》くなりになったのですか？」

「三週間ほど前に卒中でね」

「お母様は、いらっしゃいませんの？」

「奥様は、もうとうの昔お亡くなりになったのですよ」

「あなたは、もう長いこと、このお家にいらっしゃるのですか？」

「もう三十年にもなりますよ。お三人ともわたしがお育て申したのです」

「あなたが正直で忠実な女中さんだということは、それでわかります。私のことを、乞食だなんて、失礼なことをおっしゃったけれど、その程度には、あなたをほめてあげますわ」

老女は、もういちどあっけにとられたような顔をしてわたしを見た。「まったく考えちがいをしておりましたよ」と彼女は言った。「でもこの辺には、ずいぶん、うさんくさいやつが、うろつきますのでね。どうぞ、勘弁して下さいよ」

「でもね」と、いくらかきびしい調子でわたしは、言葉をつづけた。「のら犬だって、締め出す気にはなれないような夜に、わたしを追い出そうとしたのですからね」

「まったく、あれは、少しむごうございましたよ。でも、ほかに、どうすればよかったのでしょう？　わたしは自分のことよりも、お嬢様方のことを考えましたのですよ。おかわいそうに！　わたしのほかには、お世話する者もないんですからね。ですから わたしは油断してはならないんでございますよ」

わたしは、しばらく、むっつりと黙りこんでいた。

「あまりそうわたしのことを、ひどいやつと考えないで下さいましよ」と彼女は言った。

「でも、わたしはそう思います」とわたしは言った。「なぜかと申しますとね——あなたがわたしを泊めてくれなかったから、あるいはわたしをかたりだと思ったから、そういうのではなくて、あなたがさっきわたしを、家もなければお金もないということを非難の材料になすったからです。昔から、立派な人たちのなかにも、わたしのように無一物だった人が、いくらもあります。あなたがもしキリスト教徒なら、貧乏を罪悪だなどと考えてはいけませんわ」

「もうけっして考えることではございません」と彼女は言った。「セント・ジョン様も、そうおっしゃいます。わたしが、まちがっておりました――いまわたしは、あなたに、これまでとはすっかりちがった考えを持つようになりました。あなたは、とてもきちんとしたお方です」

「もういいのよ――堪忍《かんにん》してあげますわ。さあ、握手しましょう」

粉だらけのごつごつした手を、彼女はわたしに握らせた。うって変った心からの微笑が、その粗野な顔をかがやかせ、そのときからわたしたちはお友だちになった。

ハンナは、見るからに話好きであった。わたしが果実をちぎり、彼女がパイ粉をこねているあいだ、亡くなった主人や、奥様や、彼女が「お子たち」と呼んでいる若い人たちについて、こまごまと話しつづけた。

先代のリヴァーズ氏は飾り気のない、しかし、立派な紳士で、一番古い家柄《いえがら》の出であったと彼女は語った。マーシュ・エンドは、それが人の住む家となって以来、ずっとリヴァーズ家のものであった。ハンナは言った。「モートンの谷にあるオリヴァー様の豪壮なお屋敷に比べたら、とるに足らぬ、小っぽけな、みすぼらしい家に見えますけど、これでも二百年以上もたっているんですよ。ビル・オリヴァー様のお父様は渡り職人の針造りでした。しかしモートン教会の礼拝堂にある登録簿を見ればわかるように、リヴァーズ様は、ヘンリー王の時代には、れっきとした貴族だったそうです」なお彼女は先代の主人が平凡な人であったことを認めた。「ご先代は世間並みのお方で、これといって別段変ったこともなさらず、狩猟にひどく熱中なさったり、畑仕事をなさったりしておいででした」しかし夫人の方は、ちがっていた。非常な読書家で、いろんなことを勉強した。そしてハンナの言う「お子たち」は、この母に似たのだという。このあたりには、「お子たち」のような人は、いたこともないし、現在もいない。彼らは三人とも、舌もよくまわらぬころから学問を好み、いつも「独学で」やり通した。セント・ジョン氏は大きくなると、大学へはいって、牧師になろうと志した。令嬢たちは、学校を卒業するとすぐに、家庭教師の職を捜すことになっている。というのは、数年前に父親は、信頼していた人が破産したため、巨額のお金をうしない、現在は子供たちに財産を分けてやるほど裕福ではなかったので、子供たちは、それぞれ自分で働いて生活しなければならなかったからである。子供たちは生家に長滞在することは、ほとんどなく、いまは、父親が亡くなったので、二、三週間滞在するために帰っているにすぎない。けれども彼らは、マーシュ・エンドやモートンや、この辺の荒野や丘を、皆非常に愛している。彼らはロンドンとかその他、方々の都会に住んだこともあるが、故郷のようないいところはないと言っている。それは彼ら兄妹《きょうだい》は、とても気が合っていて——けっして争ったり口論したりしたことがない。兄妹仲のよいことにかけては、こんな家庭は見たこともない。

すぐりの実をちぎる仕事を終ると、わたしは、二人のお嬢様と、そのお兄様は、いまは、どこにいらっしゃるのか、とたずねた。

「モートンまで散歩にお出かけです。しかし、半時間もしたらお茶にお帰りになるはずです」

彼らは、ちょうどハンナが見当をつけた時間までに戻《もど》ってきた。彼らは台所の戸口からはいってきた。セント・ジョン氏はわたしを見ると、ただ会釈《えしゃく》しただけで通りすぎたが、二人の令嬢は立ちどまった。メアリは、わたしが階下へ降りてこられるほどよくなったのを見て嬉《うれ》しいと、二言三言、優しく静かに、喜びを述べた。ダイアナはわたしの手をとり、頭を振って言った。「わたしが降りてもいいと許してあげるまで待っていらしった方がよかったのに。まだ、とても青ざめて——そんなにやせていらっしゃるんですもの！　お気の毒な人！——おかわいそうに！」

ダイアナの声は、わたしの耳に、くくと鳩《はと》が鳴くように響いた。その目は、見つめられるといつまでも目を合せていたくなるような目であった。顔全体に魅力が満ちているように思われた。メアリの顔も、同じように聡明《そうめい》で——同じように美しい目鼻だちであった。けれども、その表情には、ダイアナよりも、うちとけがたいところがあり、物腰は優しかったが、ずっとよそよそしい感じがした。ダイアナは、表情にも話し方にも、一種の威厳が備わっており、見るからに意志が強そうであった。彼女のような威厳のある人に服従することに喜びを感じ、自分の良心と自負心の許すかぎり、他人の積極的な意志に従うのが、わたしの性質であった。

「それに、あなたは、ここに、なんのご用がおありですの?」と彼女は、言葉をつづけた。「ここは、あなたのいらっしゃるところではありませんわ。それはわたしにしてもメアリにしても、ときどき台所へ坐《すわ》りこむこともありますけれど、それは自分の家で自由に——気ままにしたいからですわ——でも、あなたはお客様でしょう。居間にいらっしゃらなければいけませんわ」

「わたし、ほんとにここでけっこうでございます」

「いいえ、ちっともけっこうではありません。ハンナは、走りまわって、あなたを粉だらけにしてしまいますもの」

「それに、ここの火は、あなたには熱すぎますわ」とメアリも口を出した。「ほんとうよ」と彼女の姉がつけ加えた。「こちらへいらっしゃいな。わたしの言うことを聞かなくてはいけませんわ」こう言って彼女は、わたしの手を持ったままわたしを立たせ、奥の部屋へ、つれて行った。「ここにかけていらっしゃいな」とソファにわたしを坐らせながら、彼女は言った。「わたしたちが帽子を脱いで、お茶の仕度をするまでね。ひどく気が向いたときとか、ハンナがパンを焼いたり、パイをこねたり、せんたくをしたり、アイロンをかけたりしているときに、自分たちで食事の仕度をするのは、この小さな草原の家でだけ許されているわたしたちの特権の一つなのですわ」

彼女はセント・ジョン氏とわたしを、その部屋へ残して、ドアを締めて出て行った。セント・ジョン氏は新聞か書物を手にして、わたしの向い側に腰かけていた。わたしは、まず客間のなかを、それから、その部屋の主を、念入りにながめた。

客間は、むしろ小さな部屋で、家具調度も、きわめて簡素であったが、清潔で小奇麗なのが、気持がよかった。古風な型の椅子《いす》が数脚、ぴかぴか光っており、くるみのテーブルは姿見のようであった。時代のちがう男や女の奇妙な古い肖像画が色塗りの壁を飾っていた。ガラスとびらのついた戸棚《とだな》には、数冊の書物と古代の陶器が一組並んでいた。この部屋には、余計な装飾は、何一つなかった――サイド・テーブルの上に置いてある一対《つい》の針箱と、紫檀《したん》の婦人用の机をのぞくと、当世ふうの家具は、何一つなかった。なにもかも――絨毯《じゅうたん》やカーテンまでふくめて――十分に使い古され、そして十分に保存が行き届いていた。

セント・ジョン氏は――ちょうど壁にかかっている、煤《すす》けた肖像画のなかの一枚のように、身動きもせずに腰をかけ、読んでいる書物の上に目をそそいでおり、唇《くちびる》を、無言のうちに結んでいるので――らくらくと、細かに観察することができた。人間ではなく、彫像であったとしても、これ以上らくらくと観察することはできないであろう。彼は若かった――たぶん二十八から三十までのあいだだろう――背が高く、すらりとしていた。人目をひく容貌《ようぼう》で、すっきりと鼻筋の通った古典的な鼻、アテネ人そのままの口と顎《あご》など、非常に輪郭が正しく、まるでギリシャ人そっくりであった。英国人の顔で、彼のように古代民族の典型に似ているとは、まったく珍しい。彼自身の顔が、こうも調和がとれている以上、彼がわたしの顔だちの整っていないのに軽い驚きを感じたのも無理はない。彼の目は大きく青色で、とび色のまつ毛をもっていた。象牙《ぞうげ》のように白い、ひろい額には、無造作に縮れた金髪の巻き毛が幾筋か垂れていた。

読者よ、これは上品な人物描写ではないだろうか？　しかも、この描写で説明したセント・ジョンという人物は、優しい、素直な、感受性に富んだ人という印象、または、穏やかな人物という印象さえも、めったに見る人に与えることはなかった。いま彼は静かに坐ってはいるけれども、その鼻孔や口や額のあたりに、わたしの感じたところでは、いらいらした気持か、あるいははげしい気持か、あるいは熱心な気持かを表わすようなものがあった。彼は、妹たちが引きかえしてくるまで、わたしに向って一言も話しかけず、ちらと視線を投げかけることさえもしなかった。ダイアナは、お茶の用意をするあいだ、部屋を出たり、はいったりしていたが、やがて竈《かまど》の一番上で焼けた小さなお菓子をわたしに持ってきてくれた。

「さあ、召し上がれ」と彼女は言った。「さぞ、おなかがおすきでしょう。あなたは朝から、おかゆのほか、なんにも召し上がらなかったとハンナが言っていましたもの」

わたしは辞退しなかった。わたしの食欲は、呼びさまされて、鋭くなっていたからである。リヴァーズ氏は、このとき書物を閉じてテーブルに近づいたが、席に着くとき、その青い、絵に描《か》いたような目で、まっすぐにわたしを見つめた。その凝視のなかには、ぶしつけなほどの率直さと、詮索《せんさく》的な断固たる頑固《がんこ》さとが見え、彼がいままで未知の人に対して目をくれずにいたのは、遠慮からではなくて、彼自身の意志によるものであることを、表わしていた。

「おなかがすいていますね」と彼は言った。

「はい、そうです」簡単に訊《き》かれれば簡潔に、率直に訊かれれば、あからさまに答えるのが、いつもわたしのやり方──本能的なやり方であった。

「この三日間、軽微な熱のために余儀なく絶食していたことが、かえってよかったのです。最初から、はげしい食欲の欲《ほっ》するままにしていたら、かえって危険だったでしょう。もう食べてもよろしいですよ。まだ、むやみやたらに食べてはいけませんがね」

「皆様の費用で食べさせていただくことも長くはあるまいと存じます」とわたしは拙劣きわまる不作法な返事をしてしまった。

「さよう」と冷やかに彼は言った。「あなたがお友だちの住所を教えて下されば、わたしたちから手紙を書いてあげます。そうすれば、あなたも、お家へ帰れるわけでしょう」

「率直に申しあげなければなりませんけれど、私、そんなことは、とてもできません。わたしは家庭も友人も、まったくないのですから」

三人はわたしをながめた。しかし疑わしげに見たのではない。その視線のなかに疑惑の色がないのをわたしは感じた。好奇心の方が、ずっと強く表われていた。とりわけ、令嬢たちについてはそう言えた。セント・ジョンの目は、字義通りの意味では澄みきっていたが、比喩《ひゆ》的な意味では真意を捕捉《ほそく》することが困難な目であった。彼は、その目を、自分の心を表わす代理人としてよりも、むしろ他人の心を探る道具として使用しているように思われた。その鋭さと自己韜晦《とうかい》との結合は、人を励ますよりも、むしろ当惑させるに適していた。

「それは一切の対人関係とは完全に絶縁しているという意味ですか？」

「そうですわ。生ある、いかなるものにも、わたしをつなぐ絆《きずな》はないのでございます。英国の、どのような屋根の下にも、わたしは入れていただく権利はないのでございます」

「あなたの年ごろにしては、ずいぶん珍しい境遇だ！」

このときわたしは、目の前のテーブルの上に重ねたわたしの手に、彼が視線を向けたのを見た。わたしの手に、何を探るのかと思った。すると彼の言葉が、すぐにこの不審を解いた。

「あなたは結婚したことはありませんね？　未婚者ですね？」

ダイアナは笑いだした。「だって、セント・ジョン、この方は、まだせいぜい十七か八よ」

「わたし、間もなく十九でございますわ。でも結婚してはおりません、絶対に」

わたしは、顔が火のようにほてってくるのを感じた。いたましい、心をかき乱す思い出の数々が、結婚という言葉に誘われて、よみがえってきたからである。彼らは、みなわたしの狼狽《ろうばい》と心の動揺とを見てしまった。ダイアナとメアリは、わたしの赤くなった顔からほかへ目をそらせて、わたしをほっとさせてくれたけれど、より冷淡で、きびしい彼女たちの兄は、彼のかきたてた苦しみが、むりやりわたしの顔を赤らめさせたのに、そのうえ、さらに涙を流させるまで、じっとわたしを見つめていた。

「最近まで、どこにいたのですか」こんどは、こうたずねた。

「あなたは、あまりしつこく詮索しすぎることよ、セント・ジョン」低い声でメアリが呟《つぶや》いた。しかし彼は、テーブルから身を乗り出し、またもや、まじろぎもせぬ突き刺すような目で、返事を促した。

「わたしが住んでおりました家の名や、いっしょに暮していた人の名は、申しあげることができません」とわたしは簡単に答えた。

「あなたがおっしゃりたくないのでしたら、セント・ジョンにも、ほかの誰《だれ》にも、そのことを秘密にしておく権利が、あなたにはあるとわたしは考えますわ」とダイアナが言った。

「それでも、あなたについて、あるいは、あなたの経歴について、何も知らなければ、わたしはあなたを助けることはできませんよ」と彼は言った。「あなたは援助が必要なのではありませんか?」

「必要でございます。どなたか、ほんとうの慈善家が、わたしにできる仕事を捜して下すって、ほんの生きてゆくのに必要なだけでもけっこうですから、その仕事の報酬で暮していければと、わたしは心からそう望んでいるのでございます」

「わたしが真の慈善家であるかどうかは知らないが、あなたが、それほど真面目《まじめ》な決心でいるのなら、極力あなたをお助けしたいと思います。では、まず言って下さい。あなたは、どういう仕事に経験があるか、あなたは、何ができるか?」

わたしは、すでにお茶を飲み終っていた。わたしは、この飲物のために、ぶどう酒を飲んだ巨人《ジャイアント》のように気分がさわやかになった。それはわたしの衰弱していた神経に新しい力を与え、この洞察力《どうさつりょく》に富んだ若い裁判官に向って毅然《きぜん》と話しかける力を与えてくれた。

「リヴァーズ様」と彼の方を向き、彼がわたしを見るように、わたしもまた彼を見つめ、素直に、遠慮のない調子で言った。「あなたとお妹様方は、わたしに非常なご援助を与えて下さいました——人間が、その同胞に尽くすことのできる最大のご援助を。気高いご親切をもってわたしを死から救って下さいました。わたしが受けましたご恩は、どんなに感謝しても感謝しきれぬほどでございます。ある程度、わたしに秘密をうち明けることを要求なさるのも当然かと存じます。わたしの心の平安を乱さぬかぎり——精神的、肉体的にわたしの身の安全と他の人の安全とを乱さぬかぎり——わたしは、あなた方がお泊めになったこの放浪者の身の上を申しあげることにいたします。

「わたしは孤児で、牧師の娘でございます。両親は、わたしが物心もつかぬうちに亡《な》くなりました。わたしは他家に預けられて育ち、慈善学院で教育を受けました。わたしが、六年間を生徒として、二年間を教師としてすごしましたその学校の名も申しあげましょう。××州のローウッド孤児養育院でございます。この学校のこと、お聞きになったことがございますでしょう、リヴァーズ様？——ロバート・ブロックルハースト師の経営でございました」

「ブロックルハースト氏のことは、聞いたことがあります。学校も見たことがあります」

「いまから一年ほど前、わたしは家庭教師になるため、ローウッドを去りました。わたしはよい勤め口を捜すことができて、仕合せでございました。でも、そこを、こちらへまいります四日前に、やめなければならなくなりました。その理由は申しあげることができませんし、また申しあげるべきではないと存じます。申しあげたところで、無益でもあり、危険でもあり、また真実とはお思いになりますまい。けれどもわたしには、非難を受ける筋合いはございません。あなた方と同じように、他から責められる筋はないのでございます。わたしは、いま、みじめでございます。そして、当分は、このままの状態でございましょう。なぜなら、わたしが楽園を見いだしたその屋敷かららわたしを去らせた破綻《はたん》というのは、世にも不思議な、恐ろしい性質のものであるからです。その家を出る計画をしました際、わたしは、ただ二つのことしか注意しませんでした。すばやく、誰にも知られないように出発するということでございます。これを守るためにわたしは、小さな包みのほかは、一切の持ち物を全部残してこなければなりませんでした。しかも、その包みを、気は急《せ》きますし、とり乱してもいましたので、ウィットクロスまで乗ってまいりました辻《つじ》馬車のなかへ置き忘れてしまいました。それで、まったくの無一物となって、この近村へまいったのです。二晩は野宿いたし、二日間というもの、まるで人家の敷居をまたぐことなしに、さまよい歩きました。そのあいだ、二度しか食物をいただきませんでした。リヴァーズ様、あなたがお宅の入り口で、飢えて死ぬには及ばぬとおっしゃって家のなかへ入れて下さいましたのは、飢えと疲れと絶望のため私が息を引きとる瀬戸ぎわまできていたときでございました。わたしは、それから以後お妹様方がわたしに尽くして下さいましたことを、すっかり存じております——一見、知覚が麻痺《まひ》しているように見えましたときも、意識をうしなってはいませんでしたから——ですからわたしは、お妹様方の心からの、温かいご同情を、あなたの福音の道にかなったお慈悲と同じように、本当に嬉しく、ありがたく思っているのでございます」

「もうこれ以上この方にお話をさせてはいけませんわ、セント・ジョン」と、わたしがちょっと息をついたとき、ダイアナが言った。「まだ興奮してはよくないと思います。ソファへ来て、おかけなさいな、エリオットさん」

自分の偽名を聞いたとき、わたしは思わずびくりとした。わたしは自分の新しい名前を忘れていたのである。何一つ見のがさぬらしいリヴァーズ氏は、たちまちこれに気がついた。

「あなたはジェーン・エリオットとおっしゃいましたね」と彼は言った。

「そう申しました。いまのところ、そう呼んでいただく方が好都合かと思いまして。でも、それはわたしの本当の名前ではございません。ですから、そう呼ばれると変に聞えるのです」

「本当の名前をおっしゃって下さいませんか？」

「いいえ。何よりも見つけ出されるのが心配なのです。ですから、何事であれ、発見される糸口になるようなことは、いっさい申しあげないことにしたいと思います」

「ほんとうに、この方のおっしゃる通りだと思うわ」とダイアナが言った。「もうしばらく、安らかにさせておいてあげた方がいいことよ、お兄様」

けれども何分か考えこんでから、セント・ジョンは、いままでと変らぬ冷静な、鋭い態度で、もういちど問いはじめた。

「あなたは、わたしたちの好意に、いつまでも頼っていたくはないのでしょう――なるべく早急に妹たちの同情や、わけてもこのわたしのお慈悲から逃がれたいのでしょう。（わたしはあなたがこの二つを、はっきり区別したことに気がついています。わたしは、それをおこってやしません――たしかにその通りなのですからね）なんとかしてわたしたちに頼らずにやっていきたいのでしょう？」

「そうでございます。そのことは、さきほども申しました。どんなふうに仕事をしたらよいか、どんなふうに仕事を捜したらよいか、お教え下さいまし――いまお願いしたいのは、これだけでございます。そのあとでは、どんな粗末な小屋へでも行かせて下さいまし。でも、それまでは、どうぞここへ置いて下さいまし。家をもたぬ窮迫の恐ろしさを、もういちど味わうことは、わたしには、もう耐えられません」

「もちろん、置いてさしあげますとも」と、その白い手を私の頭において、ダイアナが言った。「置いてさしあげますとも」と、それが生れつきらしく、感情を表わさぬ真摯《しんし》な口調で、メアリがくりかえした。

「妹たちは、あなたをお世話するのを、喜んでいます」とセント・ジョンが言った。「まるで冬の風が窓から追い出すことがないようにと、こごえかけた小鳥を引きとめて、かわいがるのを喜んでいるみたいに。わたしはあなたに自活の道を講じてあげたいと、もっと強く感じている。そして、そうするように尽力しましょう。しかし、考えていただきたいのは、わたしの努力の範囲が、きわめて狭いことです。わたしは貧しい田舎の教区の、牧師にすぎません。だからわたしの助力は、もっとも微力なものにちがいないのです。もしあなたが『小さきことの日』（訳注 旧約ゼカリヤ書四章十節）をいとうなら、わたしが提供できるようなものより、ほかにもっと有効な援助を、お捜しになった方がいいでしょう」

「この方は、自分でできる、真面目なことなら、どんなことでも、喜んですると、さっきもおっしゃったじゃありませんか」と、ダイアナがわたしの代りに答えてくれた。「それに、この方が、助けてくれる人に、より好みができないことは、あなただって、ご存じでしょう、セント・ジョン。この方は、あなたみたいな、そっけない人だって、我慢しなければならないのよ」

「わたしは、仕立て屋さんでも、お針女でも、また、しかたがなければ女中にでも子守りにでもなりますわ」とわたしは答えた。

「よろしい」と、きわめて冷淡に、セント・ジョン氏は言った。「そういう精神なら、わたしの好きなときに、好きな方法でお助けすることを約束しましょう」

彼はお茶のときまで読んでいた書物を、もういちど読みはじめた。わたしはすぐに引きとった。もはや、現在のわたしの力の及ぶかぎり、いろいろと話もしたし、長いこと起きてもいたからである。

30

ムーア・ハウスの人たちを、だんだんよく知ってくるにしたがって、ますますわたしは彼らが好きになった。四、五日たつと、わたしは、よほど健康を回復した。一日じゅう起きていて、ときには戸外にも出られるほどになった。ダイアナやメアリの仕事には、なんにでも仲間入りすることができたし、彼女たちの望むままに、いくらでも話すことができた。また許されれば、いつどこででも、二人の手助けをすることができた。この交際には、わたしが初めて味わう、よみがえるような喜び、趣味と感情と主義の完全一致から生れる喜びがあった。

彼女たちが好んで読むものを、わたしも好んで読んだ。彼女たちが楽しむものを、わたしも楽しみ、彼女たちが称《たた》えるものを、わたしも尊重した。彼女たちは、この人里はなれた住まいを愛していた。わたしもまた、低い屋根、格子《こうし》窓《まど》、崩れかけた塀《へい》、山颪《やまおろし》のために、どれも斜めに曲って生長した、にれの老樹の並木道などのある家、いちいやひいらぎに、うっそうとおおわれ、越冬種の草花のほかは、どんな花も咲かぬような庭園のある、この小さな灰色の古風な建物に、強い不変の魅力を見いだした。彼女たちは屋敷の背後や周囲にひろがる紫色の草原――家の門から石ころだらけの馬道を伝って降りて行ける谷間を、ひどく好んでいた。馬道は、まず、しだの茂った土手のあいだを抜け、それからヒースの荒野を縁《ふち》どって、苔《こけ》のような、柔らかな感じの顔をした小羊をつれている灰色の野羊の一群に食物を提供する、ひどく荒れ果てた小さい牧草地のあいだをうねり進んでいた――彼女たちは熱烈な愛着をこめて、この風景を愛していた。わたしは、彼女たちのその気持を理解することができ、そしてわたしもまた、その気持の強さと真実さとに共鳴した。わたしは、この地方のもつ魅力を認めた。わたしは、その寂しさのもつ森厳さを感じ、わたしの目は、高まり起伏する丘の線や――苔や、ヒースの花や、まき散らしたように花をつけた芝草や、つやつやとかがやく蕨《わらび》や、柔らかな色の花崗岩《かこうがん》などが、山の背や峡谷に与えている自然のままの色彩をながめて楽しんだ。このような風景の細部は、彼女たちにとってそうであったように、わたしにとってもまた清らかで甘美な喜びの泉であった。強い烈風や、優しいそよ風、嵐《あらし》の日や、和《なご》やかな日、日の出や落日の時刻、月の夜や、雲に閉ざされた晩などは、この土地で彼女たちに示したのと同じ魅力を、わたしにも表わして見せ――彼女たちを恍惚《こうこつ》とさせたと同じ呪縛《じゅばく》でわたしの心を金縛りにした。

家のなかでも、わたしたちは同じように、よく気が合った。彼女たちは、わたしよりも多くの書物を読み、さまざまな芸能《たしなみ》を身につけていた。しかしわたしは、彼女たちが一足先に足を踏み入れた知識の道を、熱心にたどって行った。彼女たちが貸してくれる本を、わたしは、貪《むさぼ》るように読んだ。昼のあいだに、よく読んでおいたものを、夜になって彼女たちと批評し合うのは、何よりの楽しみであった。思想と思想が一致し、意見と意見が応じあった。要するに、わたしたちは完全に一致したのである。

もしもわたしたち三人のあいだに先達《せんだつ》とか指導者とかがあるとすれば、それはダイアナであった。肉体的に、彼女はわたしよりも、はるかにすぐれていた。彼女は美貌《びぼう》であり、旺盛《おうせい》な体力に恵まれていた。その潑剌《はつらつ》とした精神には、わたしを驚嘆させ、同時に私の理解を絶するような生命が、あふれんばかりに流れており、しかもその流れは、尽きることがなかった。夜になったばかりのころには、しばらくわたしも元気に語ることができたが、最初の元気と流暢《りゅうちょう》さとが鈍ってしまうと、わたしはダイアナの足元の足台に腰をおろし、彼女の膝《ひざ》に頭をもたせて、ダイアナとメアリの話に、代る代る耳を傾けるのが好きであった。そのあいだ二人はわたしがちょっと触れたにすぎない話題を徹底的に探究するのであった。ダイアナはわたしにドイツ語を教えようと言ってくれた。わたしも彼女から習うのを望んだ。教師の役割は、彼女を喜ばせたし、また、彼女にふさわしいものでもあった。同じように生徒の役は、わたしを喜ばせ、わたしに似つかわしいものであった。わたしたちの性質は、しっくり合っていた。そこから生れたのは、互いの愛情——もっとも強い愛情であった。彼女たちはわたしが絵を描《か》けることを発見した。姉妹の鉛筆や絵具箱が、すぐにわたしの役にたった。ただ一つわたしが彼女たちにすぐれた点である、絵が描けるということは、彼女たちを驚かせ、また彼女たちの心をひきつけた。メアリは時間をきめてわたしのそばに坐《すわ》り、わたしの描くのを見守っていた。それから自分も、稽古《けいこ》にかかるのであった。彼女は、すなおな、賢い、勤勉な生徒になった。こんなふうに、互いに楽しみながら、時をすごして、数日は数時間のように、数週間は数日のように、すぎてしまった。セント・ジョン氏についていえば、わたしと彼の妹たちのあいだに、これほど自然に急速に生れた親密さも、しかし彼にまでは及ばなかった。いまだにわたしたちのあいだを隔てている理由の一つは、彼が比較的、家にいることがすくないという点にあった。彼の時間の大部分は、受持の教区のあちらこちらにいる病人や貧しい人たちを訪問することに捧《ささ》げられているようであった。

どんな天候も、このような牧師としての遠出を妨げることはなかったようである。降っても照っても、朝の学習の時間が済むと、彼は帽子をかぶり、亡父が愛していた老ポインター種のカルロをつれて、愛か、それとも義務の使命のためにか——彼が、どちらの意味にとっているかは、わたしにはよくわからなかったが——出かけて行くのであった。ときたま、あまり天気の悪い日など、妹たちが外出を見合せるようにとすすめることもあった。すると彼は、快活というよりも厳粛な、独特の微笑を浮べて言うのであった——

「ちょっと風が吹いたり、雨がぱらついたりしたくらいで、こんな易しい仕事を休んだりしたら、そのような怠慢は、わたしの将来の企てに対して、なんの準備になるだろう?」

これに対するダイアナとメアリの答えは、たいていため息であり、見るからに悲しげな物思いに、しばし耽《ふけ》ることであった。

けれども、彼が不在がちだということ以外に、彼との友情を妨げるものが、もう一つあった。彼は、うちとけにくい、何かに心を奪われているような、いつも、何かを思い煩《わずら》っている人のようにさえ見受けられた。牧師としての勤めには熱心で、その生活や習慣には非難すべきところはなかったけれど、しかも彼には、真摯なクリスチャンや、実践的な博愛家の当然の報酬であるべき精神の安らぎや、心の満足を楽しむふうがなかった。よく、夕暮れなど、窓ぎわに腰をおろし、机と紙を前にして、読書も書きものもやめ、頰杖《ほおづえ》をついて、わたしには見当もつかぬ物思いに耽っていることがあった。けれども、それが彼の心を騒がせ、かき乱すたぐいのものであることは、たえず、きらきら光ったり、不安定に見開かれたりする彼の目に表われていた。

そればかりでなく、妹たちには喜びの宝庫である自然が、彼にとっては、そうではないように思われた。いちど、それもただ一度だけ、彼はわたしの聞いているところで、起伏に富んだ丘の魅力に対する強い感じと、彼が我が家と呼んでいる建物の黒い屋根や、灰色の壁に対する生来の愛情とを語ったことがあった。しかし、このような感情を表現する彼の調子や言葉には、喜びよりも憂鬱《ゆううつ》な感じがあった。また彼は、心を静めるような静寂を求めて荒野を歩きまわることもなければ――荒野が与えてくれるかぎりない平和な喜びを探ることも、それを味わうこともなかった。彼がうちとけてくれないので、その精神を評価する機会を持つまでに、しばらくかかった。初めてその才能を知ることができたのは、モートンの教会で彼の説教を聞いたときである。その説教を、ここに記述できたらと思うのだが、それはわたしの力には及ばぬところである。その説教がわたしに与えた感銘を忠実に表現することすらわたしにはできそうもない。

説教は、穏やかに始められた――事実、話し方と声の調子についてのみ言うなら、最後まで、穏やかであった。痛切に感じられながらも、しっかりと抑制された内心の熱情は、たちまち、はっきりした語調のうちに表現され、力強い言葉を呼び起した。言葉は圧縮され、凝集され、抑圧された力となった。説教する人の力によって、聴衆の胸はおののき、心は圧倒されたが、胸も心も和らげられはしなかった。そこには終始奇妙な苦味が漂っており、人の心をいたわるような優しさはなかった。カルヴィン派の教義――神の選抜、予定説（訳注　救われるか否かを神があらかじめ定めるという説）、定罪――等に対する辛辣《しんらつ》な風刺が、幾度か放たれたが、このような点に言及するときの言葉は、いずれも最後の判決を下す宣告のような響きをもっていた。彼が話し終ったとき、わたしは、その講演によって迷いを解かれ、よりよい、より穏やかな気持を感じる代りに、言いようのない悲しみを感じた。なぜなら――ほかの人たちもそう感じたかどうかはわからないが――私が傾聴した雄弁は、失望によどんだ渣滓《おり》が沈んでいる水底――飽くなき憧憬《どうけい》と不安の渇仰《かつごう》の苦しい衝動が荒れ騒いでいる水底――からわき上がってきたもののように思われたからである。セント・ジョン・リヴァーズ氏は――清らかな生活を送り、良心的で熱意に満ちた人ではあるけれど――きっとまだ、「すべて人の思いにすぐる神の平安」（訳注　新約ピリピ書四章七節）を見いだしてはいないのだとわたしは思った。わたし自身が、うち砕かれた偶像と、うしなわれた楽園に対して、人知れず、胸も張り裂けるような哀惜の思い――このごろは、なるべく思いだすまいと、つとめているのに、しかもわたしを捕えて残酷に虐《しいた》げる哀惜の思いをいだいて、その平安を見いだしていないのと同様に、彼もまだ見いだしてはいないのだと思った。

そうこうするうちに一カ月すぎた。ダイアナとメアリは、間もなくムーア・ハウスを去って、南部イングランドの大きな繁華な都会で彼女たちを待っている、これまでとはちがった、家庭教師としての生活や場面に戻《もど》っていくはずであった。その土地で彼女たちは、裕福な、傲慢《ごうまん》な家族たちから、ただ、卑しい雇《いや》い人としてしか扱われず、また彼女たちの生来の美点を知りもしなければ知ろうともせず、料理番の腕前や小間使の趣味を評価する程度にしか彼女たちの習得した芸能《たしなみ》を評価しないような家庭に勤め口を持っていたのであった。セント・ジョン氏は、わたしのために見つけてくれると約束した勤め口については、まだ一言も触れていなかった。けれども、わたしが何か職業につかねばならぬということは、急を要することになっていたのである。ある朝、しばらく居間で彼と二人きりになったので、わたしは思いきって窓の出っ張りのところまで近づき――そこには彼のテーブルや椅子《いす》やデスクが一種の書斎ふうに並べてあった――自分の問おうとすることを、どういう言葉で、表わしたらよいか、よくわからぬながらも――彼のような性質の上に張りつめている隔意の氷をうち破ることは、いつの場合にも、なかなか困難だったからである――用件を切りだそうとすると、そのとき彼の方から最初に口を開いたので、わたしは、この煩わしさから救われた。わたしが近づくと、彼は顔をあげて、「何かわたしに訊《き》きたいことがあるのですね？」と言った。

「はい、わたしがお引受けできるような仕事のことを、何かお聞きになったかどうかを伺いたいと存じまして」

「わたしは三週間ほど前、あなたのために、ある仕事を見つけ――いや計画しました。しかし、あなたはこの家で、役にもたつし、幸福そうに見えたし――それに妹たちは、明らかに、あなたを好きになっており、あなたとの交際は妹たちに非常な慰めになっているので、近く妹たちがこのマーシュ・エンドから出発し、そのため、いきおいあなたも、ここから出ていただかなくてはならぬときまで、あなた方のお仲間の楽しみを妨げない方がよいと考えたのです」

「妹様方は、もう三日ほどしたら、お出かけになるのでしょう？」とわたしは言った。

「さよう、妹たちが出発したら、わたしはモートンの牧師館へ帰ります。ハンナはわたしといっしょにまいります。そして、この古い家は、閉めてしまうのです」

わたしは、最初彼が言いかけた話をつづけるだろうと期待して、しばらく待っていたけれども、彼は別の考えごとにはいっていったようであった。その表情は、わたしや仕事からはなれ去っていることを示していた。わたしは自分にとって必然的に密接で気がかりな話題に彼を呼び戻さないわけにはいかなかった。

「あなたが計画して下さったお仕事というのは、どんなことでございますか、リヴァーズ様？　こうして、ぐずぐずしていますことが、仕事につくことを、だんだん困難にしなければよいがと思っておりますけれど」

「いや、そんなことはありません。その仕事は、それを差しあげるのはわたし次第、それを受けとるのは、あなた次第、といったような性質のものですから」

彼はまた口をつぐんだ。言葉をつづけるのが気がすすまないふうであった。わたしは、もどかしくなってきた。そわそわしたそぶりや、じっと彼の顔に向けた熱心な、答えを迫るような眼差《まなざ》しは、言葉に劣らぬくらい有効に、よりわずかな手数で、わたしの気持を彼に伝えてくれた。

「そんなに訊くのを急ぐことはありませんよ」と彼は言った。「ざっくばらんに言わせていただくなら、それは、あなたにおすすめするのに適当な仕事とか有利な仕事とかいうようなものではないのです。説明する前に、いつかわたしがはっきり申しあげておいた注意を、どうか思いだして下さい。わたしがご援助するとしても、それは目の見えない人が足の悪い人を助けるようなものだということをね。わたしは貧乏人です。というのは、父の負債を払ってしまったとき、わたしに残された家督の全部は、裏手に半枯れになったもみの木立ちがあり、表にいちいとひいらぎの藪《やぶ》がある、荒地のような土地がわずかばかりついている、このくずれかけた屋敷だけだということが、わかったのです。わたしは名もない人間です。リヴァーズ家は古い家柄《いえがら》です。けれども、その血統の唯一《ゆいいつ》の子孫である三人のうち、二人は見知らぬ人のあいだで使用人となっておのれのパンを稼《かせ》ぎ、三人めは自分を——生きているあいだだけでなく、死んでからさえも——故郷にいれられぬものと考えています。そうです。そして彼自身は、そうした運命を光栄と思っているのです。またそう思わざるをえないのです。そして、肉親との別離という十字架を肩に負わされる日、彼自身そのもっとも卑しい僕《しもべ》の一人として仕える地上教会の長《おさ》キリストが、『起《た》ちて、われに従い来たれ！』（訳注 新約マタイ伝九章九節ほか）という言葉を与えたもう日を、ただ切望しているのみなのです」

この言葉を、セント・ジョンは、ちょうど説教をするときのように――落ち着いた、目にきらきらと光るかがやきを見せて言った。彼は、言葉をつづけた――

「わたし自身が貧しく名もない人間ですから、あなたにも、貧しく、とるに足らぬ仕事しか見つけてあげることができないのです。あなたは、その仕事を、品位を落すものとさえ考えるかもしれない――というのは、お見受けするところ、あなたの生活習慣は、世間でいう洗練されたものであり、あなたの趣味は理想に傾き、あなたの交際は、すくなくとも教養のある人たちとのあいだに行われていたのですから――しかしわたしは、人類をよりよくすることのできる職務は、けっして品位を落すものではないと思います。キリスト教徒という農夫に耕すことを命じられたその土地が、不毛であり、まだ開墾されていなければいないほど――彼の労働のもたらす報酬がすくなければすくないほど――その栄誉は高くなると信じるのです。そのような環境にあっては彼の運命は開拓者《パイオニア》の運命です。そして福音書の最初の開拓者は、使徒たちであり

――その長《おさ》は救世主、イエスその人であったのです」

「それで？」と彼がまた、言葉をとめたので、わたしは言った――「どうぞつづけて下さい」

彼は、言葉をつづける前にわたしを見た。まるでわたしの目鼻や顔の線が書物のなかの文字ででもあるかのように、わたしの顔を、ゆっくりと読みとろうとするふうであった。この点検から引き出した結論の一部を彼は、つぎの言葉のなかに述べた。

「わたしの提供する仕事を、あなたはお受けになり」と彼は言った。「そして、しばらくのあいだは、それをつづけて下さることとわたしは信じます。けれども、窮屈な、心を偏狭《へんきょう》にする、平穏な、人目につかぬ英国の田舎牧師の仕事をわたしが永久に守りつづけることができないのと同じように、あなたも永久にその地位にとどまることはできないでしょう。なぜなら、あなたの性質のなかには、ちがった種類のものではあるけれども、わたしの性質のなかにあるのと同じように、じっと穏やかにしていることを妨げる混じりものがあるからです」

「どうぞ説明して下さいまし」ふたたび彼が言葉をとめたので、わたしは促した。

「説明します。わたしの申し出が、いかに貧弱で――とるに足らぬ窮屈なものであるかをお聞かせします。わたしは父も死に、自由な体となったのですから、モートンに長くいることはないでしょう。おそらく一年以内に、そこを去ることになるでしょう。しかし、そこにいるあいだは、モートンの改善のために、全力を尽くすつもりです。二年前にわたしが来たときには、モートンには学校というものがありませんでした。貧乏人の子供たちは、すべての進歩の望みから締め出されていたのです。わたしは男の子のために学校を設立しました。そこでこんどは女の子のために第二の学校を開きたいと考えているのです。わたしはその目的で、一軒の建物を借りておきました。それには教師用の住居として二部屋ある小屋が付属しています。先生の給料は年に三十ポンドです。その住居には、わたしの教区の、ただ一人のお金持、オリヴァー氏の一人娘のオリヴァー嬢のご好意で、きわめて簡素ながら、十分に家具調度なども、整えられております――オリヴァー氏というのは、あの谷間にある針の製造工場兼鋳鉄工場の所有者です。オリヴァー氏のお嬢さんが、先生は教えるのに手いっぱいで、自分で住居や学校についてこまごました雑用をする暇はないだろうから、その手伝いをさせるという条件で、孤児院から孤児を一人つれてきて、その教育費や衣服費を負担して下さるのです。そこの先生になって下さいますか？」

彼はこの問いを、幾分あわて気味に言ってのけた。この申し出に対して、彼は、むっとした返事か、あるいは、すくなくとも失礼なと言わんばかりの拒絶の言葉を予期していたようである。いくらかは推測していても、わたしの思想や感情を、まだ十分知っていないので、そのような運命がわたしにどんな意味にとられるか、わからなかったようである。実際、それは、卑しい仕事であった——しかしまた、人目につかぬ仕事でもあった。わたしは、安全な隠れ場所を欲《ほっ》していた。それは、あくせくと働かねばならぬ仕事であった——けれどもまた、裕福な家庭教師の勤めに比べると、独立した仕事ではあるし、見も知らぬ人に仕える屈従の不安が、わたしの心には深く食い入っていたのである。それは不名誉な地位でもなければ——無価値な仕事でもなく——精神的に堕落する仕事でもなかった。わたしは覚悟をきめた。

「お申し出を感謝します、リヴァーズ様。喜んで、お仕事をお受けいたします」

「しかし、わたしの言うことは了解なすったんですか?」と彼は言った。「村の小学校なんですよ。あなたの生徒は貧乏人の娘ばかり——小屋に住んでいる人たちの子供ばかりですよ——せいぜいよくって百姓の娘です。編物、裁縫、読み方、習字、算術、こんなものが、あなたの教えなければならぬ全部なのです。あなたの、せっかくの教養を、どうなさいますか? あなたの心の大部分をしめるもの——情操や——趣味を、どう扱いますか?」

「必要があるまで、しまっておきましょう。腐りはしないでしょう」

「では、あなたは、何を引き受けるのか、おわかりですね?」

「わかりましたわ」

するとと彼は微笑した。とげとげしい、ないしは悲しそうな笑いではなく、十分気に入った、深く満足した笑いであった。

「それで、実際の仕事は、いつからはじめますか?」

「わたしは、あす、わたしの住居へ行きます。あなたさえよろしければ、来週から学校を開きたいと思います」

「けっこうですわ。そういたしましょう」

彼は立ちあがり、部屋のなかを歩きまわった。だが、やがて立ちどまると、ふたたびわたしを見た。そして頭を振った。

「なにかお気に召さぬことがございますの、リヴァーズ様?」と、わたしはたずねた。

「あなたはモートンには長くとどまっていないだろう——いない! けっして!」

「なぜでございますか? どういう理由で、そうおっしゃるのですか?」

「わたしは、あなたの目に、それを読みとります。変化のない平板な生活をつづけていくことを約束するたぐいの目ではない」

「わたしは野心家ではございませんわ」

「野心家」という言葉に、彼は、はっとした。彼は、くりかえした。「どうしてあなたは野心などということを考えたのですか？　誰《だれ》が野心をいだいているのですか？　わたしは自分がそうであることを知っている。だが、どうしてあなたに、それがわかったのです？」

「私、自分のことを申したのですわ」

「うむ。あなたが野心をいだいていないとしたら、あなたは――」彼は言いかけてやめた。

「なんでございますの？」

「激情家だと言おうとしたのです。しかし、あなたはきっと、この言葉を誤解し、気を悪くなさるでしょう。私の言うのは、人間的な愛情や同情が、もっとも強くあなたをとらえているという意味です。あなたはきっと、余暇を孤独にすごしたり、まるで刺激のない単調な労働に、あなたの働く時間を捧《ささ》げることに、長く満足していることはできないだろうと思います。それは」と語調を強めて、彼はつけ加えた。「ちょうどわたしが――神から与えられた天性を無視され、天から授けられた才能を麻痺《まひ》させられ――沼地に埋もれ、山のなかに閉じこめられて、ここに満足できないのと同じことです。いかにわたしが自己矛盾しているか、おわかりでしょう。卑しい運命に満足せよと説き教え、神の奉仕においては、木挽《こび》きや水汲《みずく》み（訳注 旧約ヨシュア記九章二十一節）さえ正しい天職とみなしているわたしが――神に命ぜられた牧師であるわたしが、いらだつ思いに、ほとんど気も狂うばかりなのです。だが、まあよい、性癖と主義とは、なんらかの方法によって一致させなくてはならない」

彼は、部屋から出て行った。このわずかな時間に私は過去一カ月かかって知ったよりも、もっと多く彼を知ることができた。しかも、やはり彼はわたしにとってはなぞであった。

ダイアナとメアリは、兄と別れ、我が家を去る日が近づくにつれて、ますます悲しげに、ますます言葉すくなになった。二人は、いつもと変らぬように見せようと、つとめていた。けれども、彼女たちが戦わねばならぬ悲哀は、完全に克服したり、隠しおおせたりできる性質のものではなかった。ダイアナは、このたびの別れは、これまで経験した、どれともちがったものになるだろう、とほのめかした。この別れは、セント・ジョンに関するかぎり、おそらくは何年間もの長い別離になるだろう――一生の別れになるかもしれない。

「兄は長いあいだ計画してきた決心のためには、すべてを犠牲にするでしょう」と彼女は言った。「それよりももっと強い肉親の愛情や感情さえも。セント・ジョンは、穏やかな人に見えるでしょう、ジェーン。けれども、あの人の生命のなかには、熱病のようなものが秘められているのです。あなたは兄を優しいと思うでしょう。けれども、あの人は、何かにかけては、まるで死のように動かないのです。それに、何よりも困るのは、兄の堅い決心を思いとどまらせることを、わたしの良心が、許しそうもないことです。もとより、ちょっとだって、そのことで兄を非難することはできません。その決心は、正しい、気高い、キリスト教徒らしいものなんですもの。それなのに、そのことでわたしの胸は張り裂ける思いなのです！」彼女の美しい目には涙があふれた。メアリは仕事の上に低く頭を垂れた。

「わたしたちには、もう父もありません。そして、間もなく、家も兄もなくなるのです」と彼女は呟《つぶや》いた。

このとき、小さな事件が、つづいて起った。それは、「不幸は、一人ではこない」という諺《ことわざ》が真理であることを証明するために、そして彼女たちの悲しみに、最後になってみないとたしかなことはわからないという腹立たしい苦痛をつけ加えるために、運命が故意に設定した事件のように思われた。セント・ジョンが、一通の手紙を読みながら窓の向うを通りすぎた。彼は、部屋へはいってきた。

「ジョン叔父さんが亡《な》くなった」と彼は言った。

姉妹は、二人とも、はっとしたようすであった——しかし衝撃《ショック》を感じたらしくも、恐れを感じたらしくもなかった。その知らせは、悲しいというよりも、むしろ、何か重大なことのように思われた。

「亡くなったんですって？」ダイアナが問いかえした。

「そうだよ」

彼女は、探るような視線を兄の顔にそそいだ。「それで、どうなんですの？」と低い声で彼女はたずねた。

「それでどうなのかって、ダイアナ？」大理石のように動かぬ表情のまま、兄は答えた。「それでどうなのかって？　なに——それだけのことさ。読んでごらん」

ジョンは手紙をダイアナの膝《ひざ》の上に投げた。彼女は、それにざっと目を通してから、メアリに渡した。メアリは黙って読んで、兄に返した。三人とも顔を見合せ、三人ともほほえんだ——寂しそうな、もの思わしげな微笑であった。

「アーメン！　それでもわたしたちはまだ生きていけるのだわ」と、やっとダイアナが言った。

「どっちにしても、それでいままでよりも悪くなることはないわ」とメアリが言った。

「それはむしろ、こうでもあったろう、ああでもあったろうと、空想をたくましくさせるだけだ」とリヴァーズ氏は言った。「そして、それと現実とを、なんだか、あまりにはっきりと対照させすぎる」

彼は手紙を折りたたみ、自分の机にしまって、もういちど外へ出て行った。

しばらくのあいだ、誰も口をきかなかった。それからダイアナがわたしの方を向いた。

「ジェーン、わたしたちやわたしたちの妙なそぶりを見て、あなたは変に思うでしょうね」と彼女は言った。「また、叔父という近い血縁の者が亡くなったのに、さほど心を動かしもしないで、冷酷な連中だとお思いでしょうけれど、でもわたしたちは、その叔父に、会ったこともなければ、知りもしないのです。叔父は母の弟にあたる人です。ずっと以前、わたしの父は、この叔父と仲たがいをしました。父が、父を破産させた投機に、財産の大部分をかけたのは、叔父にすすめられたからなのです。互いに罪のなすり合いをして、どちらも、おこったまま、別れてしまったのですが、それっきり、ついに和解しませんでした。叔父は、その後ずっと有利な事業にたずさわり、二万ポンドの財産をこしらえたらしいのです。叔父は結婚したことがなく、親戚《しんせき》も、わたしたちと、もう一人、わたしたちと同じ程度に血のつながりのある人がいるだけなのです。父はいつも、叔父がわたしたちに財産を残してくれることによって、その過ちを償うだろうと考えていました。いまの手紙で見ると、喪の指輪を三つ買う費用としてセント・ジョンとダイアナとメアリとで分配するようにという三十ギニアを別にして、あとは全部ほかの親戚へ贈ったと書いてあります。もとより叔父は自分の好きなようにする権利があります。でもやはり、こんな知らせを受けとると、一時は、がっかりしますわ。メアリとわたしは、めいめい千ポンドぐらいのお金持になれるだろうと思っていたのですもの。それにセント・ジョンにとっては、それだけの金高は、ずいぶん貴重なものだったでしょうに。それだけあれば、兄は社会のためになる事業をすることができたでしょうからね」

このような説明が与えられて、その話はうち切りになり、リヴァーズ氏も、妹たちも、それ以上そのことに触れようとはしなかった。つぎの日、わたしはモートンに向ってマーシュ・エンドを出発した。その翌日、ダイアナとメアリは、はるかに遠いB——町へと旅立った。一週間ほどすると、リヴァーズ氏とハンナは牧師館へ赴き、こうして、その古い屋敷は見捨てられたのであった。

31

わたしの家——やっと我が家を見いだしたのだ——は、一軒の小屋《コテージ》であった。白塗りの壁に、砂床のある小さな部屋で、四脚のペンキ塗りの椅子《いす》、テーブル、柱時計、それに二、三枚の大皿《おおざら》や小皿、デルフト焼きの茶道具一組を入れた食器戸棚《とだな》が置いてあった。そのうえに、台所と同じ大きさの寝室があって、もみ材の寝台と、小さいながらも、わずかばかりのわたしの衣類を入れるには大きすぎる箪笥《たんす》が、据《す》えてあった。もっとも、わたしの優しい気前のいい友人の親切のお陰で、必要なものが適当に整えられ、わたしの衣類も、ふえてはいたけれど。

夕暮れであった。わたしは、女中としての用を足してくれる孤児の少女に、オレンジを一個、お駄賃《だちん》にやって家《うち》へ帰し、一人で炉端に坐《すわ》っていた。けさ、村の学校が開かれた。二十人の生徒がいた。けれども、読むのができるのは、そのうち三人だけで、字の書ける者、算術のできる者は一人もいなかった。何人かが編物ができ、ほんの二、三人が裁縫がすこしできた。皆、この地方むき出しの訛《なまり》で話した。いまのところは生徒たちもわたしも、お互いの言葉を理解するのが一苦労であった。生徒のある者は、無知で、そのうえ行儀がわるく、粗暴で、手に負えなかったが、ほかの者は、素直で勉強したいという気持を持っており、好ましい性質を示していた。この粗末な服装をした小さな農夫の子供たちが、もっとも高貴な家柄《いえがら》の子弟と同じように善良な人間性の持ち主であることを、わたしは忘れてはならなかった。また、生来の美点や、上品さや、聡明《そうめい》さや、親切な感情の芽生えが、もっともよい生れの子弟と同じように、この生徒たちの心のなかにもありうるのだということを忘れてはならなかった。わたしの義務は、これらの芽生えを伸ばすことにあるのだ。わたしは、この任務を果たすことに、幸福を見いだすにちがいない。わたしは、自分の前に開けつつある生活に対して、楽しみを期待してはいなかった。でも、もしわたしが心を正しく持ち、当然なすべきわたしの力を働かせるならば、たぶん日々の生活をつづけるくらいのものは、これによって、与えられるだろう。

きょうの朝と午後、あの向うに見える、がらんとした、粗末な教室ですごした時間のあいだ、わたしは非常に楽しく、心穏やかに、満足を感じていただろうか？　自己を偽らずに、わたしは答えねばならぬ——否《いな》、と。わたしは、ずいぶんわびしい気持を感じた。わたしは——そう、愚かなわたしは——品位を落したと感じたのだ。わたしは、社会生活という階段において、自分を高める代りに、低める一歩を踏みだしたのではあるまいかと疑《うたぐ》ったのである。自分の周囲に聞き、見た、すべてのものの無知と窮乏と下品さとに、心弱くも失望させられたのである。しかし、このような感情のゆえに、あまりに自分を蔑《さげす》み憎むことはよそう。それがまちがっていることはわかっている。それだけでも大きな進歩なのだ。このような感情にうち勝つように努力しよう。あすはきっと、それらの感情を、いくらか抑えることができるだろう。二、三週間たつうちには、おそらく、こんな気持は、すっかりなくなっているだろう。そして、数カ月たつうちには、生徒たちのなかに進歩の跡と向上の変化とを見る楽しさが、嫌《けん》悪《お》の代りに満足を与えてくれるだろう。

ところで、一つの質問を自分に出してみよう――どちらがよいか？――誘惑に身を任せ、情熱のままになり、苦しい努力もせず――苦しい戦いもせず――絹の罠《わな》に身を沈め、その罠をおおっている花の上に眠り、南の国の快楽の別荘で、贅美《ぜいび》をつくした調度のなかに目ざめ、いま、ロチェスター氏の情婦としてフランスに住み、自分の時間の半ばを彼の愛にうつつをぬかしているのと――なぜなら、彼は、たぶん――おお、もちろん、当分のあいだは彼は深くわたしを愛してくれるであろうから。彼はわたしを愛してくれた――誰も二度とあれほどわたしを愛してくれることはあるまい。二度とわたしは、美や青春や艶雅《えんが》に捧げられた、あのうっとりするような騎士の誓いを知ることはあるまい――なぜなら、ほかのどんな人にも、わたしがそのような魅力を持っているとは見えぬだろうから。あの方は、わたしを好いており、わたしを誇りとしていた。そんなことは、あの方以外何人《なんぴと》もしないだろう――だが、いったいわたしは、どこをさまよい歩いているのか？　何を言っているのか？　とりわけ、何を感じているのか？　どちらがよいかとわたしは訊《き》いているのだ。マルセイユの夢幻の楽園に女奴隷《どれい》となり――しばし虚妄《きょもう》の悦楽に耽溺《たんでき》し――つぎには悔恨と恥辱の世にも苦い涙に息も絶えるほどむせび泣いているのと――堅実な英国中部地方の涼しい山陰で、自由な、誠実な村の女教師としてすごすのと。

そうだ、道徳と法律を固く守り、狂おしい、束の間《つかま》の狂暴な刺激を軽蔑《けいべつ》し、うち砕いた自分を正しかったと、いまわたしは思う。神は正しい道を選ぶようにわたしを導きたもうたのだ。この導きに対してわたしは神の御心《みこころ》に感謝する！

たそがれのもの思いが、こんなことにまで進んだとき、わたしは立ちあがり、ドアのところへ行って、収穫《とりいれ》の日の落陽をながめ、村から半マイルほどはなれたところに校舎と並んで建っている小屋の前にひろがる静かな野原をながめやった。小鳥たちが彼らの一日の最後の歌を歌っていた――

大気は、なごみて、露は香油のごとく

ながめながら、わたしは自分を幸福だと思い、間もなく自分が泣いていることに気がついて驚いた——なぜ泣くのか？　主人のわきにより添っていたわたしを引きはなしてしまった運命に対して、ふたたび相会うことのない彼に対して、その自暴自棄の悲嘆と死なんばかりの怒りに対して泣いたのである。彼の悲しみと怒りとは——わたしが脱出した結果であるが——彼を正しい道から引きずり出して、ふたたび引きかえす望みもないほど遠くまで彼を引きずっていってしまったかもしれない。そう思ったとき、わたしは夕暮れの美しい空から、寂しいモートンの谷間から、顔をそむけた——寂しいとわたしは言う。なぜなら、ここから見えている谷間の道の曲りくねっているあたりには、なかば木立ちに隠れて教会と牧師館とが、また、はるかなはずれの方に、お金持のオリヴァー氏とその令嬢とが住んでいるヴェイル荘の屋根があるだけで、ほかには目につく建物とてはないからである。わたしは目をおおって、玄関の石の枠《わく》に頭をもたせかけた。しかしすぐに、彼方《かなた》の牧場とわたしの小さな庭とを仕切っている木戸の近くに、微《かす》かな物音が聞えたので、わたしは顔をあげた。ちらと見ると、一頭の犬——リヴァーズ氏のポインターの老犬カルロが、鼻で木戸を押しあけ、セント・ジョン氏が腕を組んでそこにもたれかかっていた。彼は、眉《まゆ》をしかめ、不機嫌《ふきげん》なほど真面目《まじめ》くさった視線を、じっとわたしにそそいでいた。わたしは、おはいりになりませんか、と言った。

「いや、お邪魔するわけにはいかないのです。ただ、妹たちが、あなたにと言って置いて行った小さな包みを、届けにきただけなのです。中身は絵具箱と鉛筆と紙だと思います」

わたしは、それを受けるために近づいて行った。それは、嬉《うれ》しい贈り物であった。わたしが近づいたとき、彼は、きびしい目でわたしの顔を見たように思った。わたしの顔には、涙の跡が、はっきり残っていたにちがいないのだ。

「最初の日のお仕事が、思ったより困難なものであることを知りましたか?」と彼はたずねた。

「まあ、とんでもない! それどころか、そのうちには、生徒たちと、とてもうまくやっていけるだろうと思っておりますわ」

「だが、たぶんここの設備が——あなたのお家や——家具調度が——あなたの期待を裏切ったことでしょう。どれも、実にお粗末なものですからね、しかし——」

わたしはさえぎった。「わたしの小屋は清潔ですし、雨風もしのげます。家具も十分で、便利でございます。目にするものは、どれも皆、わたしを落胆させるどころか、ありがたく感謝させるものばかりでございます。わたし、敷き物やソファや銀の食器がないからといって悲しがるような、そんな愚か者でも快楽主義者でもありませんわ。それに、わたしは五週間前には、何一つ持っていませんでした——宿なしで、乞食《こじき》で、浮浪人だったのです。いまはお友だちも、家も、お仕事もございます。わたしは、神のお恵み、お友だちの親切、自分の運命のありがたさに、ただただ驚いております。愚痴などこぼしはいたしませんわ」

「しかし、一人住まいは気がふさぐでしょう？　あなたのうしろにある、その小さな家は、陰気で、がらんとしています」

「まだ静かな気分を味わう暇もないくらいですから、寂しくて我慢できなくなるなどということはございませんわ」

「それはけっこうです。ほんとに、おっしゃる通りの満足を、あなたが感じておられるのだとよろしいのですが。いずれにせよ、あのロトの妻（訳注　旧約創世記十九章二十六節、過去を思いきれずに塩の柱と化した）のように、ぐらぐらした気持に負けてしまうには、少し早すぎるということは、あなたの良識が教えてくれるでしょう。あなたがわたしたちとお会いする以前に、どんな経験をなさったのか、もとよりわたしは知りません。しかし、過去を振りかえりたいと思わせるような誘惑は、いっさい、断固として、はねつけるようにとわたしはおすすめします。すくなくとも、ここ数カ月は、いまのコースを堅実にたどることです」

「わたしもそうしようと思っております」とわたしは答えた。セント・ジョンは言葉をつづけた——

「自分の性癖の働きを制御したり、天性の向う方向を変えたりするのは、むずかしい仕事です。しかしそれが不可能ではないということを、わたしは自分の経験で知っています。わたしたちは、自分の運命を造る力を、神から与えられています。わたしたちの精力が、求めても得られぬ栄養を要求している場合にも——わたしたちの意志が、行くことのできぬ道を求めてあがく場合にも——わたしたちは栄養不足のため飢える必要もなく、絶望のあまり立ちつくす必要もないのです。わたしたちは別の心の糧《かて》を——口にしたくてたまらぬ禁制の糧と同じくらいに腹ごたえのある食物を——たぶんもっと清らかな食物を——捜せばよろしい。たとえそれが、より険阻《けんそ》な道であろうとも、大胆な足のために、運命がわたしたちをはばんでいる道路に劣らぬほど、まっすぐな、ひろびろとした道を、切り開けばいいのです。

「一年前、わたしは言いようもないほど不幸でした。なぜならわたしは、牧師の職についたことはまちがいだったと思ったからです。その変化に乏しい義務が、死ぬほどわたしを退屈させたのです。わたしは、もっと活動的な生活を求め――文学的な生活の、もっと刺激に満ちた仕事を求め――芸術家としての、著述家としての、講演家としての運命、何か牧師以外の運命を求めて、燃えていました。そうです。政治家の心、軍人の心、栄誉を渇望《かつぼう》する人間の心、名声を愛する人間の心、精力に憧《あこが》れる人間の心が、副牧師の白い法衣の下で、はげしく脈うっていたのです。わたしは思いました。この生活は、実にくだらない。変えなくてはならぬ。さもなければわたしは死ななければならない。暗黒とはげしい戦いの時期の後に、光明が差しはじめ、救いが降りてきました。束縛されたわたしの生活は、突然果てしもない平原に向ってひろがり――立ちあがれ、そして、ありったけの力を奮い起し、翼をひろげて視界の彼方に飛べ、という天からの呼びかけを、わたしは聞いたのです。神はわたしに使命を授けたもうたのです。その使命を、はるかな国にもたらし、十分に伝えるためには、熟練した技能と力、勇気と雄弁、軍人、政治家、講演家の最上の資格が、すべて必要とされたのです、なぜなら、すぐれた宣教師のなかには、このようなものが、すべて集中しているからです。

「わたしは宣教師になろうと決心しました。その瞬間から、わたしの心の状態は変りました。桎梏《しっこく》は、わたしのあらゆる機能から解け落ち、その枷《かせ》ずれの痛み以外には、束縛の跡形も残ってはいませんでした——すり傷は、時がたたねば、癒《い》えはしないのです。父は、この決心に反対しました。しかし父が死んでからは、争わねばならぬ法律上の障害もないわけです。いくつかの用件も片づきましたし、モートン教区の後任もきまり、一つ二つの感情のもつれも切り抜け、あるいは断ち切って——人間の弱さとの最後の戦いです。うち勝つことはわかっています。うち勝ってみせると誓ったのですから——わたしはヨーロッパをあとに東洋に向って出発するのです」

このことをセント・ジョンは独特の押えつけた、しかも力強い声で言った。話し終ると、彼はわたしを見ず、沈み行く太陽をながめた、彼もわたしも、畑地から木戸へ通じている小径《こみち》の方に背を向けていた。その草の生い茂った道には、なんの足音も聞えなかった。谷間を走る水の音が、そのとき、その場での、ただひとつの眠たげな響きであった。だから、快活な、銀の鈴のように澄みきった声がこう呼んだとき、わたしたちがはっとしたのも無理からぬことであろう——

「今晩は、リヴァーズ様。今晩は、カルロちゃん。あなたの愛犬の方が、あなたよりも、友だちを見つけるのが早いわ。わたしが野原の端までくると、カルロは、耳をそばだてて、尾をふりまわしたわ。あなたは、いまでもまだ向うを向いていらっしゃるというのに」

それはほんとうだった。この音楽的な声の抑揚を初めて聞いたとき、リヴァーズ氏は頭上の雲を稲妻が引き裂いたかのように、びっくりしたのであったが、この言葉が終るころになっても、まだ、声の主が彼を驚かしたときと変らぬ姿で、じっと立っていた――腕を木戸の上に載せ、顔を西の空に向けていたのである。ゆったりとした態度を整えてから、やっと彼は向きなおった。まるで一個の幻が彼のそばに立っているように思われた。純白の衣裳《いしょう》をつけた一つの姿――若々しく、あでやかな姿が、彼から三歩のところに立っていた。豊満な、しかも、すっきりとした容姿である。身をかがめてカルロを撫《な》でていたが、やがて頭をあげ、ヴェールをうしろへはねのけたとき、彼の目の前には、非のうちどころのない美しい顔が、ぱっと花開いた。非のうちどころのない美しさとは、大層な表現である。けれどもわたしは、それを言いなおそうとも、それに手ごころを加えようとも思わない。アルビオンの温和な風土が形造ったなかでも、かつてないほど美しい目鼻だちであった。その、しっとりとしたそよ風と、ぼんやりと曇った空とが生みだし、囲い育てたもののなかで、かつてないほど清純なバラと、ゆりの花の色が、この実例のなかに、上記の言葉の正しいことを証明していた。魅力に欠けたところもなければ、目につく欠点もなかった。その若い女性は、整った繊細な顔だちをしていた。目は、美しい絵を見るように、大きくて、黒い、円《つぶら》な形と色とを持っていた。その美しい目をとり巻いて、柔らかな魅惑を湛《たた》えた影をつくっている長いまつ毛、すっきりと澄んだ眉、色と光のいきいきとした美に落着きを添えている白い素直な額、瓜実《うりざね》型の、みずみずしくなめらかな頰《ほお》、これもまたみずみずしくて、赤くて、健康そうで、愛らしい形をした唇《くちびる》、すこしの傷もない、歯列のそろった、かがやかしい歯、小さなえくぼのある顎《あご》、豊かな、ふさふさとした巻き毛のよそおい——簡単にいうと、一つにまとめられれば、理想的な美人を実現するのにもっとも都合のよい一切の美点が、完全に彼女には備わっていた。この見事な創作品を見たときわたしは驚嘆した。心から彼女を称賛した。自然は、きっと、気まぐれな気分で彼女をつくったものに相違ない。いつものように、やけに切りつめた継母の贈り物をするのを忘れて、おばあ様の気前のよい贈り物を、愛するこの人に与えたのだ。

この地上の天使を、セント・ジョン・リヴァーズは、どう思っているのであろう？　彼が、この少女の方を向き、彼女をながめるのを横から見たとき、当然わたしは自分にこの疑問を投げかけた。また、当然その答えを、彼の表情のなかに捜し求めた。彼はすでに、そのペリイ（訳注　ペルシャ神話のなかの妖婦）から目をそらせて、木戸のそばに生えているひなぎくのささやかな叢《くさむら》をながめていた。

「美しい夕暮れですね。しかし、あなたが、一人で出歩くには、遅すぎます」と、花びらを閉じた花々の白い頭を足で押しひしぎながら彼は言った。

「あら、わたし、きょうの昼すぎ、S——町から帰ったばかりですのよ」(と彼女は、二十マイルほどはなれている大きな町の名を言った)「あなたが学校をお開きになり、新しい女の先生がいらっしゃると、パパから聞きましたの。ですから、わたしは、お茶が済むと、帽子をかぶって、その方にお目にかかるため、谷を駆けあがってきたのですわ。この方がそうですか?」とわたしを指さして言った。

「そうです」とセント・ジョン氏は言った。

「モートンがお気に入りそうに思えまして?」とわたしに向ってたずねたが、その調子にも物腰にも、子供っぽいところはあるが、感じのよい、素直で無邪気なあどけなさが見えていた。

「好きになりたいと思っております。好きになりたい動機が、たくさんございますわ」

「生徒たちは、お考えになっていたように、注意深くお話を聞いておりますか?」

「ええ、とても」

「お家は、お気に召しまして?」

「ええ、すっかり」

「わたし、家具など、うまいぐあいに整えることができましたかしら？」

「ええ、ほんとに、とてもけっこうですわ」

「アリス・ウッドを女中に選びましたけれど、いかがでしたかしら？」

「誠にけっこうでございますわ。素直で、よく間にあいますわ」（では、この人が、後継ぎ娘のオリヴァー嬢なのだわ。自然の恵みと同時に財産という贈り物にも恵まれている方なのだわ！　どんな幸福な星まわりが、この方の誕生をとりきめたのかしら？）

「わたし、ときどき出かけてきて、先生のお手伝いをいたしましょうね」と彼女は、つけ加えた。「ときどきお訪ねするのは、わたしには気晴らしになりますわ。だってわたしは変化を求めているのですもの。リヴァーズさん、わたし、S――町に行っているあいだ、それは面白《おもしろ》かったわ。昨夜、というより、けさの二時まで、踊っていましたのよ。あの暴動以来、第××連隊が、あの町に駐屯《ちゅうとん》していますの。士官たちといったら、ほんとに、この世で一番愉快な人たちですわ。あの人たちは、町の若い研師《とぎし》や、鋏《はさみ》商人に、すっかり恥をかかせてしまいましたのよ」

瞬間、セント・ジョン氏の下唇が突き出て、上唇がゆがんだように思われた。笑い声をたてている少女が、この話をしたとき、彼の口は、たしかに、固く結ばれており、顔の下部が異様にけわしく、角張って見えたことは、まちがいない。目もまた、ひなぎくからはなれて、彼女に向けられた。微笑も湛えぬ、探るような、意味の深い、眼差《まなざ》しであった。彼女は、もういちど笑って、その目に答えた。笑いは、彼女の若々しさ、バラ色の肌《はだ》、えくぼ、かがやいた目に、いかにもふさわしいものであった。

彼が、むずかしい顔をして黙りこんだまま立っているので、彼女はまたカルロを撫ではじめた。「かわいそうなカルロは、わたしを好きなのだわ」と彼女は言った。「カルロは友だちに対して堅苦しくもなければ、よそよそしくもないわ。口がきけたら、おし黙ってなんかいないにきまっているわ」

若い気むずかしいカルロの主人の前に、おのずと備わったしとやかな物腰で、彼女が身をかがめ、犬の頭を軽くたたいているとき、その主人の顔に、さっと赤味がさしたのをわたしは見た。その厳粛な目は、出し抜けに火に溶け、抑えることのできぬ感情が、ちらついていた。こんなふうに、頬を染め、燃えあがっているときの彼は、オリヴァー嬢が女として美しいのに劣らぬくらい、男として美しく見えた。圧縮に耐えきれなくなったその豊かな心が、意志に反して伸びひろがり、自由を求めて潑剌《はつらつ》と跳躍するかのように、彼の胸は、一度、大きくあえいだ。けれども、剛毅《ごうき》な騎手が、さお立ちになった馬の手綱を引きしめるように、はやる心を抑えつけた。彼は、自分に加えられた優しい攻撃に、言葉によっても、身ぶりによっても、答えることをしなかった。

「あなたが、このごろちっともお見えにならないって、パパが申しておりましたわ」と彼を見あげて、オリヴァー嬢は、言葉をつづけた。「わたしたちのヴェイル荘を、すっかりお見かぎりですのね。今夜パパは、一人ぼっちで、それに、あまり体のぐあいが、よくありませんのよ。わたしといっしょに行って、見舞ってあげて下さらない？」

「オリヴァーさんのお邪魔をするには、適当な時間ではありませんからね」セント・ジョンは答えた。

「適当な時間ではない、ですって！　でもわたし、そんなことはないと、はっきり申しますわ。パパが、一番話し相手のほしい時刻ですわ――工場がしまって、何もする仕事がないときなんですもの。ねえ、リヴァーズさん、いらっしゃいよ。どうして、そんなに陰気に、ふさぎこんでいらっしゃるのかしら？」彼が黙っているので、オリヴァー嬢は、自分で返事をして、その隙間《すきま》を埋めた。

「あら、忘れていたわ！」自分自身に驚いたように、美しい巻き毛の頭を振りながら、彼女は叫んだ。「わたし、ほんとに軽はずみで、不注意だったわ。ごめんなさいね。あなたが、ちゃんとした理由があって、わたしのおしゃべりの相手をなさりたくないことを、すっかり忘れていました。ダイアナもメアリも行っておしまいになったし、ムーア・ハウスは閉めてしまうし、あなたはいま、とても、寂しい思いをしていらっしゃるんですわね。お気の毒ですわ。どうぞ家へいらしって、パパに会ってやって下さいな」

「今夜は、だめですよ、ロザモンドさん。今夜は失礼します」

セント・ジョン氏は、まるで自動人形のように、ものを言った。こんなぐあいに断わるのが、どんなに努力を要するものか、知っているのは彼だけであった。

「いいわ。そんなに頑固《がんこ》におっしゃるなら。もう知りませんことよ。わたし、いつまでも、こうしてはいられませんわ――夜露が降りはじめたんですもの。おやすみなさい！」

彼女は手を差しだした。彼は、それに、ほんのちょっと手を触れただけであった。

「おやすみなさい！」と彼は、おうむがえしに、まるで谺《こだま》のように、低い、うつろな声で言った。彼女は向うを向いて歩きだしたが、すぐにまた引きかえしてきた。

「おかげんが悪いんじゃございません？」と彼女はたずねた。そう訊《き》くのも無理はなかった。セント・ジョンの顔は、彼女のガウンのように白く青ざめていたからである。

「いや、ちっとも」と彼は言いきって、ちょっと会釈《えしゃく》すると、木戸をはなれた。彼女は一方の道を、彼は別の道を歩み去った。妖精《ようせい》のように、小刻みに原っぱを降りて行きながら、彼女は二度ほど、振り向いて、セント・ジョンを見た。彼は、しっかりした足どりで原っぱを横ぎって行ったが、一度も振りかえりはしなかった。

彼のこのような苦しみと自己犠牲に満ちたその姿とが、わたしの思いを自分自身の苦しみから、ほかへそらせた。ダイアナ・リヴァーズは、この兄を「死のように動かしにくい人」だと形容した。それは誇張ではなかった。

32

わたしは、できるだけ積極的に、誠実に、村の小学校の勤めをつづけた。はじめのあいだは、ほんとにつらい仕事であった。しばらくたつうちに、わたしは、全力をつくして、生徒たちとその性質とを理解できるようになった。まるで教育を受けたことのない、きわめて鈍い能力しか彼女たちは持っていず、まったく見こみのないほど無能なようにさえ思われた。最初ちょっと見たときには、どれもみな同じような愚鈍な子供に映った。けれども、間もなくわたしは、自分がまちがっていることに気がついた。教育のある人たちのあいだにあるような差異が、彼女たちのあいだにもあるのだ。わたしが生徒たちを知り、生徒たちがわたしを知るに及んで、この差異は急速に大きくなった。わたしや、わたしの言葉遣いや、規則や方針に対する彼女らの驚きが、いったん静まると、鈍重な顔つきの、口をぽかんとあけた田舎の子供たちの何人かのなかに、十分に敏感な少女が目ざめてきていることにわたしは気がついた。大部分の生徒が、柔順で、かわいらしいようすを見せた。また、すぐれた能力と同様に、生来のしとやかさや自尊心を持っているという実例も、すくなからず発見され、そこから彼女たちに対するわたしの好意と尊敬が生れた。このような生徒たちは、やがて忠実に作業を実行し、身のまわりを清潔にし、規則正しく学課を学び、落ち着いた、規則正しい態度をとる習慣を身につけることに、喜びを持つようになった。いくつかの実例によっても、その進歩の早さは驚くほどで、わたしはこのことに、幸福な、真実の誇りを感じた。そのうえ、わたしは個人的にも、優秀な生徒の幾人かを好きになりはじめた。彼女たちもわたしを愛した。生徒のなかには、ほとんど年ごろに近い農家の娘が、何人かいた。彼女たちは、すでに読み書きも縫物もできた。この少女たちに、わたしは文法、地理、歴史の初歩、それから、もっと程度の高い針仕事を教えた。わたしは、彼女たちのなかに尊敬すべき傾向——知識を求め、向上を望む気風を発見した。わたしは、彼女たちの家で、幾度か愉快な夕べのひとときを、彼女たちとともにすごした。彼女たちの両親たち（農夫とその妻）は、いろいろとわたしを歓待してくれた。両親の素朴《そぼく》な心づくしを受け、そうしてそれに心をこめて——彼らの気持に細かく気を配ったうえで——報いることに、わたしは一つの喜びを感じた。このような心遣いに、常に彼らは慣れていず、これが彼らを非常に喜ばせ、また益するところも多かったようである。というのは、それが彼らに自分自身を急に品性の高い人になったように思わせたばかりでなく、そのような心をこめた待遇にふさわしい人間になりたいという気持を起させたからである。

わたしは、この界隈《かいわい》の人気者になったような気がした。外へ出ると、常に、あちらからもこちらからも心をこめた挨拶《あいさつ》を送られ、親しみのこもった微笑で迎えられた。たとえそれが労働者の敬意にすぎないとしても、みんなから尊敬されて暮すというのは、「のどかな気持のよい日なたに坐《すわ》っている」ように快いものである。晴れ晴れとした感情は、光を受けて芽ぐみ、花開くのである。わたしの生涯《しょうがい》のうち、この期間は、胸が失意に沈むよりも、感謝の思いにふくらむことの方が、ずっと多かった。しかも読者よ、この平和な、有益な生活のただ中にあって——昼間は生徒たちに混じって尊敬すべき努力のうちにすごし、夜は心満ちてひとり絵を描き、書物を読んですごした後に——わたしは、夜半、不思議な夢に襲われるのが常だった。色彩に富んだ、胸を騒がす、理想と刺激と嵐《あらし》に満ちた夢——思いもかけぬ出来事や、はらはらするような危険や、ロマンティックな機会に満ちた異常な場面のなかにあって、手に汗握るようなせとぎわにくると、再三再四、いつもロチェスター氏がわたしの前に現われたのであった。そして、彼の腕にいだかれ、その声を聞き、目と目を見合せ、頬に触れ、手に触れながら、彼を愛し、彼に愛されている気持——死ぬまで彼のそばですごしたいという願望が、最初のときの強力さと熱烈さとをもって、新たによみがえってくるのであった。そこでわたしは目がさめる。そして、自分が、どんなところにおり、どんな地位にあるかを思い浮べる。ふるえながら、おののきながら、カーテンのないベッドの上に起きあがる。静かな暗い夜だけが、絶望にわななくわたしを見、いとしさに泣くわたしの声を聞く。しかしわたしは、あくる朝九時には、時間通りに学校を開いていた。平静に、落ち着いて、その日の義務を手抜かりなく用意して。

ロザモンド・オリヴァー嬢は、約束をたがえずわたしのもとを訪ねてきてくれた。彼女が学校へたちよるのは、たいてい朝の乗馬の途中にきまっていた。お仕着せをつけて馬に乗った従者を従え、校舎の入り口まで小馬で駆けこんできた。紫色の乗馬服を着、頰に触れ肩に波うつふさふさとした巻き毛の上に黒ビロードのアマゾン帽を優雅にかぶった彼女の姿ほどあでやかなものは、想像することもできない。こんなふうにして彼女は田舎じみた校舎にはいり、村の子供たちのまぶしそうな表情のあいだをすべり抜けてくるのであった。彼女は、いつも、たいていリヴァーズ氏が彼の日課である教義問答の授業をしているときに来た。この女性の訪問者の目は、若い牧師の心臓を、鋭く刺しつらぬいたのではないかと思う。教室へはいってくる彼女の姿を見なかったときでさえ、彼は一種の本能で彼女の来訪を知ったようである。また彼は、入り口の方へはぜんぜん目を向けていないときでも、そこへ彼女が現われると、頰をかがやかせ、その大理石のような顔は、ほころびることを拒みながらも、言いようもなく変化し、ぴくりともせぬ静けさのなかに、筋肉の働きや射るような眼差しが表現するものよりも、はるかに強烈な、おし殺した情熱の表情を表わした。

もちろん彼女は自分の力を知っていた。また事実、彼はオリヴァー嬢の彼に対する力を、彼女に向って隠しはしなかった。なぜなら、隠すことは不可能だったからである。彼のキリスト教徒としての禁欲主義《ストイシズム》にもかかわらず、彼女が近づいてきて話しかけ、はなやかに、励ますように、いとしくてならぬといったふうにさえ、彼の顔に笑いかけるとき、セント・ジョンの手はふるえ、目は燃えた。たとえ口に出して言わなくとも、その悲しげな、張りつめた顔の表情は、こう言っているように思われた。（わたしはあなたを愛しています。あなたがわたしを好いていることも知っています。わたしが沈黙をつづけているのは、成功の見こみがないとあきらめているからではありません。もしわたしの心を捧《ささ》げたなら、あなたはきっと、それを受けとって下さるにちがいないと信じています。しかし、わたしの心は、すでに神聖なる祭壇に供えられており、そのまわりには聖火が用意されているのです。わたしの心は、ほどなくいけにえとして炙《あぶ》られるほかはないのです）

するど彼女は、失望した子供のように、頰《ほお》をふくらませる。憂愁の雲が、そのかがやくような快活さを陰らせてしまう。彼の手から、彼女は急に自分の手をひっこめる。英雄的で殉教者のような彼の顔からそむけた彼女の顔は、しばらく、つんとすねている。こんなふうにして彼女が去って行くときには、おそらく、セント・ジョンは、あとを追いかけて行って彼女を呼びかえし、引きとめるためにだったら、全世界をなげうってもかまわぬと思ったにちがいない。しかし彼は、そのために天国へ行く機会の一つをすら投げ捨てようとはしなかったし、彼女の愛の楽園と引替えに真の永遠の望みを一つだって手ばなそうとはしなかった。それにまた彼は、その本性のなかに持っているすべてのもの——漂泊者《さすらいびと》、野心家、詩人、牧師——を、ただ一つの情熱のなかに、閉じこめることはできなかったのだ。ヴェイル荘の谷間と平和のために、未開の伝道の戦いの荒野を見捨てることもできなかったし、見捨てるつもりもなかった。彼のうちとけない態度にもかかわらず、その秘密を知るために、あるとき思いきって彼の内部に足を踏み入れたお陰で、わたしは彼について、いろいろなことを知った。

オリヴァー嬢は、光栄にも、すでに何度かわたしの小屋《コテージ》にも訪ねてきてくれた。わたしは彼女の、隠しだてをせぬ、ざっくばらんな性格を、すっかり知った。媚態《びたい》的ではあるが不人情ではなく、無理強《じ》いすることはあっても、それほど利己的ではなかった。赤ん坊のころから甘やかされて育ってきたが、手のつけられぬほどのわがまま娘ではなかった。せっかちではあったが、愛嬌《あいきょう》があり、器量自慢ではあったが（彼女は、ちらと鏡を見るたびに、そこに自分の愛らしさがこぼれ出るので、それを抑えるわけにはいかなかったのだ）、気どり屋ではなかった。物惜しみをせず、財産を鼻にかけることもなく、純真で、十分に聡明《そうめい》で、そのうえ、陽気で、快活で、ちょっと軽はずみで、要するに彼女は、わたしのような同性の冷淡な傍観者の目にさえ、きわめて魅力のある女性であった。しかし彼女からは、深い興味をそそられるでもなく、強い印象を与えられるでもなかった。たとえば、セント・ジョンの妹たちの心に比べると、彼女の心は、まるでちがった種類のものであった。それでもわたしは、わたしの生徒のアデールを愛したのと同じくらいにオリヴァー嬢を愛した。ただし、同じ愛らしいとはいっても、自分が監督し、教えた子供に対しては、大人の友人の場合よりも、ずっと身近な愛情をいだくという点をのぞいて。

彼女は、わたしには愛すべき気まぐれ者であった。彼女はわたしがリヴァーズに似ていると言った（ただ、「たしかにあなたは十分すばらしい、愛らしい、よい人間だけれども、彼の十分の一も美しくはない。彼は天使なのだから」と彼女は言い添えた）。しかし、とにかくわたしは、彼と同じように善良で、賢明で、落ち着いていて、しっかりしているというのである。村の小学校の女教師としては、たしかに変り種だが、わたしの前歴が、もしわかったら、それこそ、きっと面白《おもしろ》いロマンスになるにちがいない、とも言った。

ある晩のこと、彼女は例の子供らしい積極性と、軽はずみではあるが悪気のない詮《せん》索《さく》好きな性格から、わたしの小さな台所の食器戸《と》棚《だな》やテーブルの引出しなどを、ひっかきまわしているうちに、二冊のフランス語の書物と、シラーのもの一冊、それからドイツ語の文法書と辞典とを見つけだした。それからつぎには、わたしの絵の道具と、生徒の一人で小天使のようにかわいらしい少女の肖像のデッサンと、モートンの谷や、このあたりの荒野に取材した、いろいろな風景のスケッチなどを、捜し出した。彼女は、初めは驚いて、その場に釘《くぎ》づけになっていたが、つぎの瞬間には、嬉《うれ》しさで電流に触れたようになった。

「これ、あなたがお描《か》きになったの？　フランス語やドイツ語、知っていらっしゃるの？　なんてすばらしい方なんでしょう——なんという奇跡でしょう！　S——町で一番いい学校の先生よりも、ずっとおじょうずだわ。パパに見せるんだから、わたしの肖像を描いて下さらない？」

「ええ、喜んで描いて差しあげますわ」とわたしは答えた。そしてわたしは、これほど完全な、かがやくばかりの美しいモデルを描くことを思って、画家としての喜びに、うちふるえた。そのときの彼女は、濃紺の服を着け、腕と首をあらわにしていた。彼女の唯一《ゆいいつ》の飾りは、自然のままの巻き毛の手を加えぬ美しさで肩に波うっている、栗《くり》色《いろ》の、ふさふさした髪であった。わたしは良質の厚紙を一枚とりあげ、念入りに下図を描いた。それに色をつけるのが楽しみであった。もう遅くなっていたので、ほかの日、もういちど必ず坐ってくれるようにと頼んだ。

彼女は、わたしが絵が描けることを父親に報告したので、つぎの晩には、オリヴァー氏自ら彼女といっしょに訪ねてきた——背の高い、重厚な感じのする、白髪《しらが》混じりの、中年の紳士で、そのかたわらにいる美しい令嬢は、灰色の塔の下の明るい花のように見えた。彼は無口な、そして、おそらくは気品の高い人柄《ひとがら》のように見えたが、わたしに対しては、きわめて優しかった。ロザモンドの肖像の素描が、ひどく彼の気に入り、必ずそれを描きあげていただきたい、と言った。また、明日はぜひヴェイル荘へおいでになって、夕べのひとときをすごしていただきたい、とも言った。

わたしは出かけた。それは持ち主の莫大《ばくだい》な富を示している豪壮華麗な邸宅であった。ロザモンドはわたしがそこにいるあいだ、ずっと、大喜びではしゃいでいた。彼女の父親は愛想《あいそ》がよかった。お茶のあとで、わたしと話しはじめたとき、彼は、わたしがモートンの小学校で言ったことを、口をきわめて、ほめそやした。そして、自分が見聞きしたところでは、あなたは、いまの地位には、あまりに上等すぎるようだから、いまに、もっとふさわしいところへ移って行ってしまうのではないかと、それだけが心配だ、と言った。

「ほんとうに」とロザモンドは叫んだ。「この方は、立派な家庭の家庭教師になれるくらい、おえらいのよ、パパ」

この地方のどんな上流の家庭よりも、いまいるところの方が、はるかにいいと、わたしは思った。オリヴァー氏は、非常な敬意をこめて、リヴァーズ氏——リヴァーズ家——のことを話した。彼の話によると、リヴァーズ家は、この地方きっての古い家柄で、その先祖は、たいへん富んでいた。かつては、このモートン全体が、リヴァーズ家に属していたのだそうである。いまでも、その家の当主は、その意志さえあれば、この地方のもっともよい家柄と縁組することができる。あれほど立派な有能な青年が、宣教師として外国へ行く計画をたてているとしたら、気の毒千万なことだ。貴重な人生を投げ捨ててしまうようなものではないか、と彼は言った。この話からして、ロザモンドの父親が、彼女とセント・ジョンとの結婚を妨げる意思のないことが、ほぼ察しがついた。明らかにオリヴァー氏は、その若い牧師の血統や家柄や聖職が、彼の無財産に対する十分の補いになると考えているようであった。

十一月五日の、お休みの日のことであった。わたしの小さな女中は家のおそうじの手伝いを済ませ、一ペニーのお駄賃《だちん》をもらって、大喜びで出て行った。わたしの周囲は一点の汚《よご》れもなくかがやいていた——洗い清めた床、みがきあげた炉格子《ろごうし》、よくふいた椅子《いす》、わたし自身もまた、奇麗に身じまいを済ませた。いまわたしの前には、わたしが好きなようにすごしてもよい午後の時間があった。

数ページのドイツ語の翻訳に、一時間かかった。つぎには、パレットと絵筆をとり出し、ドイツ語よりも易しい、もっと慰めになる、ロザモンド・オリヴァーの肖像画の仕上げにとりかかった。頭は、すでに、できあがっていた。背景を塗り、衣裳《いしょう》の陰影をつけること、熟したような唇《くちびる》に鮮紅をなすりつけること——ふさふさした髪のあちこちに、柔らかな巻き毛を描き足すこと——淡い空色の瞼《まぶた》の下のまつ毛に、もっと濃い影をつけることなどが残っているだけであった。このような厳密な細部の仕上げに、わたしは、すっかり夢中になっていた。そのとき、あわただしくノックする音が聞え、ドアをあけて、セント・ジョン・リヴァーズが、はいってきた。

「休日を、どんなふうにすごしていらっしゃるかと思って、やってきました」と彼は言った。「思案にくれているんじゃないでしょうね？　いや、それはけっこうです。絵を描いているあいだは、寂しい思いをすることもないでしょう。これまでのところは、不思議なほど、もちこたえてこられたけれど、わたしは、やはり、あなたをまだ信用していません。夜のお慰みに本を一冊持ってきましたよ」彼はテーブルの上に、一冊の新刊書——詩集を載せた。近代文学の黄金時代である当時の幸運な読者に、しばしば与えられた純粋な作品の一つであった。ああ、残念ながらわたしたちの時代の読者は、それほど恵まれていないようである。だが、勇気を出そう！　非を鳴らしたり、愚痴をこぼしたりするために立ちどまることはよそう。わたしは知っている——詩は死せず、天才は滅びぬことを！　富の神《マモン》（訳注　新約マタイ伝六章二十四節）はまだ、そのどちらをも束縛し、殺害する力を持つにいたってはいないことを。それらは、生きながらえ、現に存在し、その自由と力を有することを主張する日が、ふたたび来るにちがいない。力に満ちた天使たちよ、天にて安らかにあれ！ おん身らは、下劣な魂が勝利をうたい、かよわい魂が滅亡を嘆くときにほほえむ。詩は滅びたのであるか？ 天才は追放されたのであるか？ 否《いな》！ 凡庸の徒よ、嫉妬《しっと》をして、汝《なんじ》らにそのような考えをいだかしむるなかれ！ 詩と天才は、生きつづけるばかりでなく、いつの日か君臨し、王位を回復する。神にもひとしいその権力が、あまねく世をおおうていないかぎり、汝らは地獄――汝ら自身の卑賤《ひせん》の地獄にあるだろう。

わたしが熱心に『マーミオン』（その本は『マーミオン』（訳注 『マーミオン』はウォルター・スコットの長詩で、初版は一八〇八年）であった）に目をそそいでいるあいだ、セント・ジョンは身をかがめてわたしの絵を見ていた。その背の高い姿が、驚きのために、そりかえった。彼は、何も言わなかった。わたしは彼を見あげた。彼はわたしの目を避けた。わたしには彼の考えていることがよくわかった。その心をはっきり読みとることができた。そのときだけはわたしの方が彼よりも、落ち着いて冷静なように思った。一時的にせよ、そのときは彼よりもすぐれた立場におり、できれば、何か彼の役にたちたいという気になった。（あれほどの克己心と、しっかりした心とを持っているにもかかわらず）とわたしは思った。（この人は、あまりに重荷を負いすぎている――感じたことも、苦しみも、すべて胸のなかに閉じこめて——何も言わず、何も告白せず、何も知らせようとしない。この美しいロザモンドのことを、すこしばかり話題にすることは、彼のためになるにちがいない。この人は、彼女と結婚してはならぬと考えているのだ。ひとつ話をさせてみよう）

わたしはまず、こう言った。「椅子へおかけなさいな、リヴァーズ様」けれども、例によって彼は、長居はできない、と答えた。（ようございます）とわたしは心のなかで返事をした。（よろしければ、お立ちになったままでも。しかし、まだ帰してはあげませんよ。すくなくとも、孤独は、わたしによくないように、あなたにとってもよくないのですから。あなたの秘密の倉庫の人目につかぬ錠前を探り出すことができないかどうか、同情の香油《パーム》を——したたらすような隙穴《すきあな》が、その大理石の胸のなかに発見できないかどうか、やってみましょう）

「この肖像、似てますか？」わたしは、ずばりと言ってのけた。

「似てるって？　誰《だれ》にです？　わたしは、そんなに細かくは見ませんでした」

「ご覧になりましたわ、リヴァーズ様」

こう、出し抜けに、妙な、ぶしつけな言い方をしたので、彼は、飛びあがらんばかりに驚いて、わたしの顔を見た。（あら、そんなことくらいで驚くなんて。まだ何も言ってやしないのに）とわたしは心のなかで呟《つぶや》いた。（あなたの、ちょっとした頑固《がんこ》さなんぞに、辟易《へきえき》したりするもんですか。わたしは、かなり深いところまで踏みこむ覚悟なんですからね）わたしは言葉をつづけた。「あなたは、細かなところまで、はっきりご覧になっていましたわ。でももういちどご覧になってもかまいませんことよ」わたしは立ちあがって、絵を彼の手に渡した。

「よくできています」と彼は言った。「とても軟らかな澄みきった色だ。非常に優美に正確に描けています」

「ええ、ええ、その通りですわ。でも、似てやしませんこと？　誰に似ていまして？」

幾分躊躇《ちゅうちょ》したあげく、彼は答えた。「オリヴァーさんでしょう」

「もちろん、そうでございます。では、ぴったりおあてになったごほうびに、わたしの贈り物を、喜んでお受けになって下さるなら、この絵の念入りな、忠実な模写を描いて差しあげるお約束をいたしましょう。だってわたしは、あなたがつまらぬとお考えになるような贈り物に、わたしの時間と手間を浪費したくはありませんもの」

彼は、その絵を見つめつづけた。いつまでも見ているにしたがって、彼は、ますます強くその絵をつかみ、そして、それをほしいと思う気持がつのってくるようであっ

ほほえみかけている！」と彼は呟いた。「目が実によく描けている。色も表情も完全だ。ほ

た。「似ている！　似ている！」

「その似顔絵を持っていらっしゃることは、あなたを慰めるでしょうか、それとも傷つけるでしょうか？　おっしゃって下さい。あなたが、マダガスカルか、ケープタウンか、インドかにいらっしゃるとき、この形見をお持ちになっていることは、あなたを慰めるでしょうか？　それとも、それをご覧になることは、あなたの元気をそぎ、あなたを悲しませるような思い出を呼び起すでしょうか？」

彼は、こっそりと目をあげると、なんともつかぬとり乱した視線を、ちらとわたしに向け、それからまた、じっと絵を見つめた。

「これを持っていたいのは、たしかです。そのことが、思慮深いことであるか、あるいは賢明なことであるか、それとは別問題です」

ロザモンドが真実彼を好いており、彼女の父親も、この縁組に反対しないらしいことをたしかめて以来、わたしは――わたしの見解には、セント・ジョンほどの高邁《こうまい》さはないにしても――二人の結婚を進めることに、強く心を動かされていた。もし彼がオリヴァー氏の莫大な財産の持ち主になれば、彼が外国へ出かけ、熱帯の太陽の下で、その天分をしぼませ、その能力を浪費してしまうのと同じくらい、その財産で社会の

ために多くの善をするにちがいない、とわたしは思った。このような確信をもって、わたしは答えた――

「わたしの見るかぎりでは、さっそくこの絵の原型を獲得なさるのが、もっと賢明で、もっと分別のあるやり方のように思われますけれど」

このとき、彼はすでに腰をおろしていた。絵を前のテーブルに置き、額を両手で支えて、いとしそうに肖像をのぞきこんでいた。もうわたしのぶしつけをおこってもいず、驚いてもいないことが、わかった。自分では近づきがたいことと見なしていた問題について、こんなふうにあけすけに話しかけられること――こんなに気軽にとり扱われるのを聞くこと――が、新しい喜びであり、思いがけぬ救いであると感じはじめたことすら、わたしにはわかった。うちとけにくい性質の人には、開放的な人に比べて、その感傷や悲しみを率直に議論することが切実に必要な場合が、よくあるものである。もっとも厳格に見える禁欲主義者も、結局は人間なのだ。そして、好意をいだいて、大胆に、その魂の「沈黙の海」に、いきなり闖入《ちんにゅう》することが、しばしば、何よりの恩恵を施すことになるのだ。

「あの方、きっとあなたを愛していらっしゃいますわ」と、彼の椅子のうしろに立って、わたしは言った。「あの方のお父様も、あなたを尊敬していらっしゃいます。それに、かわいらしいお嬢様ではございませんか──むしろ軽はずみなくらいですけれど、でも、その点は、お二人分ほども、あなたが思慮深くていらっしゃるから。あの方と結婚なさらなければいけませんわ」

「あの人は、ほんとにわたしを愛していますか」と彼はたずねた。

「たしかに愛しています。ほかのどんな方よりも、ずっとあなたを好いていらっしゃいますわ。しじゅう、あなたのことをお話しになりますわ。あれほど嬉しそうに、またあれほどしばしば話題になさることは、ほかにございません」

「あなたのお話は、とても面白い」と彼は言った──「非常に愉快です。どうか、もう十五分ほど、つづけて下さい」そして、ほんとに時計をとり出すと、時間をはかるために、それをテーブルの上に置いた。

「でも、あなたが、頑強に反対しようと手ぐすね引いて待ちかまえていらしたり、ご自分のお心を縛るための新しい鎖をきたえていらっしゃるのだとしたら、このうえお話ししたところで、なんの役に立ちましょう？」とわたしは言った。

「そんなひどいことを考えないで下さい。目下わたしが、この通り、城をあけ渡し、心もぐんなりと溶けようとしているのが、おわかりになりませんか。わたしの心には、人間らしい愛情が、新しく噴き出した泉のようにわき起って、あれほど丹念に苦心して耕し——善良な目的と、自己否定の計画の種子《たね》を、あれほどせっせと蒔《ま》いてきた畑という畑に、いまは甘美な洪水《こうずい》があふれ、ひたしつつあるのです。そこにはいま、神酒《みき》のような甘い大洪水が氾濫《はんらん》し——若い芽は水につかり——甘美な毒が、それを腐らせつつあるのです。わたしの目には、ヴェイル荘の客間で、わたしの花嫁ロザモンド・オリヴァーの足下の褥《しとね》の上に寝そべっている自分の姿が見えるのです。彼女は美しい声でわたしに話しかける——あなたの巧みな手が、実にうまく写しとったあの日で、わたしを見おろしながら——珊瑚《さんご》のような唇で、ほほえみかける。彼女はわたしのもの——わたしは彼女のものだ——現在の生活も、眼前の世界も、わたしを満足させる。しっ！　何も言わないで下さい！——わたしの心は、喜びに満ちている——わたしの感覚は恍惚《こうこつ》となっている——さっききめた時間のあいだは、どうぞわたしを、そっとしておいて下さい」

わたしは、彼の言うがままにしておいた。時計は、こちこちと時を刻み、彼は低く荒い息づかいをした。わたしは無言で立っていた。この静寂のうちに、十五分はすぎた。彼は時計をしまうと、絵を下に置き、立ちあがって炉端へ行った。

「さて」と彼は言った。「いまのわずかな時間は、錯乱と妄想《もうそう》とに捧《ささ》げられた。わたしは、こめかみを誘惑の胸にもたせかけ、首を彼女の花のくびきの下にさしこみ、そして彼女のすすめる杯を飲み干した。まくらは燃えていた。花輪のなかには毒蛇《どくじゃ》がいる。酒は舌を刺すようだ。彼女の誓いは、むなしく――その申し出は偽りだ。わたしには、そのことがすべて見える。すべてわかる」

わたしは驚いて彼を見つめた。

「どうも不思議ですね」と彼は言いつづけた。「わたしはロザモンド・オリヴァーを、これほど狂おしく――実際、初恋のあらゆる激しさをこめて愛しており、しかもその愛の対象は、言いようもないほど美しく、あでやかで、うっとりとするような人なのに、一方では、彼女はわたしのよき妻にはなれないだろうという、冷静な、たしかな自覚を感じるのです。彼女は、わたしにふさわしい相手ではない。結婚して一年もたぬうちに、わたしは、このことに気づくにちがいない。そして十二カ月の恍惚感の後には、おそらく終生後悔がつづくだろう。わたしには、そのことがわかっているのです」

「まったく不思議ですわ！」とわたしは叫ばないわけにはいかなかった。

「わたしのなかのあるものは」と彼は言いつづける。「彼女の魅力を鋭く感じとるのに、別なあるものは、彼女の欠点を深く胸に刻みつけるのです。その欠点というのは、彼女がわたしの抱負に共感をいだくことができないことです。またわたしの事業に協力することもできないことです。あのロザモンドが受難者でしょうか？　勤労者でしょうか？　使徒でしょうか？　あのロザモンドが宣教師の妻になれるでしょうか？　否！」

「でもあなたは宣教師にならなくてもいいではありませんか。そんな計画は、おやめになることができるのでしょう？」

「やめる？　なんということを！　わたしの天職を捨てる？　この偉大な仕事を？　天国の館《やかた》のために地上に築かれた礎石（訳注　新約ヨハネ伝十四章二節）を捨てるというのですか？　人類を向上させようとする光栄ある抱負に、すべての野心を没入せしめた人々の一人に数えられようとする望みを――無知の国に知識を伝えたいという望みを――戦争を平和に変え、束縛を自由に、迷信を宗教に、地獄への恐怖を天国への希望に変えようという望みを？　それらの望みを、わたしは、一切捨てなければならぬというのですか？　それは、わたしの体内の血潮よりも貴重なものなのです。わたしは、それを目標にし、そのために生きているのですよ」

　しばらく黙っていてから、やっとわたしは言った――「それでオリヴァー様は？　あの方の失望や悲しみは、なんともお思いにならないのですか？」

「オリヴァーさんは、いつも求婚者や、お追従《ついしょう》のうまい男たちにとり巻かれています。

一カ月もたたないうちに、わたしの映像は、あの人の心から消えてしまうでしょう。わたしのことなんか忘れ、わたしなどよりも、はるかにあの人を幸福にしてくれる男と、結婚するでしょう」

「ずいぶん冷たい言い方をなさいますのね。でもあなたは、どちらにしようかと苦しんでいらっしゃいますのね。だんだんおやせになるようですわ」

「いや。もし、いくらかやせたとしたら、それは、まだはっきりときまっていないわたしの前途——いつも延び延びになっている出発——に対する気遣いからです。けさも、長いこと待ちわびていたわたしの後任者が、もう三カ月しないと赴任してこられないという知らせを受けたばかりなのです。しかも、おそらくその三カ月は、六カ月になることでしょう」

「オリヴァーさんが教室にはいっていらっしゃると、あなたは、いつもふるえて、赤くなりますのね」

もういちど、驚愕《きょうがく》の表情が彼の顔をかすめた。女性が男性に向って、こんなふうに話しかけようなどとは、思ってもいなかったのである。わたしの方は、このような種類の話は、いっそ気が楽だった。わたしは男にしろ女にしろ、しっかりした、思慮深い、洗練された人と話し合うときは、世間並みの遠慮の外砦《がいさい》を通りこし、信頼の敷居をまたいで、その心の炉端に坐《すわ》りこまぬことには落ち着けなかった。

「あなたは変った方ですね」と彼は言った。「そして内気でもない。目にすべてを見抜く鋭さを持っているように、精神にも、なにか勇敢なものを持っている。しかしあなたは、失礼ながら、幾分わたしの感情を誤解していらっしゃるようだ。それを実際よりも深刻な、力強いものと考えておられる。わたしが正当に要求しうる以上の同情をわたしによせて下さる。オリヴァー嬢の前で、赤くなったり、ふるえたりしても、わたしは自分を哀れまない。わたしはその弱さを軽蔑《けいべつ》する。それは恥ずべきことと知っている。単なる肉体の熱病であり、断じて魂のわななきではない。わたしの魂は、荒れ騒ぐ海の深みに、どっしりと根を据えた岩のように、不動なのです。あるがままのわたしを——わたしが冷たい、苛《か》酷《こく》な人間であることを知って下さい」

わたしは疑わしげにほほえんだ。

「あなたはわたしの秘密を、むりやり奪いとった」と彼は言葉をつづけた。「そして、それは、いまあなたの手中に握られている。生れたままの姿のわたし——欠点だらけの人間の体をおおっているキリスト教の血に清められた長衣《ローブ》を脱ぎ捨てたわたしは、単に冷酷な、薄情な、野心的な男にすぎないのです。あらゆる感情のなかで、ただ生《せい》得《とく》の愛情だけが、変らぬ力でわたしを支配しています。感情ではなく、理性がわたしの道案内です。わたしの野心は無限です――ほかの人たちよりも高くのぼりたい、より多くのことをしたいという欲望は、飽くことを知らない。忍耐、不撓不屈《ふとうふくつ》、勤勉、才能をわたしは尊重する。それは人が偉大な目的を達し、高い地位にのぼる手段であるからです。わたしは、あなたの生きていく過程を興味をもって見守っています。あなたを勤勉な、秩序正しい、精力的な婦人の典型と、みなしているからです。これまで、あなたが経験してこられた、またはいまなお味わっておられる苦しみに、深い同情を持つからではありません」

「あなたはご自分を単なる異教の哲学者として描き出されますのね」とわたしは言った。

「いや、異教の哲学者とわたしとのあいだには、大きな相違があります。わたしは神を信じています。福音を信じています。あなたは形容詞をおまちがえになった。わたしは異教の哲学者ではなくてキリスト教の哲学者――イエスの教義の信奉者です。キリストの弟子として、わたしは主の純粋な、慈愛に満ちた、恵みあふれる教義を採用します。わたしはこの教義を説く。そして、それをひろめることを誓う。幼くして宗教にはいったので、宗教はわたしの生得的な素質を、こんなふうに変えてくれました――つまり、自然的な愛情という小さな芽から、博愛という、うっそうたる大樹を育てあげたのです。人間の正義という野生の筋だらけの根から、神の正義という正しい意識を育ててあげたのです。みじめな自己のために権力と名声とをかちえたいという野心から、主の王国をひろげようという野心——十字架の旗のために勝利を得たいという野心——を、宗教は形造ってくれました。宗教は、生来の素質をもっともよく利用し、性質のよくないところを刈りとったり、枝を矯正《きょうせい》したりして、ずいぶんわたしのためになりました。しかし宗教は、わたしの性質を根こそぎ引っこぬくことはできなかった。おそらく『この死ぬるものが死なぬものを着るべき』（訳注 新約コリント前書十五章五十三節）時まで、根こそぎにすることはできないでしょう」

言い終ると彼は、テーブルの上のパレットのそばに置いてあった帽子をとりあげた。もういちど彼は肖像を見た。

「なんという美しい人だろう！」と彼は呟《つぶや》いた。「この世のバラ（訳注 ロザモンドのこと）とは、まったくうまく名づけたものだ」

「このような肖像を、あなたに描いて差しあげましょうか」

「それがなんになりましょう？ いや、それには及びません」

絵を描くとき、厚紙を汚《よご》さぬために手の下へ敷くことにしている薄い紙を、彼は、その肖像の上にかぶせた。この白い紙の上に、ふと彼が見たものが、なんであるか、それはわたしにはわからなかったけれど、しかし何かが彼の目を捕えた。彼は、ひったくるように、その紙をとりあげた。そして、その端をながめた。それからわたしに、なんともいえぬ奇妙な、まるでわけのわからぬ視線を投げた。わたしの姿と顔と、衣服の、どんな個所《かしょ》も注意して見のがさぬ視線のように思われた。というのは、それは、稲妻のように、くまなく、素早く、鋭く、すべての点を、かすめすぎたからである。彼の唇《くちびる》は、何か言おうとするかのように開いた。しかし彼は、それがなんであろうと、出かかった言葉を、飲みこんでしまった。

「どうかなさいまして?」とわたしはたずねた。

「なんでもありません」という返事であった。それから、その薄紙を、もとのところへ戻《もど》しながら、その端の方を、ちょっぴり巧妙に切りとったのを見た。その端きれは彼の手袋のなかへ消えた。彼は、あわただしく会釈《えしゃく》すると、「さよなら」と言って、姿を消した。

「あらまあ!」と、この地方の表現を使ってわたしは叫んだ。「まるで目玉に帽子だわ!」(訳注　なんのことかさっぱりわからない、の意)

こんどはわたしが、その紙を調べる番だった。けれども、わたしが絵筆の先で色をためしてみた絵具の汚れが、薄くついているだけで、それ以外には、何も見あたらなかった。わたしは一、二分、この不思議な出来事を考えてみた。だが、どうせこのなぞは、解くことができぬとわかり、それに、大したことでもあるまいと信じたので、考えるのをやめ、間もなく忘れてしまった。

33

セント・ジョン氏が帰って行ったころ、雪が降り始めた。渦巻《うずま》く嵐《あらし》が一晩じゅうつづいた。あくる日は、肌《はだ》を刺すような風が、新しく目も見えなくなるような雪をもたらした。たそがれまでに、谷間は、吹き積った雪で、通ることもできぬほどになった。わたしは、鎧戸《よろいど》を閉ざし、下から雪が吹きこんでこないようにドアにマットをあてがい、火がよく燃えるように準備して、一切の物音をかき消す嵐の狂乱に聞き入りながら、炉端に一時間ほども坐《すわ》っていたが、やがてロウソクをともすと、『マーミオン』をとって読みはじめた。

日は沈みぬ、ノラムの城の断崖《きりぎし》に
果てしなくたゆとうトウィードのうるわしき流れの面《おも》に

また寂しくもそそり立つチェビアットの山陰に
はるかに静もる塔、天主の砦《とりで》
そがすそをめぐりて走る白き城壁に
金色《こんじき》の光、照りかがやくを

やがてわたしは詩の調律《リズム》に嵐を忘れてしまった。

物音が聞えた。風がドアを揺すぶっているのだとわたしは思った。ところが、そうではなかった。かけ金をはずし、すさまじい吹雪《ふぶき》――咆《ほ》えたけるやみのなかからはいってきてわたしの前に立ったのは、セント・ジョン・リヴァーズ氏であった。その背の高い姿を包んでいる外套《がいとう》は氷柱《つらら》のように真っ白だった。こんな夜に、雪に閉ざされた谷からお客があろうとは、思ってもいなかったので、わたしは、すっかり驚いてしまった。

「何かよくない知らせでも？」とわたしはたずねた。「何か起りましたの？」

「いや。でも、なんという驚きやすい人なのでしょう！」と彼は答え、外套を脱いでドアにかけ、はいりがけに乱したマットを落ち着いて元の所へ押しやり、足踏みして長靴《ながぐつ》から雪を払い落した。

「奇麗な床を汚《よご》しますね」と彼は言った。「だが、今夜だけは、勘弁して下さい」それから彼は火のそばに近づいた。「ここまでたどりつくのは、ほんとに、たいへんでしたよ」と炎の上に手をかざしながら、彼は言った。「吹きだまりのところなんぞ腰まで埋まってしまいます。でも、幸い雪が、まだとても柔らかいですから」

「それにしても、どうしておいでになったのですか？」とわたしは、訊《き》かずにいられなかった。

「お客様に向けられたにしては、すこしぶしつけな質問ですね。しかし、おたずねとあれば、簡単にお答えしましょう。すこしばかり、あなたとお話がしたかっただけですよ。わたしは黙りこくった書物や、人気のない部屋に飽きたのです。それに、きのうからわたしは、話を半分しか聞かず、つづきが聞きたくて我慢しきれずにいる人間の、いらいらした気分を味わいました」

彼は腰をおろした。わたしは、きのうの彼の奇妙なそぶりを思いだし、ほんとに彼は気が変になったのではないかと心配になってきた。けれども、気がちがっているとしたら、これはまた、ずいぶん冷静で落ち着き払った気の狂い方である。わたしは、雪にぬれた髪の毛を額から払いのけ、青白い顔と頰《ほお》を炉の火に照らしだされているいまほど、美しい彼の顔を、大理石の彫像そっくりと思ったことはない。しかも、そこに、はっきりと、心労が、悲しみの跡が、深く刻みつけられているのを見るのがわたしには悲しかった。すくなくともわたしにわかることを、何か言ってくれるものと期待して、わたしは待っていた。けれども、そのとき彼は、手を顎《あご》に、指を唇《くちびる》にあてて、考えこんでいた。手も、顔と同じように、やせ細っているのを見て、わたしは胸をうたれた。たぶん、その必要もないにちがいない思いやりが、わたしの胸にこみあげてきた。わたしは気の毒になって、思わず言ってしまった――「ダイアナかメアリが戻って、あなたとごいっしょにお暮しになった方が、よくはないでしょうか。まったくのお一人でいらっしゃるのは、ほんとうにいけないと思いますわ。あなたは、ご自分の健康には、無鉄砲なほど、ご注意なさらないのですもの」

「けっして、そんなことはありません」と、彼は言った。「必要があれば、自分で自分の体に気をつけます。いまは、なんともありませんよ。どこか、ぐあいが悪いように見えますか？」

この言葉は、気にとめるふうもない、上《うわ》の空《そら》の、無頓着《むとんじゃく》な調子で言われ、すくなくとも彼の考えでは、わたしの懸念《けねん》は、なくもがなのものだということを表わしていた。

わたしは黙った。

彼は、やはり上唇の上を静かに指で撫《な》でており、目は依然として夢見るように炉格《ろごう》子を見守っていた。すぐにも、何か言う必要があると思ったので、間もなくわたしは、彼の背後のドアから冷たい風が吹きこんで寒くはないかとたずねた。

「いや、いや！」と幾分いらいらした調子で、ぶっきらぼうに彼は答えた。

（いいわ）とわたしは心で言いかえした。（お話しなさるのがおいやなら、黙っていらっしゃいな。あなたにかまわずわたしは書物へ戻ることにしますから）

　そこでわたしはロウソクのしんを切り、ふたたび『マーミオン』を読みはじめた。間もなく彼は、体を動かした。すぐにわたしの目は彼の動作に引きつけられた。しかし彼はただモロッコ皮の手帳をとり出しただけであり、そのなかから一通の手紙をとり出すと、黙って読み、それを折りたたんで元のところへしまい、ふたたび物思いに沈んだ。目の前に、このような身動きもせぬ、不可解な人間がいたのでは、読書をつづけようとしても、むだな話であったし、じれったくなって、黙っているわけにもいかなかった。彼は、もしそうしたいのなら、はねつけるがいい。しかしわたしは話したいのだ。

「最近ダイアナさんやメアリさんから、何かお便りがございまして？」

「一週間前にお見せした手紙以来、何もまいりません」

「あなたのご出発の準備には、何も変ったことはないのでしょう？　思っていらっしたよりも早く英国をお発《た》ちにならなければならないような命令がくることはないのでしょう?」

「まず、ありますまいね。そんな機会に恵まれるなんて、わたしにはけっこうすぎますからね」こうやられたのでは、しかたがない。そこで、わたしは河岸《かし》をかえた。こんどは学校と生徒のことを話してみようと思いついたのである。

「メアリ・ガレットのお母さんが、だいぶよくなったので、けさメアリは学校へ帰って参りました。それから来週は、ファウンドリー・クローズから新入生が四人来ることになっております。雪さえ降らねば、きょう来るはずだったのですが」

「そうですか」

「オリヴァーさんが、この二人分の学費を負担して下さるそうです」

「そうですか」

「それにオリヴァーさんは、クリスマスには学校じゅうの生徒に、ご馳走《ちそう》して下さるそうですわ」

「そうだそうですね」

「あなたのご提案でしたの?」

「いや」

「では、どなたの？」

「お嬢さんの発案でしょう」

「あの方らしいこと。ほんとにいい方ですわね」

「そうですね」

ふたたび沈黙の空白がきた。柱時計が八時をうった。その音に彼は、われにかえった。組んでいた足を解き、きちんと坐りなおすと、わたしの方を向いた。

「ちょっと、その本を置いて、もっと火の方へお寄りなさい」と彼は言った。

不審に思いながらも、わたしの疑惑は、果てしがないので、すすめられる通りにした。

「半時間ほど前」と彼は、言葉をつづけた。「わたしは話のつづきが聞きたくて、我慢しきれなくなったと申しましたね。だが、考えてみると、わたしが話し手を引き受け、あなたに聞き手にまわっていただいた方が、どうも、ぐあいがいいようです。話をはじめる前に、この話が、あなたの耳には、幾分月並みに聞えるだろうということを申しあげておいたほうがよいと思います。しかし、古臭い話でも、新しい唇を通ると、幾分新鮮な感じをとり戻すことがよくあります。そのほかの点では、月並みであろうが、新奇であろうが、話は簡単なのです。

「二十年以前のこと、一人の貧しい副牧師が——いまのところ、その名前などを気になさらんで下さい——ある金持の娘と恋におちました。娘さんも彼を愛し、周囲の人の反対をおしきって、彼と結婚しました。その結果、結婚式が終るとともに、彼女は、その人たちから絶交されてしまったのです。それから二年とたたぬうちに、この向う見ずな夫婦は、二人とも死に、一つの墓の下に、二人並んで静かに横たえられました(わたしは、二人の墓を見たことがあります。そのお墓は××州の大きく発展した工場町の煤煙《ばいえん》で黒ずんだ古い大天主堂をとり巻いているひろい墓地の舗道の敷き石になっていました)。あとには女の子が一人残されました。その子は生れ落ちるとすぐ、慈善施設の懐《ふとこ》ろ——今晩わたしが生き埋めになりかかった吹きだまりのように冷たいところ——に引きとられました。慈善院は、その寄るべない赤ん坊を、裕福な母方の親戚《しんせき》のもとに送り届けました。そしてゲーツヘッドのリード夫人(いよいよ名前を言う段になりました)という義理の伯母の手で養育されました。驚いたようですね——何か物音でもしたのですか？ なに、あれは隣の教室の垂木《たるき》をねずみが駆けまわっているのですよ。あそこはわたしが修理し改造する以前には納屋《なや》だったのです。納屋にはねずみが住むものと相場がきまっています。——さて、先をつづけましょう。リード夫人は、十年間、その孤児を手もとに置いて、面倒を見ました。そこで、その子が幸福であったかどうかは、聞かされたことがないので、わたしにはわかりません。しかし、十年目の終りに、夫人はその子を、あなたもご存じのところへ移しました――ほかでもない、あなたが長いことおいでになったローウッド学校です。その学校における彼女の生活は、きわめて尊敬すべきものであったようです。彼女は、あなたと同じように、生徒から先生になりました――彼女の身の上と、あなたの経歴には、ほんとに似た点が多いように思います。ついで彼女は、先生をやめ、家庭教師になりました――その点においても、あなたの運命に似ています――彼女はロチェスター氏とかいう人が面倒を見ている子供の教育にあたることになったのです」

「リヴァーズ様！」とわたしはさえぎった。

「あなたのお気持はお察しできますが」と彼は言った。「しばらくのあいだ、我慢して下さい。もうすぐ済みますから、おしまいまで聞いて下さい。ロチェスター氏の人物については、わたしは、何も知りませんが、ただ一つわかっている事実は、彼がこの若い娘さんに、正式の結婚を申しこむように見せかけたということ、それから、その娘さんは式のとき聖餐台《せいさんだい》の前で、初めて彼には狂人ながらまだ生きている妻があることを知ったということです。その後彼が、どういう行動や申し出をしたかについては、まったく臆測《おくそく》するほかはないのですが、ある事件が起って、その家庭教師がどうしているかを知る必要が生じたときには、もう彼女は、そこにはいないことがわかりました――いつ、どこへ、どういうふうにして行ったか、誰《だれ》にもわからなかったのです。彼女は夜半ソーンフィールド館《やかた》を立ち去り、いくらその行くえを捜しても、むだでした。その地方を、隅々《すみずみ》まで捜してみたのですが、彼女については、一片の手がかりも得られませんでした。しかも彼女を捜し出さねばならぬことは、非常に重大な、急を要することになってきました。すべての新聞に広告が出ました。わたしのところへも、ブリッグズという弁護士から、いまお話ししたようないきさつの詳細を伝えた手紙がきました。どうも不思議な話ではありませんか」

「では、このことを教えて下さい」とわたしは言った。「それほどよくご存じでしたら、きっと、このことも教えていただけるはずです――ロチェスター様は、どうなさいましたでしょうか？　どこで、どうしていらっしゃるのでしょうか？　何をしているのでしょう？　お元気でしょうか？」

「ロチェスター氏に関しては、わたしは、何も知りません。その手紙にも、いまわたしが申しあげた詐欺《さぎ》のような、不法なたくらみのこと以外には、なんにも書いてありません。それよりむしろ、その家庭教師の名前と――それから彼女が出現する必要のある事件の性質とを、あなたはおたずねになるべきではないでしょうか」

「では、どなたもソーンフィールド館へおいでにならなかったのですか？　ロチェスター様にお会いになった方はないのですか？」

「たぶん、そうだろうと思います」

「でも、あの方に、手紙でお問い合せにはなったのでしょう？」

「もちろんです」

「それで、なんと言ってよこしましたか？　あの方のお返事は、どなたが持っていらっしゃるのです？」

「ブリッグズ氏の話によると、彼の問い合せに対する返事は、ロチェスター氏からではなく、婦人の筆跡で、『アリス・フェアファックス』と署名してあったということです」

わたしは寒気を感じ、胸騒ぎがした。ではわたしの一番恐れていたことは、どうやら事実であったのだ。おそらく彼は、英国を去り、手のつけようもない絶望に駆られて、以前行き慣れていた大陸のどこかへ行ってしまったものにちがいない。そこで、彼は、あの激烈な痛苦の麻酔剤として、彼は、何を求め――あのはげしい情熱の対象に、彼は、何を捜したことであろう。その問いに答える勇気がわたしにはなかった。哀れなわたしの主人――かつてはわたしの夫になろうとし――幾度か「いとしいエドワード！」と呼んだ人！

「彼はよくない人間にちがいない」と、リヴァーズ氏は言った。

「いいえ、あなたは、あの方をご存じないのです――どうぞ、あの方について、とやかくおっしゃらないで下さい」とわたしは、むきになって言った。

「いいですとも」と彼は、穏やかに答えた。「それに事実いま、わたしの頭は、彼のことよりも、ほかの考えでいっぱいなのです。ともかくわたしは、わたしの話を済ませなくてはならない。あなたが、その家庭教師の名前をおたずねにならないとすると、わたしの方から言わなくてはなりませんね。ちょっと待って下さい！　ここに持ってます。大事な事柄《ことがら》が、はっきり書類に書きとめてあるのを見るのは、常に気持のよいものです」

そこで例の手帳が、ふたたび慎重にとり出され、開かれ、調べられた。手帳のあいだから、あわてて引き裂いた薄汚い紙切れが引っぱり出された。その紙質と、群青《ぐんじょう》、深紅色、朱などの絵具の汚《よご》れから、すぐにわたしは、それが、むしりとられた肖像画のカバーの切れっぱしであると知った。彼は立ちあがると、その切れっぱしをわたしの目の前にさし出した。インディアン・インクで書かれたわたしの筆跡の「ジェーン・エア」という文字を、わたしは読んだ――いつか、ぼんやりしていたときに無意識にしてしまったことにちがいない。

「ブリッグズはわたしにジェーン・エアという人のことを書いてよこしました」と彼は言った。「広告で捜しているのはジェーン・エアという人なのです。わたしはジェーン・エリオットという人なら知っています。白状しますが、わたしは疑《うたぐ》っていたのです。疑問が解けて確信を持つようになったのは、つい、きのうの午後のことでした。あなたは、この名前が、あなたのものであることを認め、偽名を捨てますか？」

「は――はい。でもブリッグズさんは、どこにいらっしゃるのですか？　その方なら、たぶん、あなたよりも、もっとよくロチェスター様のことをご存じではないかと思いますけれど」

「ブリッグズはロンドンにいます。彼はロチェスター氏のことについて、何か知っているかどうか、怪しいものですよ。彼が関係しているのはロチェスター氏のことではないのです。それはともかく、あなたは枝葉末節にばかりこだわっていて、肝心な点を忘れていらっしゃる。なぜブリッグズが、あなたを捜しているのか――あなたに、なんの用があるのか、そのことを、あなたはお訊きにならないのですね」

「そう、では、どんなご用なのでしょう？」

「単に、あなたの叔父さんの、マデイラのエア氏が亡《な》くなられたこと、彼の財産を全部あなたに残し、現在あなたはお金持だということをお知らせすれば、それでいいのです――ただそれだけです――そのほかには、なにもありません」

「わたしが！――わたしがお金持ですって？」

「さよう、あなたはお金持なのです――あなたが遺産相続人なのです」

しばらく沈黙がつづいた。

「もちろんあなたは、あなたがその本人にちがいないことを証明しなくてはなりません」間もなくセント・ジョンは、また言葉をつづけた――「しかし、その手続きは、すこしも、面倒なことはありません。それで、すぐにもあなたは財産を所有できるわけです。あなたの財産は英国公債になっています。遺言状や必要な証書はブリッグズが持っています」

ここに新しいカードの一枚がめくられた！　読者よ、貧窮のどん底から一瞬にして富裕の頂点に舞いあがるとは、なんとすばらしいことであろう――とても、すばらしいことである。けれども、それは、にわかに納得のいくことでもなし、したがって、すぐに楽しめるというわけあいのものでもない。そしてまた人生には、はるかに嬉《うれ》しさにぞくぞくするような、有頂天になってしまうような機会が、もっとほかにあるものだ。この方は、ゆるぎなき事実、現実の社会の出来事であって、理想的な色彩など、一切おびていないのである。これにまつわる連想も、すべて真面目《まじめ》な、正気のもので、その表現方法もまた同様である。とびあがりもせねば、はねまわりもせず、わあっと歓声をあげることもしない。かれは責任を感じ、仕事のことを考えはじめる。たしかな満足感の土台の上に、真剣な配慮がわき上がってくる。自分を抑えつけ、真面目に眉《まゆ》をひそめて、その僥倖《ぎょうこう》について、とっくりと思いをめぐらすのである。

そればかりか、遺産だの、形見分けだのという言葉は、死、あるいは葬式などという言葉と、並んで歩いてくる。話に聞いていた叔父さん——わたしのたった一人の親戚は死んでしまった。叔父さんがあるということを聞かされてからというもの、いつかは会えるという望みをいだいて、わたしは生きてきた。しかし、それも、もう二度と望むべくもない。それにまた、このお金は、わたし一人にもたらされた。わたしと、大喜びのわたしの家族とにきたのではなく、一人ぼっちのこの身へきたのである。もとよりそれは、世にもけっこうな恩恵ではある。自立できるということは、なんとすばらしいことだろう——そうだ、わたしはそれを感じた——この思いはわたしの胸をふくらませた。

「やっと、愁眉《しゅうび》を開きましたね」とリヴァーズ氏は言った。「あなたはメドゥーサに見つめられて石になるのではないかと思いましたよ。たぶんこんどは、あなたの財産が、どのくらいあるかということを、おたずねになるでしょうね？」

「どれくらいありますの？」

「いやもう、ほんのちょっぴりですよ！　お話しするほどのこともありません——二万ポンドとか言っていたと思いますが——大したことはありませんよ」

「二万ポンドですって？」

ここにまた新しく息のとまるようなものが現われた。四、五千ポンドだろうとわたしは予想していたのである。この知らせは、瞬間、ほんとにわたしの息をとめてしまった。笑ったことのないセント・ジョン氏が、このときばかりは笑いだした。

「これはどうも」と彼は言った。「あなたが人殺しをして、いまその罪が発覚したと知らせたとしても、これ以上びっくりした顔はなさらないでしょう」

「でも、あまり大金ですもの——何かのまちがいだとはお思いになりません？」

「まちがいなんかぜんぜんありませんよ」

「おそらく数えちがいをなさったのではございませんか——二千ポンドですわ」

「数字ではなく、ちゃんと文字で書いてあるのです——二万ポンドと」

もういちど、わたしは普通の食欲しか持たぬ人間が、百人前のご馳走《ちそう》の並んでいるテーブルに、一人で坐《すわ》らされたような気持がした。リヴァーズ氏は立ちあがって外套《がいとう》を着た。

「こんなに荒れる晩でなかったら」と彼は言った。「ハンナをお相手によこすのですが。あなたを、一人っきりでおくのは、あまりにかわいそうな気がしますよ。しかし、あの頼りないおばあさんのハンナでは、わたしのように雪の吹きだまりを越えることはできないでしょう──彼女の脛《すね》は、それほど長くはありませんからね。あなたを、悲しげなようすのまま、おいて行くよりほかはありません。では、おやすみなさい」

彼は戸のかけ金をはずしかけた。ふと、ある考えがわたしに浮んだ。

「ちょっとお待ちになって！」とわたしは叫んだ。

「なんですか？」

「なぜブリッグズ氏が、わたしのことを書いた手紙を、あなたによこしたのか、それを伺いたいのです。どうしてブリッグズ氏が、あなたを知っていらっしゃるのか、なぜ、こんな辺鄙《へんぴ》なところに住んでいらっしゃるあなたが、わたしを見つけ出すのに力になるとお考えになったのか」

「なるほど！　しかしわたしは牧師ですよ」と彼は言った。「牧師というものは奇妙な事件に助力を求められることがよくあるものです」もういちど、かけ金がガチャリと鳴った。

「いえ――それでは納得できません！」とわたしは叫んだ。事実また、そのせっかちな、説明にならない返事のなかには、わたしの好奇心を静める代りに、逆に、いままでよりも、もっと刺激するような、何かがあった。

「そのことは、この出来事のなかでも、ほんとに不思議な個所《かしょ》なんですもの」と私はつけ加えた。「もっとその点を知りたいと思います」

「また別なときに話しましょう」

「いいえ、今晩！――いますぐ！」そして、彼がドアから振りむいたのを見て、わたしはドアと彼のあいだに立ちふさがってしまった。彼は、むしろ困惑したようすであった。

「すっかりお話しして下さるまで、けっしてお帰ししませんわ」とわたしは言った。

「いまは、どちらかというと話したくないのです」

「お話しして下さい！――お話しして下さらなければいけませんわ！」

「ダイアナかメアリからお知らせした方がいいと思うのです」

もちろん、この反対にあうと、わたしの熱意はますますあおられ、その頂点に達した。この熱は満たされなければならぬ。しかも一刻の猶予《ゆうよ》もなく。そうわたしは彼に言った。

しょう」と彼は言った。「だが、わたしが、なかなか説き伏せにくい、頑固《がんこ》な人間だということを、ご存じで
「わたしも、かたくなな――けっして、はぐらかすことなどできない女ですわ」

「それなら」と彼はつづけた。「わたしは冷やかな男です。どんな熱情にもわたしは負けません」

「ところがわたしは熱いのです。火は氷を溶かします。あの煖炉《だんろ》の炎は、あなたの外套の雪を、すっかり溶かしました。その証拠に、床が、踏みつけられた道のように、びしょびしょになっております。あなたが砂をまいたわたしの台所を汚した大罪と不始末を許してもらいたいとお考えでしたら、リヴァーズ様、わたしの知りたいと思うことを、お話しになって下さい」

「では、かぶとを脱ぎます」と彼は言った。「あなたの熱心さに対してではないとしても、その根気強さに対して――石も、絶えまなく落ちつづける雨だれには、すり減らされるように。それに、遅かれ、早かれ――いつかは知っていただかなくてはならないことなのです。あなたのお名前はジェーン・エアですね？」

「そうです。そのことでしたら、さっき、すっかり片がついていますでしょう」

「しかし、あなたは、わたしがあなたと同姓だということには気がついていないでし

ょう？――わたしの名がセント・ジョン・エア・リヴァーズだということは？」

「まあ、ちっとも！　ときどき貸していただいた書物に、あなたの頭文字のＥという字が書いてあったのを、いま思いだしました。しかし、その字の代表しているお名前が、なんとおっしゃるのか、そのことは伺いませんでした。でも、そうすると、それが、いったいどういうことなのですか？　たしか――」

わたしは言いかけてやめた。押しよせてきたある考え、見る間に具体的な形をとり、ついで強い、ゆるぎない確実性をおびてきたある考えを、胸にいだくことはおろか、言い表わす気にもなれなかった。いろいろな事情が、互いに結びつき、符合し、たちまち整然と秩序を整えた。いままで形をなさぬ環《わ》の塊りのように見えていた鎖が、まっすぐに引き伸ばされて、どの環も完全になり、申し分のないつながりが、できてしまったのだ。セント・ジョンが、つぎの言葉を言う前に、わたしは本能的に、どんないきさつになっているのかを知った。しかしわたしは、それと同じ直観による理解を、読者に期待するわけにはいかない。だから、彼の説明を、ここにくりかえさなければならない。

「わたしの母の姓がエアというのです。母には二人の弟があり、一人は牧師で、ゲーツヘッドのミス・ジェーン・リードと結婚し、もう一人は、マデイラのファンシャルにいた商人の故ジョン・エア氏です。エア氏の弁護士であるブリッグズ氏が、この八月、叔父の亡くなったことを、われわれに知らせてくれました。それからまた、叔父が、その遺産を、叔父の兄にあたる牧師の娘——孤児に与えることにしたということも。叔父は、わたしたちの父と仲たがいして生涯《しょうがい》和解できなかったので、その結果、わたしたちを黙殺してしまったのです。ブリッグズ氏は、二、三週間前、ふたたび手紙をよこして、その遺産相続人が行くえ不明になっているが、何か彼女について心あたりはないかと、問い合せてきました。不用意に紙切れに書いてあった名前で、わたしはその人を、発見することができました。あとのことは、ご存じの通りです」こう言って、ふたたび彼は出て行こうとしたが、わたしはドアに背をつけて通さなかった。

「ちょっとわたしに言わせて下さい」とわたしは言った。「すこしのあいだ、一息つかせて下さい。考えさせて下さい」わたしは、休んだ。彼は帽子を手にし、あいかわらず落ち着いて、わたしの前に立っていた。わたしはまた言いはじめた——

「では、あなたのお母様は、わたしの父の姉にあたりますのね？」

「そうです」

「そうすると、わたしの伯母様なのですね？」

彼はうなずいた。

「そして、わたしの叔父様のジョンは、あなたの叔父様のジョン氏なのですね？ あなたとダイアナとメアリは、ジョン叔父の姉の子供で、わたしは、ジョン叔父の兄の子供なのですね？」

「否定することはできませんね」

「では、あなた方三人は、わたしの従兄妹《いとこ》、ということになるのですね。わたしたちは、お互いに血の半分は、同じ源から流れ出ているのですね？」

「わたしたちは、従兄妹同士です。その通りです」

わたしは彼を見た。兄を――誇りうる――愛しうる兄を捜し出したような気がした。それからまた、二人の姉妹を。彼女たちの人柄は、単に未知の人として会ったときにも、わたしに、心からの愛情と賛美の念を起させたほどであった。ぬれた地面に膝《ひざ》をつき、ムーア・ハウスの台所の低い格子窓《こうしまど》から中をのぞき、好奇と絶望の入り混じった、痛ましい思いで見つめたときの二人の娘は、わたしの近い血縁であったのだ。また、あの家の玄関で、死にかかっているわたしを見つけてくれた若い威厳に満ちた紳士も、わたしの血つづきの親戚《しんせき》であったのだ。寄るべない不幸な子にとって、これは、なんと栄光に満ちた発見であろう！ これこそ真実の富――心の富であった！ 清らかな、温かい愛情の鉱脈であった。これこそ心の躍るような、かがやかしい、まばゆいばかりの祝福であった。重苦しい黄金の贈り物――それ自体は、すばらしい、歓迎すべきものであるが、その重みを思えば喜びもさめるもの――とは、ちがっていた。降ってわいた嬉しさに、わたしは手をたたいた――鼓動は高まり、血管はふるえた。

「まあ、嬉しい！――嬉しいわ！」とわたしは叫んだ。

セント・ジョンはほほえんだ。「わたしはあなたが枝葉をのみ追い求めて、肝心なことをおろそかにすると言いませんでしたかね」と彼は言った。「金持になったとお知らせしたときには、真面目くさった顔つきになり、そしていまは、とるにも足らぬことに、はしゃぎだす」

「まあ、なんということをおっしゃるのでしょう。あなたにとっては、とるに足らぬことかもしれません。あなたはお妹さんがおありになります。ですから、従妹《いとこ》なんか、どうでもよいとお思いになるかもしれませんけれど、わたしにはこれまで、一人の肉親もなかったのです。それがいまは、三人――もしあなたがそのなかに数えられるのがおいやなら、二人の親類が、大人の姿でわたしの世界に生れてきたのですもの。もういちど言いますわ。わたしは嬉しい！」

わたしは、部屋のなかを、せかせかと歩きまわった。それを受けいれ、理解し、思いさだめることもできぬほど、矢つぎ早に、わきあがってくる考え――ああでもあろうか、こうもできる、ああもしたい、いや、そうすべきだという考え――そしてまた、すぐにも現実化する考えで、息が詰まりそうになり、わたしは立ちどまった。わたしは白い壁をながめた。それは、のぼりくる星におおわれた空のようであり――どの星も、目的に向うわたし、喜びに向うわたしを、照らしてくれるように思われた。わたしの命を救ってくれた人たち、きょうまでは、ただむなしく愛してきた人たちの役にたつことが、いまこそわたしにはできるのだ。あの人たちは、くびきの下にいるのだ――わたしは、あの人たちを自由にしてあげることができる。あの人たちは、ちりぢりになっている――わたしはそれを、もういちど、いっしょにしてあげることができる。わたしのものである自立と裕福は、またあの人たちのものでもあるのだ。わたしたちは四人ではなかったか？　二万ポンドを等分にすると、五千ポンドずつになる――十分、あまるほどだ。公平にしよう、お互いの幸福が手にはいるのだ。いまは富も重荷ではない。いま、それは単なる貨幣の遺産ではなかった――それは生命の、希望の、喜びの贈り物であった。

このような思いがわたしに押しよせてきているあいだ、自分がどんな様子をしていたか、わたしは知らない。けれども、やがてリヴァーズ氏が、わたしのうしろに椅子《いす》をおいて、それに腰をおろさせようと、優しくつとめていることにわたしは気づいた。

彼は気を落ち着けて下さいとも言った。わたしは、自分の意気地《いくじ》なさと、とり乱し方に対する当てつけには耳もかさず、彼の手を払いのけると、もういちど部屋のなかを歩きはじめた。

「あすダイアナとメアリに手紙を出して」とわたしは言った。「すぐ家へお帰りになるようにとおっしゃって下さい。ダイアナは千ポンドあれば自分たちは金持だと思えるとおっしゃっていましたから、五千ポンドだったら、十分お金持だと考えて下さるでしょう」

「水はどこにあります？　あなたに飲ませてあげたいのだが」とセント・ジョンは言った。「ほんとに気を静めるようにしなければいけませんよ」

「何をおっしゃるのです！　その遺産が、あなたに、どんな影響を及ぼすとおっしゃるのですか？　それが、あなたを英国に引きとめておき、オリヴァー様と結婚させ、俗人並みに、あなたを、おさまりかえらせるとでもおっしゃるのですか？」

「あなたは譫言《うわごと》を言っているのです。頭が混乱しているのです。わたしが、あまり出し抜けにお知らせしたものだから、どうにもできぬほど、あなたを興奮させてしまったのだ」

「リヴァーズ様！　あなたは、これ以上わたしをじらせるおつもりですか。わたしは、理性をうしなってはいません。あなたこそ誤解していらっしゃるのです、というより誤解するふりをしていらっしゃるのです」

「もう少し詳しく説明して下さると、わたしにも、もっとよくわかるのですが」

「説明ですって？　何を説明するのですか？　問題の二万ポンドを、わたしたちの叔父の、一人の甥《おい》と、三人の姪《めい》とで等分に分ければ、めいめいが五千ポンドずつ持つことになるということが、あなたに、おわかりにならぬはずはないじゃございませんか。わたしの希望は、お妹様方に手紙を出して、あの方たちに、財産ができたということを知らせていただきたいことですわ」

「あなたに財産ができたという意味でしょう」

「この問題に対するわたしの意見は、もう申しあげましたわ。ほかには考えられないのです。わたしは、あさましいほど我利《がり》々亡者《もうじゃ》でもなく、盲目的な没義道《もぎどう》でもなく、悪魔みたいに恩知らずでもありません。そればかりでなく、わたしは、家庭と家族を持つことにきめたのです。わたしはムーア・ハウスが好きですし、ムーア・ハウスに住むつもりです。わたしはダイアナとメアリが好きですから、一生ダイアナとメアリのそばをはなれないつもりです。五千ポンド持つことは、嬉《うれ》しいことでもあり、わたしのためにもなるでしょうけれど、二万ポンドを所有することは、わたしを苦しめ圧迫することでしょう――そればかりか、その二万ポンドは、法律上はわたしの物かもしれませんけれど、正義の上からは、けっしてわたしの物ではありません。それではこういうことにいたしましょう。つまり、わたしにとって絶対に余計な分を、あなた方に取っていただくのです。そして、この点については、反対なし、議論なし、ということにいたしましょう。互いに賛成し合って、すぐにそういうことに決定いたしましょう」

「それはあなたが最初の衝動でなされた行為です。あなたの言葉が確実なものとみなされるまでには、このような事柄《ことがら》は、何日も考えてみる必要があります」

「ああ、あなたの疑《うたぐ》っていらっしゃるのが、わたしの誠意だけなのでしたら、安心ですわ。では、この決定の正当さは認めて下さいますね？」

「一種の正当さがあることは認めます。しかし、それは、すべての習慣に反したものです。そのうえ、この財産は、全部があなたの権利です。叔父は、自分の努力によって、それを獲得したのです。誰《だれ》に譲ろうとも、それは彼の自由です。彼は、それを、あなたに残しました。結局、正当性が、その所有を、あなたに許しているのですから、あなたは、曇りのない良心をもって、絶対にそれがあなたの所有物であるとお考えになっていいわけです」

「わたしにしてみれば」とわたしは言った。「このことは、良心の問題であると同様に完全に気持の問題でもあるのです。わたしは自分の気のすむようにしなければなりません。そのようにする機会が、これまでは、めったになかったのですもの。仮にあなたが、一カ年のあいだ、議論なさったり、反対なさったり、わたしを困らせたりなさったところで、わたしが、ちらとかいま見た、世にも楽しい喜び――わたしの受けた大きなご恩に、いくらかでも報いて生涯の友を得ようという喜びを、わたしにあきらめさせることはできません」

「いまはそう思うでしょう」とセント・ジョンは答えた。「というのは、富を所有するとは、どんなことかを、あなたは知らないし、したがってそれを楽しむことも知らないわけですからね。二万ポンドが、あなたに与える意味が、どんな重大なものか、そのお陰で、あなたが、どんな社会的地位を占めることができるか、どのような前途が、あなたの前に開けてくるか、あなたは考えをまとめることができないのです。また、あなたは――」

「では、あなたは」とわたしはさえぎった。「兄弟愛、姉妹愛というものに対してわたしがいだいている強い憧《あこが》れを、まるで想像なさることができないのですわ。わたしは一度も家というものを、持ったことがございません。兄弟も姉妹もありませんでした。こんどこそ、それを持たねばならぬし、持つことができると思うのです。わたしを妹として受けいれ、認めて下さるのが、おいやなのではないでしょう？」

「ジェーン、わたしは、あなたの兄になってあげます——妹たちも、あなたの姉になるでしょう——あなたの正当な権利を犠牲にするという条件は抜きにして」

「兄さんですって？　ええ、そう、千里も遠方に住む兄さん！　姉さんですって？　そう、他人のなかであくせく働いていらっしゃる姉さんたち！　わたしは、お金持で——自分でかせぎためたのでもなく、それを所有するに価《あたい》するわけでもない黄金で、はちきれそうになっていて、あなた方は無財産、なんとまあ、すばらしい平等と兄弟愛ですこと！　なんとまあ親密な結びつきですこと！　なんとまあ、こまやかな愛情ですこと！」

「しかし、ジェーン、家族的なつながりや、家庭的な幸福に対する、はげしい憧れは、いまあなたが考えているのとはちがった方法で実現させることができるのですよ。結婚なさることです」

「またそんなことを！　結婚ですって？　わたしは結婚したくありません。また、けっして結婚することはないでしょう」

「それは言いすぎです。そんなむちゃなことを言いきるのは、ひどく興奮している証拠です」

「言いすぎではありませんわ。自分が、何を感じているか、結婚という露骨な考えに、わたしがどんなに、いやな気持をもっているか、わたしにはわかっているのです。愛するがゆえにわたしを娶《めと》ってくれる人は、おそらくないでしょうし、しかもわたしは、自分を単なる金銭的な投機の対象と見なしてもらいたくはありません。それに、わたしは、知らない人――共感の持てない、そりのあわない、似たところのない人は、ほしくありません。血のつながった人――深い共感の持てるような人たちが、ほしいのです。もういちど、わたしのお兄様になってやるとおっしゃって下さい。さっき、そう言って下すったとき、わたしはとても幸福な、満たされた気持でした。できることなら、もういちどおっしゃって下さい――しんから、そうおっしゃって下さい――」

「言いますよ。わたしはいつも自分の妹たちを愛してきたと思う。妹たちに対する愛情が、何に基づいているかも知っています――妹たちの価値に対する尊敬、妹たちの才能に対する賛美に基づいていることを。あなたもまた、信念を持っている。あなたの趣味や習慣は、ダイアナやメアリに似ています。あなたの存在は、常にわたしにとって愉快です。あなたとの会話のなかに、わたしはすでに、幾度か有益な慰めを見いだしました。ですからわたしは、三番目の一番末の妹として、あなたを迎えいれる余地を、自然に、容易に、胸のなかにつくることができると思います」

「ありがとうございます。それで今夜は満足です。もうお帰りになった方がようございますわ。だって、もっとここにおいでになると、またなにか狐疑逡巡《こぎしゅんじゅん》なすって、わたしをいらいらさせるかもしれませんもの」

「それで、学校の方は、どうしましょうか、エアさん？　閉鎖しなくてはならないでしょうね？」

「いいえ、代りの人を見つけて下さるまで、わたしは先生の仕事をつづけるつもりですわ」

わが意を得たといったふうに、彼は、ほほえんだ。わたしたちは手を握り合って別れた。

遺産に関するいろんな事柄を、わたしの希望通りに処理するために、その後わたしが、幾度か争い、議論を重ねたことは、くどくど語る必要もあるまい。わたしの仕事は、きわめて困難なものであった。けれどもわたしは固く決心していた。財産を正当に分配するということから、わたしの心が実際に一歩も動かぬことを、やっと従兄妹たちも知ったので——彼らもわたしの意向の正当さを心の底で感じたばかりでなく、仮に彼らがわたしの立場になったならば、きっとわたしが希望した通りのことをしたにちがいないと、自然に気がついたので——ようやく彼らも、このことを仲裁裁判に任せようというところまで譲歩した。選ばれた判事は、オリヴァー氏と、もう一人の有能な法律家で、二人ともわたしの意見に同意し、わたしは目的を達した。譲渡の証書がつくられ、セント・ジョンとダイアナとメアリとわたしとは、それぞれ、かなりの資産を所有することになった。

34

何もかも、すっかり片がついたのは、クリスマスも近いころであった。すべての人の祭日の季節がきた。この別れは、わたしには、ただごとでは済むまいと、注意しながら、わたしは学校を閉じた。幸運というものは、不思議にも、その手を心と同じように開くものである。それを、どっさり手にしたとき、多少とも人にほどこすことは、感情に異常な沸騰《ふっとう》のはけ口を与えることにほかならない。多くの田舎育ちの生徒たちがわたしになつくのを、わたしは長いあいだ、嬉しく感じてきた。お別れに際して、この意識は動かしがたいものとなった。生徒たちは、その愛情を、はげしく、率直に表現した。彼女たちの純真な心のなかに、真実わたしというものが宿っていることを知って、わたしは心から感謝した。今後とも、毎週必ず彼女たちを訪れて、一時間だけ授業をしてあげよう、とわたしは約束した。

リヴァーズ氏が来たとき、わたしは、いまは六十名を数えるほどになった各クラスが、わたしの前を出て行くのを見送って、ドアに鍵《かぎ》をおろし、手に、鍵を持ったまま、わたしの最も優秀な六、七人の生徒と特別のお別れの言葉を交わしていた。――この生徒たちは、英国の農民階級に見受けられる、上品な、尊敬すべき、慎ましい、そしてひろい知識をもった少女たちであった。これは、かなりほめたことになる。というのは、英国の農民はヨーロッパのいかなる国の農民よりも、やはり、もっとも教育のある、もっとも行儀正しい、もっとも自尊心に富んだ人たちだからである。その後わたしはフランスの農婦やドイツの農婦を見たが、その人たちのもっともすぐれた者でさえ、わがモートンの少女たちに比べると、無知で、下品で、頼りなく思われた。

「一学期の骨折りがあったという気はしませんか？」生徒たちが行ってしまったとき、リヴァーズ氏がたずねた。「若い時代に、何か、ほんとうによいことをしたという自覚を持つのは、愉快ではありませんか？」

「もちろんですわ」

「それに、あなたは、わずか二、三カ月、働いたにすぎない！　次代を担う国民をつくりあげる仕事に捧《ささ》げられた生活は、生きがいのあるものではありませんか？」

「そうですわ」とわたしは言った。「でもわたしは、いつまでもそうした努力をつづけることはできません。人の才能を伸ばすと同じように自分の才能も使ってみたいのです。こんどこそ、それを楽しみたいのです。わたしの体も心も学校へ呼び戻《もど》すことはお許し下さい。学校とは、すっかり縁を切って、その方は年じゅうお休みにしたいのです」

彼は、むずかしい顔になった。「こんどこそというのは、どういう意味ですか？　どうして急にそんなに熱心になりだしたのですか？　何をなさろうというのですか？」

「活動的になるのです——できるだけ活動的に。まずハンナに暇を出して、あなたのお世話をする人を別に見つけて下さるようにお願いしなければなりません」

「ハンナが必要なのですか？」

「そうです、わたしといっしょにムーア・ハウスへ行くために。ダイアナとメアリは一週間以内には戻っていらっしゃるでしょう。あの人たちをお迎えするために、何もかも、きちんと整えておきたいのです」

「わかりました。わたしはまた、あなたが旅行にでもお出かけになるのかと思ったのです。旅行よりは、ましです。ハンナをあなたといっしょに行かせましょう」

「では、あすまでに、仕度を済ませておくようにと、おっしゃって下さいな。それから、これが教室の鍵でございます。わたしの家の鍵は、明朝お渡しいたしますわ」

彼は、鍵をとりあげた。「ずいぶん嬉しそうに渡しますね。何が、そんなに楽しいのか、さっぱりわけがわかりません。あなたが、いまやめようとしているものの代りに、どんな仕事をしようともくろんでいるのか、わたしには見当がつきません。いまあなたがいだいているのは、どんな計画なのですか。どんな目的なのですか。どんな野心なのですか？」

「わたしの目的は、まず第一に、奇麗にすること。（この言葉の意味が完全におわかりになりますか？）――ムーア・ハウスの寝室から地下室まで、すっかり大そうじをしてしまうこと。つぎには、蜜蠟《みつろう》と油と布切れを、たくさん使って、元のように、床をぴかぴかにみがきあげること。第三には、椅子、テーブル、ベッド、絨毯《じゅうたん》などを、すべて数学的正確さに基づいて、並べること。それから、あなたが破産なさるくらい石炭や泥炭《でいたん》を使って、どの部屋の煖炉《だんろ》も気持よく燃やしつづけておくこと。最後に、あなたのお妹さんがお着きになるまえの二日間は、あなたのような門外漢の方に申しあげても、言葉では十分説明できませんけれど、卵をかきたてたり、すぐりの実をえりわけたり、薬味を摺《す》りおろしたり、クリスマス・ケーキの粉をこねたり、ミンス・パイの材料を切り刻んだり、そのほか、いろんなお台所の儀式を、おごそかに執り行うために、ハンナとわたしとに捧げられるのですわ。要するにわたしの目的は、ダイアナとメアリをお迎えするために、あらゆるものを、つぎの木曜日までに完全無欠な状態にしておくことなのです。わたしの野心は、あの人たちがお帰りになったとき、理想の極致の歓迎をしてあげることなのです」

セント・ジョンは、ちょっとほほえんだが、やはり満足してはいなかった。

「当分のあいだ、それでたいへんけっこうですが」と彼は言った。「真面目《まじめ》に言って、はずんだ気持の最初の火花が消えてしまったら、あなたは、そんな家庭的な仕事だの所帯じみた喜びなんぞより、もっと高いところへ目をつけるにちがいないとわたしは信じていますよ」

「でも、これがこの世でもっとも嬉しいことですわ」とわたしはさえぎった。

「ちがいますよ、ジェーン、ちがいます。この世は成就《じょうじゅ》の場所ではありません。そんなふうなものにしてしまおうとしてはいけません。またこの世は、憩《いこ》いの場所でもない――怠け者になってはいけません」

「反対にわたしは、きりきり舞いしようと思っているのですわ」

「ここしばらくは許してあげますよ、ジェーン。あなたの新しい境遇を心ゆくまで楽しみ、遅まきながら発見した血縁の魅力を味わうために、わたしは、あなたに二カ月の猶予《ゆうよ》を許してあげます。しかし、それが終ったら、ムーア・ハウスやモートンや、姉妹《きょうだい》づきあいや、また文化的な裕福さのもたらす感覚的な快適さを、自分本位に、のんびりと享楽《きょうらく》することなどよりも、もっと高いところへ目を向けていただきたいと思います。そのときには、活力がありあまって、もういちどあなたがじっとしていられなくなったらいいと思います」

わたしは驚いて彼を見た。「セント・ジョン」とわたしは言った。「そんなふうにおっしゃるなんて、ずいぶん意地悪ですのね。わたしは、女王のように満ち足りてみたいのに、あなたはわたしをつっついて落ち着かない気持にさせようとなさるんですもの！　いったい、どんな目的があって、そうなさるのですか？」

「神があなたにゆだねたもうた才能――他日必ず正確な会計報告を要求したもうにちがいないその才能を、有益な方向に向け変えようという目的のためですよ、ジェーン。わたしは、あなたを厳重に、よく気をつけて監視します――その点、前もって申しあげておきます。平凡な家庭的享楽に自己を投げこんでいる、その不似合いな熱情をさますように努力なさい。そうしつこく肉親の絆《きずな》にすがりついてはいけません。その不屈の精神と熱情とを、それにふさわしい目的のために、とっておくことです。くだらぬ一時的な目的に浪費することをおやめなさい。聞いていますか、ジェーン？」

「はい。まるでギリシャ語を聞いているようなここちですわ。わたしは、幸福になるのにふさわしい理由を持っていると思います。わたしは、幸福になるつもりです。さようなら！」

わたしはムーア・ハウスで幸福であった。一生けんめいに働いた。ハンナもまた熱心に働いた。玩具箱《おもちゃばこ》をひっくりかえしたような騒ぎの家のなかで、わたしが陽気に働いているのを――ブラシをかけたり、埃《ほこり》をはたいたり、ふいたり、料理をしたりするのを見て、ハンナはすっかり喜んだ。事実また、混乱に混乱を重ねた一日、二日の後に、自分たちの手で生んだ混沌《こんとん》のなかから秩序を呼び起していくのは、なかなか楽しいものであった。その数日前、わたしは新しい家具を買うためにS――町まで出かけて行った。わたしの好きなように家のなかの模様替えをする絶対的な自由と、そのために別に用意してあったお金を、従兄妹《いとこ》たちはわたしにくれたのである。平常の居間や寝室は、たいてい、もとのままにしておいた。ダイアナやメアリは、モダンなふうに変えてしまった部屋を見るよりも、ふたたび昔のままの質素なテーブルや椅子《いす》をながめる方が、はるかに嬉《うれ》しく思うにちがいないと考えたからである。しかし彼女たちの帰郷に、わたし好みのわさびを、ちょっぴりと利かすためには、やはり、いくらか新奇な感じも必要であった。色の濃い美しい新調の絨毯、カーテン、入念に見立てた陶器やブロンズの古風な置物、新しいカヴァー類、姿見、化粧台で使う、いろんなお化粧箱などが、この目的に答えて整えられた。どれも皆、けばけばしくはなく、しかも新鮮な感じを与えた。来客用の客間と寝室は、古風なマホガニーの家具と深紅のカヴァーやカーテンで、すっかり装いを改めた。廊下にはキャンバスを敷き、階段には、絨毯を敷いた。すべてが終ったとき、ムーア・ハウスは、戸外が、ちょうどこの季節に、荒涼たる冬の陰気さの見本であるように、家のなかは、明るい、しっとりした快適さの完全な模型であるとわたしは思った。

待ちに待った木曜日が、ついにやってきた。彼女たちは夕刻に着く予定であった。暗くならないうちに、二階も階下も煖炉は燃えかがやき、台所は、きちんと片づいていた。ハンナもわたしも着替えを済ませ、用意は万端整った。

まずセント・ジョンが到着した。すべての準備が完了するまで、けっしてムーア・ハウスに足を向けてくれるなと、わたしは彼に頼んでおいたのであった。また事実、家のなかで展開されている、汚い、くだらぬごった返し騒ぎは、考えただけでも、彼を辟易《へきえき》させ、寄りつかなくさせるに十分であった。わたしが台所で、お茶の菓子のこねぐあいを見て、焼きかかっているところへ、ちょうど彼は来合せた。煖炉に近づきながら、彼はたずねた。「ついに女中仕事に満足しましたかね？」わたしの労働の成果をいっしょに見てまわりませんか、とすすめることで、わたしはその返事に代えた。わたしは彼を案内して、どうにか家のなかを一通り見せてまわった。しかし彼は、わたしがあけたドアから、ちょっと中をのぞきこむだけであった。二階や階下を歩きまわってから、彼は、わずかのあいだに、こんなに大がかりな模様替えをしてしまうのは、並みたいていの骨折りや煩《わずら》わしさではなかったでしょう、と言ったけれど、彼の住まいを見ちがえるほど居ごこちよくした喜びを表わすような言葉は、一言も口にしなかった。

この沈黙は、わたしをがっかりさせた。彼が大切にしている昔の思い出を、わたしの模様替えが、こわしてしまったのではあるまいか、とわたしは思った。そこで、そうではないかと――たしかにすこしばかりしょげかえった声で、わたしはたずねた。

「けっして、そんなことはありません。それどころか、思い出になるものは、いっさい注意深く尊重してくれています」と彼は言った。「実際、その点は、もったいないほど気を遣ってくれたにちがいないと思います。たとえば、この部屋の配置を考えるについても、どれほどの時間をつぶしたことでしょう。――それはそうと、あの本は、どこにありますか？」

わたしは本棚《ほんだな》の上のその書物を指さした。彼はそれをとると、いつもの窓の出っ張りへ引っこんで、読みはじめた。

読者よ、わたしはこういうことが好きではなかった。セント・ジョンは、いい人であった。けれども彼が、自分は非情で冷酷なのだと言ったとき、それは、彼自身について真実のことを言ったのだと、わたしには思われるようになってきた。人情とか、この世の快楽とか、そんなものは、すこしも彼には魅力がないのだ――安らかな人生の享楽は、彼に対しては、なんの魅力も持たないのである。文字通り渇仰《かつごう》するためにのみ彼は生きているのであった――もとより善にして偉大なるものを渇仰するために！　しかも彼は、休息しようとは思わず、周囲の人が休息することをも許さなかった。白い石のように静かな、青白い、その高い額を――書物にかじりついている、その立派な容貌《ようぼう》をながめたとき、ふいにわたしは、この人は、とても善良な夫になることはできまい、彼の妻になるのは、むずかしいことだ、とさとった。霊感でも受けたように、オリヴァー嬢に対する彼の愛の性質を理解した。それがただ感覚的な愛にすぎないという点でわたしは彼の意見に同意する。わたしは理解した。その愛が彼に熱病のような、影響力を持つという理由によって、いかに彼が自分を軽蔑《けいべつ》するかを。その愛の息の根をとめ、殺してしまいたいと、いかに彼が望んでいるかを。その愛が彼とオリヴァー嬢との幸福に永遠に貢献するかどうかを、いかに彼が疑っているかを。彼という人間は、自然が、その英雄たち――キリスト教徒であろうが異教徒であろうが――立法者、政治家、征服者たちを、のみやたがねを使って彫りあげるときに用いるその同じ材料で、できあがっているのだとわたしは知った。偉大な事業にとっては、頼りになる堅固な砦《とりで》であるけれども、炉端にあっては、陰鬱《いんうつ》な、場ちがいの冷たい円柱《コラム》にすぎないのだ。

（この居間は彼のいるところではない）とわたしは考えた。（ヒマラヤ山脈か、カフィルの密林か、ペストに呪《のろ》われたギニア海岸の湿地帯の方が、よほど彼には向いている。彼が平穏な家庭生活を敬遠するのも、もっともだ。それは彼の本領ではない。そこでは彼の才能は萎縮《いしゅく》してしまう――発達することもできず、引きたって見えることもない。先駆者として、あるいは優者として、彼が語り、行動するのは、争闘と危険の場面のなかにおいてなのだ――そこで彼の勇気は証明され、精力が用いられ、不屈の魂が発揮されるのだ。だが、この炉辺では、快活な子供の方が、彼よりもまさっている。彼が伝道師の道を選んだのは正しいことであった――いまわたしには、それがわかる）

「皆様お着きになりました！　お嬢様方がお帰りになりました！」と居間のドアを押しあけて、ハンナが叫んだ。同時に老犬カルロが、嬉しそうに、吠《ほ》えたてた。わたしは駆け出した。もう日は暮れかかっており、車輪の音が聞えてきた。ハンナは、すぐに、角灯《ランタン》に灯《ひ》をともした。馬車は小門の前でとまった。御者がとびらをあけた。まず見覚えのある姿が一人、車から降りてきた。つぎの瞬間、わたしの顔は帽子の下のメアリの柔らかい頰《ほお》に触れ、ついでダイアナのふさふさした巻き毛に触れていた。彼女たちは笑った——わたしに接吻《せっぷん》し——それからハンナに接吻した。狂ったように喜んでいる老犬カルロを撫《な》で、みんな変りがないかと熱心にたずね、変りがないことをたしかめると、急いで家のなかへはいった。

彼女たちは、ウィットクロスからの長い、揺れ通しの馬車の旅に、すっかり体がこわばり、霜の夜の大気に冷えきっていたけれど、その楽しげな顔は、勢いよく燃えている火の光を受けて解きほぐされた。御者とハンナが、荷物を運びこんでいるあいだに、二人はセント・ジョンのことをたずねた。そのとき、居間から彼が出てきた。同時に二人は彼の首に抱きついた。彼は静かに、二人の妹に接吻を与え、低い声で、二言《ふたこと》三言《みこと》、迎える言葉を述べた。そして、しばらく立ったまま妹たちの話すのを聞いていたが、いずれ居間でまたいっしょになれるのだから、と言いおいて、まるで、隠れ家にでもはいるように、居間へ引っこんでしまった。

わたしは二階へ上がるために、二人の燭台《しょくだい》に火をともした。すると、ダイアナは、まず御者にお礼をするようにと親切に言いつけておいて、それから、二人はわたしについてきた。部屋のなかが、すっかり変り——新しい掛け布や、おろしたての絨毯や、美しい彩色の花瓶《かびん》などで飾られているのを見ると、二人は、喜んで、心からお礼を述べた。わたしの模様替えが、彼女たちの希望とぴったり一致し、わたしのしたことが、彼女たちの楽しい帰郷に、いきいきとした魅力を添えたことを感じて、わたしは嬉しかった。

その夜は、楽しかった。喜びに、はちきれそうな、従姉妹《いとこ》たちは、セント・ジョンの無口を補って余りあるほど、雄弁に語ったり論じたりした。彼は妹たちとの再会を、心から喜んではいたが、しかし彼女たちの熱情に燃え、歓喜にあふれている心に共鳴することはできなかった。その日の出来事——ダイアナとメアリの帰郷は彼を喜ばせた。しかし、その出来事にともなってきた、嬉しそうな大騒ぎや、やかましいほどの歓迎のおしゃべりは、彼をうるさがらせた。もっと静かな影の訪れを願っているのが、わたしにはわかった。お茶のあと一時間ほどして、その夜の楽しみも、まさにたけなわなころ、玄関のとびらをたたく音がした。ハンナが、はいってきて言った。「こんな時ならぬ時刻に、みすぼらしい若い男が、息を引きとりかけている母親に会っていただきたいと申して、リヴァーズ様をお迎えにまいっております」

「どこの家かね、ハンナ?」

「四マイルも先の、ウィットクロス・ブラウのずっと上の方でございます。道中は荒野と沼地だらけでございますよ」

「行くと言いなさい」

「ほんとに、まあ、およしになった方がようございますよ、旦那《だんな》様。こんなに暗くなってから、とても行けるような道ではございません。沼地は、どこもかしこも、道なんぞありはしませんからね。それに、こんなひどい晩——これまでにないほど風の強い夜でございますもの。あすの朝行くからとことづてなさった方がよろしゅうございますよ」

けれども彼は、すでに廊下へ出て、外套《がいとう》を着けていた。そして、いやだとも言わず、一言の不平ももらさず、出かけて行った。そのときは九時であったが、真夜中になって、やっと彼は帰ってきた。すっかりおなかをすかせ、疲れきってはいたが、しかし彼は、出かけたときよりも、ずっと幸福そうに見えた。彼は義務を遂行し、努力をし、自己にうち勝って事をなしとげる力を感じて、自分に満足していたのである。

つぎの一週間は彼の忍耐力の試練であろうとわたしは気遣った。それはクリスマスの週間であったからである。わたしたちは、これといった仕事もせずに、楽しい家庭的な団欒《だんらん》に、その週をすごした。荒野の大気と、家庭の自由さと、幸福の曙光《しょこう》とは、ダイアナとメアリの精神に気力をよみがえらせる霊薬のような作用を及ぼした。彼女たちは、朝から昼まで、昼から夜まで、陽気であった。たえず話しつづける話題があった。彼女たちの、機知に富み、活気に満ちた、耳新しい話は、ほかのことは、何もせずに、それに聞き入り、そこへ仲間入りした方がよいと思ったほど、わたしには魅力があった。セント・ジョンは、わたしたちの陽気さを、咎《とが》めだてはしなかったが、いつもその場から逃げ出していた。彼は、めったに家にはいなかった。彼の教区は、ひろく、住民も散らばって住んでいた。教区のなかのいろいろな地域にいる病人や貧しい人たちを訪問するのが、彼の日々の仕事になっていた。

ある朝、朝食のとき、ダイアナは、しばらく沈んだ顔で考えこんでいるふうであったが、やがて兄に向って言った。

「あなたの計画は、いまでもやはり変っていませんの？」

「変ってもいなければ、変えられもしない」これが彼の返事であった。彼は、さらに言葉をついで、来年英国を出発することに確定していると告げた。

「それでロザモンド・オリヴァーは？」とメアリが言ったが、これは思わず口をすべらしてしまったものらしい。なぜなら、そう言った途端に、彼女は、その逃げ出した言葉を呼び戻《もど》したいようなそぶりを見せたからである。セント・ジョンは、書物を手にしていた——食事のときに本を読むのは、彼の非社交的な習慣であった。彼は本を閉じて、顔をあげた。

「ロザモンド・オリヴァーは」と彼は言った。「グランビー氏と結婚しようとしている。S——町でも、一番よい親戚《しんせき》を持っており、もっとも尊敬されている人で、サー・フレデリック・グランビーの嫡孫《ちゃくそん》で、その後継ぎだ。昨日オリヴァーさんのお父さんから、その話を聞いた」

妹たちは顔を見合せ、それからわたしを見た。わたしたちは彼を見た。彼は鏡のように平静であった。

「その縁談は、ずいぶん急におきまりになったのね」とダイアナが言った。「長いおつきあいではないはずですわ」

「だが二カ月にはなる。十月にS——町の慈善舞踏会のときに会ったのだ。しかし、この話は、何一つ結婚の妨げになるものはなし、どこから見ても望ましい縁組なのだから、ぐずぐずする必要は、すこしもないじゃないか。二人はサー・フレデリックからもらったS――町の邸宅が、新夫妻を迎えるために改築ができ次第、結婚式をあげるだろう」

この話のあと、セント・ジョンが一人でいるところへ、初めて行き合せたとき、わたしは、彼がこの事件に心を悩ましていないかどうかを、たずねてみたい誘惑に駆られた。しかし彼は、ほかから同情される必要など、すこしもないように見えた。だからわたしは、思いきって同情の言葉を言うどころか、いつかわたしが気遣いながら切りだした言葉を思いだしただけでも恥ずかしく感じたほどであった。それればかりか、わたしは彼と話をするのが不得手であった。殻《から》の固い彼の心には、またもや氷が張り詰めてしまったので、あけ放しのわたしの心も、お陰で、すっかりかじかんでしまった。彼は、わたしを妹たちと同じように扱うといった約束を、守ってはくれなかった。二人のあいだに、ちょっとした冷たい隔てをおくことを忘れなかった。そんな隔てが、親しい気持をはぐくむ助けになろうはずはなかった。つまり、わたしが彼の親戚であると認められて、同じ屋根の下に住むようになってからというもの、単に村の小学校の先生として知り合いだったころよりも、もっと大きな隔たりが、二人のあいだにできてしまったことを、わたしは感じたのである。かつてわたしが、彼の心の秘密に、どれだけ深くたち入ることを許されたかを思いうかべると、現在の彼の冷たさは、ほとんど理解も及ばぬものがあった。

こんなわけであったので、彼が、かがみこんでいた机から、ふいに頭をあげて、こう言ったときには、わたしは、すくなからず驚かされたのであった。

「ねえ、ジェーン、戦いは戦われ、そして勝利は、かち得られたのですね」

こう言われて驚いたわたしは、すぐには返事ができなかった。ちょっとためらってから、わたしは答えた――

「でもあなたは、あまりにも高価な犠牲を払って勝利を手にした征服者の立場にあるのだとはお思いになりませんか？ もういちどそのような勝利を得たら、それは、あなたを滅ぼしはしないでしょうか？」

「そうは思いません。たとえそうであっても、それは大したことではありません。二度と、あのような勝利をうるために戦えと命じられることは、けっしてありますまい。戦いの結果は決定的です。わたしの行手は、いま豁然《かつぜん》と開けています。わたしは、そのことを神に感謝します！」こう言って、彼はまた書物にかえり、沈黙にかえった。

お互いの幸福は（ダイアナとメアリとわたしとの）ずっと静かな性質のものになり、わたしたちはまた、いつもの習慣と規則正しい勉強にたちかえったので、セント・ジョンも家にいることが多くなった。彼はわたしたちと同じ部屋に坐《すわ》り、ときには、それが数時間にも及ぶことがあった。メアリは絵を描《か》き、ダイアナは、かねて計画していた百科事典の読破（これはわたしを驚かし、感服させた）をつづけ、わたしはドイツ語を勉強しているとき、彼は神秘的な学問――彼の計画にそれが必要であると考えているある東洋語の習得――に耽《ふけ》っていた。

例の窓の出っ張りのところに腰をおろし、彼は、まったく落ち着いて、勉強に余念がないように見えた。けれども彼の青い目は、その東洋語の奇妙な文法からはなれて、ともすれば宙をさまよい、ときには勉強仲間のわたしたちを気味悪いほどじっと見つめていることがよくあった。見咎められると、すぐに目をそらしてしまうが、しかも、間もなくその目はまたわたしたちのテーブルの方へ探るように戻ってくるのであった。なんの意味だろうとわたしは思った。またわたしには、大したこととも思われぬ場合――すなわちわたしの毎週のモートン学校行き――にきまって、彼が満足したようすを見せるのも変だと思った。その日に、なにか都合の悪いことがあったり、雪や雨が降ったり、はげしい風が吹いたりして、妹たちがわたしの学校行きをとめたりすると、必ず彼は妹たちの気遣いをうち消して、風雨に頓着《とんちゃく》せずに務めを果たすようにと激励するのであったが、これなど、なおさら、わけがわからなかった。

「ジェーンは、君たちが考えているような弱虫じゃないよ」と彼は言うのだった。

「この人はわたしたちと同じように、山颪《やまおろし》であろうが、どしゃ降りであろうが、雪であろうが、耐えることができるのだ。この人の体は健康で融通性がある——もっとがんじょうな人よりも、気候の変化に耐えやすくできているのだ」

ときには、ぐったり疲れきって、すくなからず風雨にうたれて帰るようなことがあったが、そんなときでも、わたしは愚痴をこぼす勇気はなかった。不平を言ったりすれば、彼をおこらすにちがいないことが、わかっていたからである。いかなる場合でも困難に耐えることは彼を喜ばした。その逆は、ことのほかいやがられた。

けれども、ある日の午後、わたしは家にいることを許された。というのは、わたしは、風邪《かぜ》をひいていたからである。彼の妹たちは、わたしの代りにモートンへ出かけて、家にはいなかった。わたしはシラーを読みながら腰をおろしており、彼は例の難解な東洋の巻物を判読していた。翻訳をやめて練習問題に変えたとき、わたしは、ふと彼の方を見、そして、いつもわたしを見つめているあの青い目に見据《みす》えられている自分に気がついた。どんなに長いあいだ、くりかえし、くりかえし、その目がわたしを見ていたのか、わたしは知らない。それは、きわめて鋭く、しかも冷たい視線であった。わたしは、しばらくは、なにか、薄気味の悪いものと同じ部屋にいるような迷信的な気持に捕われた。

「ジェーン、何をしているのです？」

「ドイツ語の勉強ですわ」

「ドイツ語なんぞやめて、ヒンドゥースタン語を習って下さるとありがたいのだが」

「本気でそうおっしゃるのですか？」

「是非とも、そうしていただかねばならぬほど、本気です。そのわけを申しましょうか」

そこで彼は、ヒンドゥースタンは現在自分が勉強している国語であるが、先へ進むにつれて、初めの方を忘れがちである。基礎の部分を何度もくりかえし復習し、そうすることによって、徹底的におぼえこむには、生徒があると非常に助けになる、その生徒を、わたしにしようか妹たちにしようかとだいぶ迷ったが、三人のなかではわたしが一番長つづきしそうだから、わたしを生徒にすることにきめた、というようなことを説明した。彼の言う通りに、なってあげようかしら？　彼の出発まで、あと三カ月足らずだから犠牲を払うのも、そう長いことではあるまい。

セント・ジョンは、簡単に拒絶されるような人ではなかった。苦しみであれ、喜びであれ、彼の胸に刻みつけられた感銘は、深く、永久的なものであった。わたしは承知した。ダイアナとメアリが帰宅したとき、ダイアナは彼女の生徒が兄の生徒に変っているのを知って、噴きだしてしまった。彼女とメアリは、自分たちだったら、セント・ジョンといえども、けっしてそこまで説得することはできなかったろうと、口をそろえて言った。彼は静かに答えた――

「わかっているよ」

彼が、きわめて忍耐強い、寛容な、しかも、やかましい先生であることを、わたしは知った。彼は非常にたくさん勉強することをわたしに期待した。そして、わたしがその期待を満たすと、彼一流の表現で、おほめの言葉を、与えるのであった。彼は、わたしの心の自由を奪うほどの、ある種の権力を、次第にわたしに対して持つようになった。彼の称賛と注意とは、冷淡にされるよりも、もっと窮屈なものであった。彼が、そばにいると、わたしは、もはや自由に話したり笑ったりすることができなかった。快活ということは（すくなくともわたしの快活は）彼にとって不快なものであることに、うんざりするほど執拗《しつよう》な直感によって、わたしは気づいたからである。ただ、真面目《まじめ》な気分と、真面目な仕事だけが、彼の気に入ることが、よくわかり、何かほかの努力をつづけたり、ほかのことを追い求めたりしても、彼のいるところではまったくの徒労であることを知った。すべてを凍りつかせるような魔力にわたしはかかっていた。彼が「行きなさい」と言えば、わたしは行き、「来なさい」と言えば、わたしは近づく。「これをしなさい」と言われれば、それをする。けれどもわたしは、この奴隷《どれい》のような役割を好んではいなかった。あのままわたしをかまわないでいてくれたらよかったのに、と、幾度わたしは思ったことか。

ある夜、寝床につく前、おやすみなさいと言いながら、妹たちとわたしとが彼のまわりに立っていたとき、彼は、いつもの習慣に従って妹たちに接吻《せっぷん》し、ついで、これもまた習慣通り、わたしには握手をした。たまたま、いたずら気分になっていたダイアナが叫んだ。（彼女はセント・ジョンの意志には容易に支配されなかった。やり方にちがいはあっても、彼女の意志もまた彼に劣らず強かったからである）――

「セント・ジョン！　あなたは、いつもジェーンを三番めの妹と呼んでいらっしゃるけど、それなら、そんなふうに扱ってはいけないわ。ジェーンにも接吻してあげなければ」

そう言って、彼女はわたしを兄の方へ押しやった。わたしはダイアナを、ほんとに腹立たしく思い、そして不愉快にも狼狽《ろうばい》を感じた。わたしがそう思い、そう感じているあいだに、セント・ジョンは頭をうつむけて、そのギリシャ型の顔をわたしの顔と同じ高さに近づけ、目を突き刺すようにわたしの目に注ぎながら――わたしに接吻した。世に大理石の接吻とか氷の接吻とかいったようなものはないけれど、もしあるとすれば、聖職にあるわたしの従兄《いとこ》の接吻こそ、そのような種類のものというべきであろう。しかし試験的な接吻というものは、あるかもしれない。彼の接吻は試験的接吻であった。接吻を与えると、彼はその結果を知ろうとしてわたしを見た。その結果は、かくべつ印象的な、なにものもなかった。わたしは、顔を赤らめたりはしなかったと思う。たぶん、いくらか青ざめた程度だろう。この接吻は、わたしの足枷《あしかせ》に押された封印のような感じがしたからである。その後も彼は、この儀式を怠らなかった。そして、わたしがそれを受けるときの厳粛な、平静な態度は、何かしら一種の魅力を彼に与えるらしかった。

わたしとしては、もっと彼を喜ばせたいと、くる日もくる日も、望まぬ日とてはなかった。しかし、彼を喜ばせようとすれば、自分の性質を半分押えつけ、自分の才能を半分おし殺し、自分の趣味を本来の傾向からねじ曲げて、生れつきぜんぜん適していない仕事を、いやでも選ばなければならぬという感じが、日ましにつのるばかりであった。彼は、わたしなどとうてい行けそうもない高いところへわたしを引きあげる訓練をほどこしたがった。彼がつれて行こうとする標準までのぼろうとして、わたしは、たえず身のよじれるほど苦しい思いをした。このことは、わたしの均整のとれていない目鼻だちを彼の端正な古典的な型にはめこむことができないのと同じように、また変化しやすいわたしの緑色の目を、海のように青い、荘重な光をおびた彼の目の色に染め直すことができないのと同じように、不可能なことであった。

しかし、そのときわたしを、奴隷の鎖につないでいたものは、ただ彼の権力のみではなかった。そのころ、悲しげな顔になるのは、わたしには、造作もないことであった。癰《よう》のような病気――不安という病が、わたしの心にとりつき、わたしの幸福を、その源で涸《か》らしてしまったからである。

読者よ、あなた方は、このような境遇と運命の変化のために、わたしがロチェスター氏を忘れてしまったのだとお思いになるかもしれぬ。しかしわたしは、片時も忘れてはいなかった。彼に対する思いは、いまだにわたしをはなれなかった。それは、太陽に消え果てる霧でもなければ、風が吹き消す砂の上の人像《ひとがた》でもなかった。その名の刻みつけられた大理石が、なくならぬかぎりは消えることない運命を持つ石碑に彫りこまれた名前であった。彼の安否を知りたいと願うせつなる気持は、どこへ行ってもわたしにつきまとっていた。モートンにいたときは、そのことを考えるためにわたしは毎晩家へ帰った。そして、いまムーア・ハウスにあっては、そのことを思い耽るために、わたしは毎晩、寝室へ行くのであった。

遺言のことでブリッグズ氏と交わした必要な書簡のなかで、わたしはロチェスター氏の現在の住所と健康状態について、なにかご存じではないだろうかとたずねてみたけれど、セント・ジョンが推察したように、彼はロチェスター氏に関しては、ぜんぜん何も知らなかった。そこでわたしはフェアファックス夫人に手紙を出し、このことについて知らせてくれるようにと懇願した。この処置によって目的は達せられるものと、わたしはたしかな予想をいだいていた。きっと、さっそく返事を手にすることができるにちがいないと思っていた。ところが二週間たっても、なんの音沙汰《おとさた》もないので、わたしは驚いた。けれども二カ月も経過し、くる日もくる日も、郵便は届くけれど、わたしには一通もこないのを見ると、わたしは、はげしい不安に捕われた。

もういちど、わたしは手紙を書いた。初めの手紙が偶然紛失したということもありうる。再度の努力に、わたしは希望を新たにした。最初のときと同じように、その希望は何週間かはかがやいていたが、それからは、同じように光が薄れてゆき、ついには消え果てんばかりになった。一行も一言も、わたしには届かなかったのだ。むなしい期待のうちに、半年ほどすぎたとき、わたしの希望は、すっかり死んでしまい、世のなかが真っ暗になってしまったように感じた。

美しい春がわたしの周囲に照りかがやいたけれど、わたしは、それを楽しむことができなかった。ダイアナはわたしの気を引きたてようとつとめた。彼女はわたしを病気のように見えると言い、海岸へでもつれて行きたいと言った。しかし、それにはセント・ジョンが反対であった。ジェーンは気晴らしなど欲《ほっ》してはいない、仕事を望んでいるのだ。ジェーンのいまの生活は希望がなさすぎる。ジェーンは一つの目的を求めているのだ、と彼は言うのであった。そして、わたしに不足したそのようなものを埋め合せるつもりであろうか、彼は、ヒンドゥースタン語の勉強を、いっそうわたしにつづけさせ、一日も早くそれを仕上げてほしいと要求するようになった。わたしは、馬鹿《ばか》のように、彼に逆らおうとはしなかった――逆らうことができなかったのである。

ある日、わたしは、いつもより沈んだ気持で勉強にとりかかった。この気力の衰えは悲痛な失望によって生じたのであった。その朝、ハンナがわたしに手紙がきていると知らせてくれた。わたしは、首を長くして待ち焦《こ》がれていた知らせが、ようやく届いたものと思いこんで、それをとりに降りて行ってみると、それはブリッグズ氏からきた、つまらぬ事務的な書信であった。このひどい当てはずれがわたしに涙をしぼらせた。そして、インドの書物の難解な文字や、奔放な装飾文字で書かれた比喩《ひゆ》や反語などを見つめているうちに、わたしの目にはまた涙があふれてきた。

セント・ジョンが、彼のそばへ来て読むようにと、わたしに声をかけた。わたしは読もうとしたけれど、声が出なかった。言葉は嗚咽《おえつ》のなかに消えていった。居間にいるのは彼とわたしだけであった。ダイアナは応接間でピアノの練習をしており、メアリは庭いじりをしていた——晴れた空は澄みわたり、日はかがやき、そよ風が吹き渡る美しい五月の日であった。わたしの相手は、わたしの嘆きを見ても、驚きもせず、どうして泣くのかと、聞きもしなかった。彼はただ、こう言っただけだった——

「あなたの気が静まるまで、しばらく待つことにしましょうね、ジェーン」そして、わたしが急いで発作を抑えようとしているあいだ、彼は机にもたれ、あたかも医者が、そうなることを予期し、かつ十分理解もしている患者の危機を、科学的な目で、じっと見守っているように、落ち着いて辛抱強く坐《すわ》っていた。わたしは嗚咽をやめ、目をふき、けさは、あまり気分がすぐれなかったので、などと呟《つぶや》きながら、ふたたび勉強にとりかかり、終りまでやりとげた。セント・ジョンはわたしと彼の書物をしまって机に鍵《かぎ》をかけた。そして言った——

「さあ、ジェーン、散歩に出かけよう。わたしといっしょに」

「では、ダイアナとメアリを呼びましょう」

「いや、けさは、一人しかつれがほしくない。それも、あなたにかぎるのです。仕度をして、台所の出口から出ていらっしゃい。そしてマーシュ・グレンの土手へのぼる道を行って下さい。わたしもすぐあとから行きます」

わたしは中庸ということを知らない――わたしの性質と反対の、断固としてきびしい性格の人との交際において、絶対的服従と決然たる反抗との中間にある中庸というものを、わたしはまだ一度も経験したことがなかった。ときには、噴火山のような激烈さで、ふいに反抗を爆発させることもあったが、しかしその瞬間まで、わたしは、常に忠実に服従を守りつづけてきた。いまこの場合は、反抗すべき正当な理由もなく、またわたしの気持も反抗の方に傾いてはいなかったので、わたしは注意深くセント・ジョンの言いつけに服従した。それから十分もすると、わたしは彼と並んで、険しい谷間の小径《こみち》を歩いていた。

そよ風が西から吹いていた――ヒースと灯心草のかぐわしいかおりをこめて、風は丘を越えてきた。空は一片の雲もなく、藍色《あいいろ》に晴れていた。先ごろの春の雨に水かさを増して峡谷を下る小川は、黄金色《こがねいろ》の太陽の光と大空のサファイアの色を映しながら、清らかに、あふれるように流れて行った。小径からそれて、小さな白い花で一面にいろどられ、星のような黄色い蕾《つぼみ》をちりばめた、美しい、苔《こけ》のようなエメラルド・グリーンの、柔らかな芝草の上を、わたしたちは歩きつづけた。気がつくと、いくつもの山が、すっかりわたしたちをとり囲んでいた。谷は、のぼるにつれ、あたりにそびえる山の中心へと、うねりながら進んでいたからである。

「ここで休みましょう」山峡《やまかい》を守っている一隊の兵士のような岩の群れから一つ孤立して立っている岩のところまで来たとき、セント・ジョンは言った。岩の向うには、谷川が滝となって落ちていた。さらに、その先の方では、山は芝草も花の衣裳《いしょう》も脱ぎ捨て、ただヒースの衣をまとい、飾りとしては岩をつけているだけであった。そこは山野の寂寥《せきりょう》が気味悪いほど嶮峻峨《けんしゅんがが》々たる感じに誇張されており、新鮮な山の表情は渋面に一変していた。山は、この寂寥の孤塁を必死に守り、この沈黙の隠れ家のために最後の抵抗を試みていた。

わたしは腰をおろし、セント・ジョンはわたしのそばに立っていた。彼は小径を見あげ、谷間を見おろした。彼の視線は、谷川に沿ってさまよっていたが、やがて谷川をいろどっている澄みきった大空をながめようとして、また戻《もど》ってきた。彼は帽子を脱いで、微風に髪をなぶらせ、額に接吻させた。彼は、このあたりの山の精と話し合っているように見えた。その目は、何かに別れを告げていた。

「わたしは、もういちどこのような風景を見るだろう」と彼は言った。「ガンジス河のほとりに眠る夢のなかで。そして、もっと遠い未来に、また見るだろう――もう一つの眠りが、もっとほの暗い河の岸辺にわたしを横たえたとき！」

奇怪な愛の奇怪な言葉！　峻烈《しゅんれつ》な愛国者の祖国に対する愛情！　彼は腰をおろした。

半時間ばかり、わたしたちは一言も口をきかなかった。——彼からわたしに話しかけることもなければ、わたしが彼に口をきくこともなかった。その沈黙がすぎると、彼は言いはじめた——

「ジェーン、わたしは六週間以内に出発します。六月二十日に出帆する東インド航路の汽船に船室を予約しました」

「神様がお守り下さるでしょう。あなたは神のお仕事をお引き受けなさったのですから」とわたしは答えた。

「さよう」と彼は言った。「そこにわたしの光栄と喜びがあるのです。わたしは絶対にあやまちを犯すことのない神の下僕《しもべ》です。わたしは、人間に導かれて——弱い人間どものつくった欠陥だらけの法律や、まちがいだらけの支配を受けて、故国を出て行くのではない。わたしの王、わたしの立法者、わたしの船長は、全能の神なのです。わたしの周囲の人たちが、皆同じ旗のもとに馳《は》せ参じようとして——同じ計画に参加しようとして——燃えあがらぬのが、わたしには不思議でならない」

「みんな、あなたのような力を持っていないのですわ。それに弱い者が強い人といっしょに進軍したいなどと望むのは、馬鹿々々しいことですわ」

「わたしは、か弱い人たちのことを言っているのではない、また、そんな人たちのことを考えているのでもない。この事業に価《あたい》する人、この事業をなしとげる資格を有する人にだけ呼びかけているのです」

「そんな人は、めったにありはしませんし、見つけだすのも、たいへんですわ」

「その通りです。しかし、もし見つかったときには、その人たちを立ちあがらせ――その努力をするように励まし、すすめること――彼らに賜わったものが、なんであるか――なぜ、与えられたかを示し――彼らの耳に神の使命を知らせ――神が、みずから選びたもうた地位を、彼らに受けさせるのが、正しいことなのです」

「でも、もしその人たちが、その任務にふさわしい資格を有していたら、その人たちの心が、まず最初に、そのことを自分自身に告げるのではないでしょうか」

まるで恐ろしい魔力がわたしたちの周囲をとり囲み、わたしたちの頭上に迫ってくるようにわたしは感じた。言いきった瞬間に、しっかりとその呪文《じゅもん》に縛られてしまうような、何か運命的な言葉を聞くのではないかと思って、わたしは戦慄《せんりつ》した。

「では、あなたの心は、なんと言っていますか？」とセント・ジョンがたずねた。

「わたしの心は、何も申しません――何も言っておりませんわ」驚き、ぞっとして、わたしは答えた。

「では、あなたの心に代って、わたしが言わねばならぬ」と、力強い、冷酷な声で彼は言いつづけた。「ジェーン、わたしといっしょにインドへおいでなさい。わたしの助手として、協力者として来るのです」

渓谷《けいこく》と大空が、ぐるぐるまわった！　丘が盛りあがった！　天からの呼び声を聞いたように思った——パウロの夢に現われた一人のマケドニア人が、「来たりてわれらを助けよ！」とパウロに告げたように（訳注　新約使徒行伝十六章九節）。しかしわたしは使徒ではない——わたしはマケドニア人の使者を見ることはできなかった——彼の招きを受けることはできなかった。

「おお、セント・ジョン！　許して下さい」とわたしは叫んだ。

自分の義務と信ずるものを遂行する上においては、慈悲も知らねば、あわれみも知らぬ人に向って、わたしは嘆願した。彼は言いつづけた——

「神と自然は、あなたを伝道師の妻にするつもりであった。彼らが、あなたに与えたものは、容姿の美ではなく、知的な能力であった。あなたは勤労のために形づくられたのであり、恋愛のためにつくられたのではない。あなたは伝道師の妻にならなければならぬ——伝道師の妻になりなさい。わたしの妻になるのです。わたしはあなたを要求する——わたし自身の快楽のためではなく、わたしの天帝に仕えるために」

「わたしはそれには向きません。わたしには神のお召しがありません」とわたしは言った。

彼は、まずこうした反対はあるものと予想していた。だからわたしの答えにおこりはしなかった。事実、彼が背後の岩に背をもたせて、胸に腕を組み、顔色も動かさずに、じっと立っているのを見たとき、わたしは、彼が反対が終るまで辛抱しようという心構えであり――しかも、その終りを彼の勝利に帰せしめようと決心していることを知った。

「ジェーン、謙譲は」と彼は言った。「キリスト教徒の美徳の礎石です。あなたがこの任務に適していないとおっしゃるのは、もっともなことです。しかし、誰《だれ》が、それに適していますか？　また、かつて真実神のお召しを受けた人のなかで、誰が、そのお召しに価するとの自信を持ちえたでしょうか？　たとえばわたしは、塵《ちり》か灰にすぎません。聖パウロとともに、わたしは自分を罪人《つみびと》の頭《かしら》（訳注　新約テモテ前書一章十五節）だと認めています。しかし、この自分の個人的卑《いや》しさの意識が、わたしをひるませることをわたしは許しません。わたしは、わたしを導きたもう神を知っています。神が全能であるとともに正義であることを知っています。主は、偉大なる事業をなしとげるため、か弱い人間をお選びになったが、しかも主は、その尽きることのない神の摂理をもって、その人間の手段の足りぬところを、最後まで補って下さるのです。わたしのように考えなさい、ジェーン。わたしのように信じなさい。あなたによりかかっていただきたいのは『ちとせの岩』(訳注　旧約イザヤ書二十六章四節)です。その岩が、あなたの人間としての弱さ、その重荷を、担ってくれることを疑ってはいけません」

「わたしには伝道生活というものが理解できません。そのような事業について勉強したことがないのです」

「その点については、及ばぬながらわたしが、あなたに必要な助力をしてあげることができます。わたしは終始、あなたに仕事を割りあてることができます。いつもあなたのそばについていることができます。しじゅう、あなたを助けることができます。初めのうちはわたしも、そうしてあげられるが、すぐに(わたしは、あなたの力を知っていますから)あなたは、わたし同様に強くなってきますし、じょうずにもなり、そしてわたしの助けを必要としなくなるでしょう」

「しかし、わたしの力は——その事業のために用いるわたしの力は、いったいどこにあるのでしょう? わたしには、そんなものがあるとは思われません。あなたのお話を伺っていても、心のなかでわたしに話しかけたり、わたしの心を鼓舞するようなものは、何もありません。燃えかがやく火も——高まる気力も——助言を与える声も、励ましの声も——何一つわたしには感じられません。おお、いまのわたしの心が、どれほど真っ暗な土牢《つちろう》に似ていることか。それをご覧にいれることができましたら！　その底で、枷《かせ》をかけられている、身も縮むような恐怖——わたしにはできないことを試みよと、あなたに強《し》いられている、この恐怖を！」

「あなたに代って答えることがある——お聞きなさい。初めてお会いしたとき以来、わたしは、いつもあなたを見守ってきた。十カ月のあいだ、あなたを研究の対象にしてきたのです。そのあいだ、いろんなテストによって、あなたを試験しました。そしてわたしは、何を見、どんな答えを引き出したか？　村の小学校においては、あなたは、あなたの習慣と性質に向かない仕事を、十分に、誠実に、正しく、なしとげることができた。あなたが才能と手腕で、それをやりとげたのを見た。あなたは生徒たちを統御すると同時に、彼らをなつかせることもできた。あなたが突如としてお金持になったことを知らされたときの、あなたのあの落着きのなかに、わたしはデマスの罪（訳注　新約テモテ後書四章十節）に対して潔白である心を読みとった。——金銭は不当にあなたを支配しはしなかった。あなたの財産を四つに分け、自分はその一つを取っただけで、理論的正義の命じるままに、あとの三つを捨ててしまったあの決然たる行為のなかに、わたしは、興奮と熱情をもって犠牲を喜ぶ性質の人であることを知った。わたしの希望をいれて、自分が興味を持っている勉強をあきらめてまで、わたしの関係している他の研究に携わってくれたあの従順さのなかに――そのとき以来うまず、たゆまず、その研究をつづけた疲れを知らぬ勤勉のなかに――あの難解な個所《かしょ》につきあたったときの根気強い精力と、ものに挫《くじ》けぬ気質のなかに、わたしは、わたしの求めているいま申しあげたような、欠陥の補いを認めたのです。ジェーン、あなたは素直で、勤勉で、無欲で、誠実で、不屈で、勇気に富んでいます。非常に優しく、しかもまた非常に雄々しい。自己に対する不信を、お捨てなさい。――わたしは心の底まで、あなたを信頼することができる。インドの学校の教師として、またインドの婦人の助力者として、あなたの協力は、わたしにとって、計り知れぬほど貴重なものでしょう――」

鉄のかたびらがわたしの体を締めつける。ゆるやかに、たしかな足どりで、説得は近づいてくる。いつもそうするように目を閉じると、彼のいまの最後の言葉が、ふさがっていたかと思われたわたしの前途を、いくらか明るくしてくれた。非常に漠然《ばくぜん》と、手のつけようもないほどひろがっているように見えたわたしの仕事も、彼が話を進めるにつれて、おのずからまとまってきて、彼の手に形づくられて一つのさだまった形をとってきた。彼はわたしの返事を待っていた。わたしは、決定的な返事をする前に、十五分ほど考える時間を下さいと願った。

「いいですとも」と彼は答えた。そして立ちあがると、小径をすこし先まで歩いて行って、ヒースの茂っている小高いあたりに身を投げ、静かに横になった。

（彼がわたしにさせたいと望んでいる仕事は、わたしには、できる――いやでも、できることがわかるし、それを認めなくてはならぬ）とわたしは思った――（しかし、それもわたしの生命が長つづきするならばのことである。しかしインドの太陽のもとでは、それほど長く生きられるとは思えない。そのときは、どうなるか？ 彼は、そんなことは考慮に入れてない。わたしの死ぬときがきたら、彼は落ち着きはらって、いかにも聖職にある人らしく、わたしを神の手に引き渡すにちがいない、その点は、実に明瞭《めいりょう》だ。英国を去るということは、わたしの愛する、しかし空虚な国土を去ることだ――ロチェスター様は、ここにはいらっしゃらないのだから。だが、もしいらっしゃるとしても、それがなんであろう？ それがわたしにとって、何かでありうるとでもいうのか？ わたしの仕事は、彼なしで生きていくことなのだ。わたしと彼とを、ふたたびつなぐかもしれぬような、ありそうもない環境の変化を待ち受けてでもいるかのように、一日々々を引きずって歩いて行くほど、馬鹿げた、意気地のない話があろうか？ もちろんわたしは――セント・ジョンが、かつて言ったように――うしなわれた興味に代るべき新しい興味を人生に求めなくてはならない。彼がいまわたしに申し出ている仕事は、まことにもっとも栄光に満ちた人のみが選択を許されるもの、ないしは神の命じたもうところのものではないだろうか？　この仕事は、その高尚《こうしょう》な配慮と崇高な成果のゆえに、引き裂かれた愛情とうち砕かれた希望によってあけられた心の空所を埋めるのに、もっともふさわしいものではないだろうか？　わたしは、はい、と言わなければならないと思う。しかし、やはりわたしは身ぶるいがする。ああ！　もしセント・ジョンといっしょになれば、わたしは自分の半分を投げ捨ててしまうのだ。インドへ行くとしたら、それは死を早めに行くのだ。そして、インドへ行くために英国を去るあいだと、墓場へ行くためにインドを去るあいだの月日は、どんなふうに埋められるのだろう？　ああ、わたしにはよくわかっている！　それもまた、わたしの目には手にとるように明らかだ。セント・ジョンを満足させようと、手足の筋が痛むほど骨身を惜しまず働くことによって、わたしは彼を満足させるだろう――彼の期待の円の一番中心までも、またその一番外側の周辺までも満足させるだろう。もしわたしが彼といっしょに行くなら、もしほんとうにわたしが彼のすすめる犠牲になるとしたら、わたしは徹底的に犠牲になるつもりである。すべてを祭壇に捧《ささ》げるつもりである――心を、生命を、まったき生贄《いけにえ》を！　彼は、けっしてわたしを愛しはしないだろう。しかし、ほめはするだろう。わたしは、彼が見たこともない精力を、彼が思ってみたこともない才能を彼に示してみせよう。そうだ、わたしは彼と同じように、はげしく、いささかの骨惜しみもせずに、働くことができる。

(それならば、彼の要求に応じることも可能だ。しかし、ただ一つの条件――ただ一つ恐るべき条件がある。それは彼がわたしに妻になってほしいと求めていること――また彼が、向うの山峡へと流れ落ちる小川を足下に泡立《あわだ》たせている、あの恐ろしい表情の岩の巨人と同じように、わたしに対して、いささかも夫らしい気持を持っていないことだ。彼は軍人がすぐれた武器を愛《め》でるようにわたしを愛でる。だが、ただそれだけのことである。彼と結婚しないのなら、この話は何もわたしを苦しめはしない。しかし、彼の予想通りに、このことを成就《じょうじゅ》させてやることができるだろうか?――平然と彼の計画を実行に移させてやることが――結婚式をあげさせてやることが? 彼から結婚の指輪を受けとり、いろいろな愛の形式を、じっと我慢し、――彼は、きっと注意深く、それを守るであろうが――彼の魂が、抜け殻《がら》なのを思い知らされるなどということがわたしにできるだろうか? 彼が与える、どのような愛の表現も、すべて主義のために払われる犠牲であるという意識に耐えていくことが、わたしにできるだろうか? いやいや、そのような殉教は不当だ! わたしは、どうしても、そのような苦難には耐えられない。彼の妹としてならば、彼と同行してもいい――妻としてではなく。そうだ、そう彼に話してみることにしよう)

わたしは頂の方を見た。彼はそこに、横倒しになった円柱《コラム》のように、じっと横たわっていた。彼の顔が、こちらを向いた——目が、油断なく、鋭く光った。彼は立ちあがって、わたしの方へ近づいてきた。

「わたし、もし自由な体で行ってもよいのでしたら、いつでもインドへまいります」

「そのご返事には注釈が必要だ」と彼は言った。「どうも、はっきりしない」

「あなたはきょうまでわたしの義理のお兄様でした——わたしはあなたの義理の妹でした。二人は、いつまでも、そういうことにいたしましょう。あなたとわたしは、結婚しない方がいいのです」

彼は頭をふった。「義理の兄妹《きょうだい》関係では、この場合は、だめなのだ。あなたがわたしのほんとの妹だったら、問題は別です。そうすれば、わたしはあなたをつれて行って、妻を求めようとはしないでしょう。しかし、事実はそうではないのだから、わたしたちの結合は、結婚によって神聖にされ、そして固められなければならないのです。さもなければわたしたちの結合はありえない。何か、ほかの計画をやろうとしても、実際的な障害が、そうはさせないのです。そうは思いませんか、ジェーン？　よく考えて下さい。そうすれば、あなたの強い理解力が、それをわからせてくれるでしょう」

わたしは考えてみた。しかし、やはりわたしの理解力は、わたしたちは夫と妻が愛し合うようには、けっして、お互いに愛してはいないという事実を、わたしに示してくれるだけであった。したがって、わたしたちは結婚してはならぬと、それは教えていた。「セント・ジョン」とわたしは答えた。「わたしは、あなたをお兄様と思っています——そして、あなたはわたしを妹として……わたしたち、このままの関係をつづけましょう」

「そんなことはできない——それはだめです」短く、鋭い決意をこめて、彼は答えた。「それではいけない。あなたはわたしといっしょにインドへ行くと言いました。忘れてはいけません——そうあなたは言ったのです」

「条件つきで」

「まあいい——ともかく、肝心の点——わたしとともに英国を出発し、わたしの今後の仕事に協力するという点では、あなたは反対していない。あなたは、すでにもう鋤《すき》に手をかけたも同然なのだ。その手を引っこめるほど、あなたは支離滅裂ではない。あなたは、ただ一つの目的を心にとめておけばよいのです——すなわち、いかにすれば、あなたが引き受けた任務を、もっともよく果たすことができるかということを。錯雑したあなたの興味や感情や欲望や計画を単純化しなさい。すべての考えを一つの目的にまとめなさい。大いなる神の使命を有効に――力をこめて果たすという目的に。そうするためには、あなたは協力者を持たなくてはならない。兄妹ではなく――そんなものは、まことにほどけやすい絆《きずな》です――夫を持たなくてはならない。わたしも妹なんぞほしいとは思いません。妹では、いつ、誰に、わたしのそばからつれ去られるかもしれぬ。わたしは妻がほしい。わたしがこの世でわたしの影響下におきうる、そして死ぬまで絶対にわたしのそばからはなさずにおける唯一《ゆいいつ》の助力者がほしいのです」

聞いていてわたしは身ぶるいした。骨の髄まで彼の威圧を感じ――手足を彼につかまれているのを感じた。

「わたしではなく、ほかのどなたかを、お捜しになって下さい。セント・ジョン、あなたにふさわしい方を」

「それは、わたしの目的にかなった人――わたしの天職にふさわしい人――という意味でしょう。では、もういちど言いますが、わたしが妻にしたいというのは、とるに足らぬ普通の個人――人間の利己的な意識を持った、ただの人間ではないのです。わたしの望むのは、一人の宣教師なのです」

「ですからわたしは、その宣教師のためにわたしの活動力のすべてを捧げます――それが彼の求めるすべてなのです――彼はわたし自身を求めているのではないのです。それは、単に核心に皮と殻を添えることにすぎないのです。彼には、そんなものは必要ではありません。わたしは、その必要以外のものを自分の身からはなさずにおくだけのことなのです」

「それはできない――そんなことをしてはいけない。あなたは神が半分しかない供物《くもつ》に満足なさると思うのですか？　手足を切りはなした生贄を、神がお受けになるだろうか？　わたしが主張するのは神様のためなのです。あなたを招くのは神の旗印のもとへなのです。わたしは、神の代理として、心と体とが別々になっている献身を受けいれるわけにはいきません。完全なものでなくてはならないのです」

「ああ、わたしはわたしの心を神に捧げます」とわたしは言った。「あなたはわたしの心なんぞ必要ではないのです」

読者よ、わたしがこう言ったときの言葉の調子と、それにともなう感情とには、どこか抑制された皮肉のようなものがなかったとは、言いきれない。わたしは、このときまで、ひそかにセント・ジョンを恐れていた。わたしには、何か理解のできないものがあったからである。彼はわたしを恐れさせていたのだ。というのは、彼はわたしを疑惑のなかにおいていたからである。どこまでが聖人で、どこまでが、ただの人なのか、このときまで、わたしにはわからなかったからである。しかし、この応酬で次第に真相が明るみに出てきた。彼の性格の解剖は、わたしの眼前で進められていたのだ。彼が、あやまちを犯しやすい性質であることをわたしは見た。わたしはそれを理解した。わたしが現にそこのヒースの土手の上に腰をおろして、目の前にいる美しく整った姿の人を見ていながら、わたしは自分が自分と同様に不完全な一人の男の足もとに坐《すわ》っているのだということを了解した。峻厳《しゅんげん》な専制主義的な、顔をおおっていたヴェールは、ずれ落ちた。彼のなかに、このような性質が存在していることを感じながら、わたしは、彼が完全でないことをさとり、勇気をふるい起した。わたしは、同等の人間といっしょにいるのだ――議論をたたかわせたところで、すこしもさしつかえない人――正当と思ったら反抗したところで、すこしもさしつかえない人と、いっしょにいるのだ。

最後の言葉をわたしが言ったあと、ずっと彼は黙っていたので、わたしは思いきって上目づかいに彼の顔を見た。わたしを見おろしていたその目が、たちまち、恐ろしい驚きと、鋭い不審とを表わした。（皮肉っているのだろうか？　このわたしに向って皮肉を言っているのだろうか？）と、それは言っているようであった。（これはいったい、どういう意味だろう？）

「わたしたちは、これが厳粛な問題だということを忘れないことにしよう」と、やがて彼は言った。「これは、軽々しく考えたり言ったりしたら罪悪になるような性質のものなのです。ジェーン、あなたが心を神に捧げると言ったときには、真剣な気持で言ったのだと信じます。それこそわたしの望むところなのです。いったん、心を人間からねじむけて、あなたの造物主に、しっかりと結びつけてしまえば、地上における神の王国の発展は、あなたの第一の喜びとなり、努力の対象となるでしょう。その目的を促進せしめることであるなら、どのようなことであれ、あなたは、ただちに、喜んでするでしょう。結婚によるわたしたちの肉体的、精神的な結合によって、わたしたち二人の努力に、どれほど刺激が与えられるかおわかりになるでしょう。その結合は、人間の運命と計画に永久の一致を与える唯一の結合なのです。そうしてあなたは、すべてのちょっとした気まぐれ——感情の上のすべての些細《ささい》な困難や、わずらわしさや——単なる個人的な性向の程度、種類、強さ、こまやかさなどに対する躊躇《ちゅうちょ》や危惧《きぐ》を、一切超越して、即座に急いで、この結合にはいっていくことでしょう」

「わたしが？」とわたしは、言葉すくなに言った。そして、その調和のゆえに美しく、しかも、その静かなきびしさのゆえに妙に恐ろしく見える彼の顔をながめた。威厳に満ちてはいるが、せせこましい感じの眉《まゆ》、かがやかしく、深く、探るような光を持ってはいるが、けっして優しくはない目。わたしは彼の背の高い堂々たる容姿をながめた。そして、この人の妻としてのわたしを心のなかに描いてみた。おお！　どうしてもわたしはいやだ！　彼の助手としてなら、彼の仲間としてなら、すべて問題はなかった。その立場でなら彼とともに大洋を越えて行こう。東洋の太陽の下で、アジアの砂漠《さばく》で、彼とともに、その職務に励もう。彼の勇気と献身と強烈な精神力とを称賛し、自分の模範としよう。おとなしく彼の専制に服従し、彼のかぎりない野心にも快く微笑しよう。彼のなかにあるキリスト教徒としての半面と凡俗の人としての半面とに区別をつけ、前者を心から尊重し、後者を気軽に見のがしてあげよう。たしかに、この立場からだけなら、彼のそばにいることも、我慢ができるだろう。わたしの肉体は、むしろ厳重なくびきのもとに置かれるだろうけれど、心と魂は自由でいられる。また、わたしのために、まだ枯れしぼまされていない自分を、ときどきかえりみることもできるし——一人いるときには、生来の、捕われぬ自然の感情と語り合うこともできるだろう。わたしは自分の心のなかに、わたしだけの、彼も踏みこむことのできぬ隠れ家を持つだろう。そこでは、彼の厳格さも枯らすことができず、彼の戦士としての整然たる進軍にも踏みにじられることのない情操の芽が、新しく、十分保護されつつ伸びていくことも、あるにちがいない。しかし彼の妻として——常に彼のかたわらにあり、常に束縛され、常に押えつけられて——自分の生来の熱情の火を、いつも、控えめにしか燃やしつづけることができず、その火が内部に向ってしか燃えることを許されず、その閉じこめられた炎が、つぎつぎに内臓を焼きつくしていっても、泣き声をあげることすら許されぬとは——それはとても耐えられない。

「セント・ジョン」と、そこまで考えてきて、わたしは叫んだ。

「なんですか?」と彼は冷やかに答えた。

「もういちど申しますけど、わたしは、あなたの伝道のお仲間としてでしたら、喜んでごいっしょにまいります。でも、妻としてならば行きません。わたしは、あなたと結婚することはできません。あなたの半身になるわけにはまいりません」

「いや、あなたはわたしの半身にならなければならぬ」断固とした口調で彼は答えた。「さもなければ、契約は全部無効です。あなたがわたしと結婚するのでなければ、まだ三十にもならぬ男のこのわたしが、どうして十九の少女を、インドまでいっしょに連れて行くことができるでしょう? 永久にいっしょにいて——あるときは寂しい曠《こう》野《や》に、あるときは獰猛《どうもう》な蛮人に混じって——、しかも結婚しないでいるなどということが、どうしてできますか?」

「ようございます」とわたしは手短かに言った。「そんなわけでしたら、わたしは、ほんとのあなたの妹になるか、あなたと同じ男の牧師になるか、そのどちらかになりましょう」

「あなたがわたしの妹でないことは、誰《だれ》の目にも明らかです。わたしはあなたを妹だなどと言って紹介することはできません。そんなことをしたら、二人とも、非常に不利な疑いをかけられるにきまっている。それから、もう一つの方は、たとえあなたが男子のたくましい頭脳をもっているにしても、あなたの心情は女性です。ですから、そんなことはできやしません」

「できますわ。しかも、十分じょうずに」とわたしは、いくらか侮蔑《ぶべつ》をこめて言いきった。「わたしは女の心情を持ってはいますけれど、しかしその心情にも、あなたはぜんぜんかかわりがないのですもの。あなたに対してはお望み通り、お仲間としての変らぬ誠実と、同志の兵卒としての率直と忠実と兄妹愛とを、持つだけなのですもの。新しい信徒が司祭に対して持つような尊敬と従順とを持つだけなのです。それ以上ではありません——ですから、ご心配には及びませんわ」

「それがわたしの望むところのものだ」と、自分自身にでも言うように、彼は言った。「それが、まさしくわたしの望むところだ。二人の道には障害物がある。それは切り開かれなければならぬ。ジェーン、あなたはわたしと結婚しても後悔するようなことはないでしょう。そのことは信じなさい。わたしたちは結婚しなければならぬ――わたしは、くりかえして言います。ほかに道はない。そして結婚したのちは、あなたの目にさえ、この結婚が正しいと見えるような十分な愛情が、大丈夫、生れてくる」

「わたしは愛についてのあなたのお考えを軽蔑します」立ちあがって岩に背をもたせながら、彼の前に立ったとき、わたしは、そう言わずにはいられなかった。「わたしは、あなたが与えて下さるという、まがいものの愛情を軽蔑します。そうですとも、セント・ジョン、あなたがそんな愛を下さるとおっしゃるのなら、わたしはあなたを軽蔑します」

彼は、じっとわたしを見つめ、同時に、その形のよい唇《くちびる》を、きゅっと引きしめた。彼は激昂《げっこう》しているのか、驚愕《きょうがく》しているのか、それともほかの何なのか、それは容易にわからなかった――彼は自分の表情を、どうでも自在に使いこなすことができたからである。

「あなたから、そんな言葉を聞こうとは、思いもよらなかった」と彼は言った。「軽蔑に価《あたい》するようなことは、わたしは、何もしなかったし、言いもしなかったと思います」

わたしは彼の優しい口調に胸をうたれ、その上品な、穏やかな態度に威圧を感じた。

「お許し下さい、セント・ジョン、失礼なことを申しあげて。でも、うっかりそんなことを言ってしまったのは、あなたの罪ですわ。あなたはわたしたちが体質的にそれぞれ異なった考えを持っている題目――けっして議論してはならない題目を持ち出したのですもの。愛という言葉そのものが、わたしたちのあいだでは争いの種子《たね》になるのですわ。もし、その愛の実現を要求されるとしたら、わたしたちは、どうすればいいのでしょう？　どう考えればいいのでしょう？　わたしの親愛なセント・ジョン。結婚の計画を、捨てて下さい――忘れて下さい」

「いや」と彼は言った。「それは長いあいだ、いだきつづけてきた計画です。それはわたしの大きな目的を確実にわがものにすることのできる唯一の計画なのです。だが、いまは、これ以上お願いすることはしますまい。あす、わたしはケンブリッジへ出発します。あすこにはお別れの挨拶《あいさつ》をしておきたい友人が、たくさんいるのです。二週間ほど留守にします。そのあいだにわたしの申し出を考えておいて下さい。もし拒絶なさるなら、あなたが拒絶するのはわたしにではなく神にだということを忘れないで下さい。わたしという媒介を通して、神は一つの崇高な生涯《しょうがい》の道を、あなたの前に開いて下すったのです。わたしの妻としてのみ、あなたは、その道に踏み入ることができるのです。わたしの妻となることを拒絶してごらんなさい。あなたは永久に、自分本位の安逸と、何も得ることのない蒙昧《もうまい》のやみに、永久に閉じこめられてしまうのです。その場合には、信仰に背いた人のなかに数えられることがないよう、信仰を持たぬものにも劣ることのないよう、おののき恐れることが肝心です！」

彼は語り終った。くるりとわたしに背を向け、もういちど

川を見ぬ、丘をながめぬ。

けれどもこんどは、彼の感情は心のなかにすっかり閉じこめられていた。もうわたしは、それを訊《き》く資格がなかった。彼と並んで家路をたどりながら、その鉄のような沈黙のなかに、わたしは、わたしに対する彼の気持を、十分に読みとることができた。服従を期待して抵抗に出会った気むずかしい専制的な性格の味わう失望。どうしても共感をいだくことのできない他の感情と見解とを発見して、冷たい、融通性のない判断力によって、それを非難している気持。要するに彼は、一人の男としてわたしを強制的に服従させたかったのだ。それを、わたしの強情に、あんなに、我慢強く耐え、よく考えて悔い改めるようにと長い時間をわたしに与えたのは、ただ彼が真摯《しんし》なキリスト教徒であるからにほかならない。

その夜彼は、妹たちに接吻《せっぷん》したのち、わたしとは握手することすら忘れた方が適当だとでも考えたのか、ものも言わず、部屋を出て行った。わたしは——いささかも愛してはいないけれど、深い友情を彼にいだいているわたしは——露骨に、挨拶まで抜きにされ、涙ぐむほど心を傷つけられた。

「ジェーン、あなたはセント・ジョンと荒野を散歩しながら、口論なさったでしょう。知っているわ」とダイアナが言った。「いいから、あとを追いかけていらっしゃいな。あなたがいらっしゃるかと思って、セント・ジョンはいま廊下をぶらぶら歩いているわ——お兄様は仲直りすることよ」

わたしは、こういう場合には、あまり自尊心が強くない——わたしは、いつも、もったいぶるよりも、楽しそうにしている方が好きなのだ。わたしは彼のあとから走って行った。

彼は階段の下に立っていた。

「お休みなさい、セント・ジョン」とわたしは言った。

「お休み、ジェーン」と彼は静かに答えた。

「では握手しましょう」とわたしは言い足した。

なんと彼は冷たい、にぶい感触をわたしの指に感じさせたことだろう！　彼は、その日の出来事で、ひどく機嫌《きげん》をそこねていたのだ。誠実も彼を暖めることはできず、涙も彼を動かすことはできないであろう。心楽しい和解など得らるべくもなかった——快活な笑顔も寛大な言葉も。しかもなお、このキリスト教徒は、忍耐強く、冷静であった。許してくれるようにと願うと、彼は、自分はいつまでも怒りを忘れずにいるような習慣は持っていない——あなたを許さなくてはならぬようなことを、何も自分はしていないし、おこってもいない、と答えた。

そして、その返事とともにわたしから去って行った。わたしはむしろ、その場にうち倒された方が、いっそましだと思った。

35

つぎの日、彼は、前に言ったように、ケンブリッジに向って出発しなかった。まる一週間、彼は出発を延ばした。そしてそのあいだ、善良ではあるが厳格な、良心的ではあるが執拗《しつよう》な人物が、自分をおこらせた相手に対して、どんな苛酷《かこく》な罰を加えうるかということを、わたしに感じさせた。何一つ、あからさまに逆らうことなく、何一つ口に出して責めることなく、じわじわと、わたしが彼の好意の埒外《らちがい》に追われたことを、わたしに思い知らせるように仕向けた。

セント・ジョンがキリスト教徒らしからぬ復讐心《ふくしゅうしん》をいだいていたというのではない――たとえ自由にそういうことができたにしても、彼は、わたしの頭髪の毛一筋、傷つけるはずはなかった。性格からいっても信条の上からいっても、復讐などという卑《いや》しい満足からは超越していた。彼は、わたしが彼と彼の愛を軽蔑すると言ったのを許してはくれたが、しかし、それらの言葉を忘れたのではなかった。彼とわたしが生きているかぎり、絶対に忘れることはないと思う。彼がわたしの方を向くとき、その顔色から、わたしは二人のあいだの空間に、いつもその言葉が書かれているのを見ることができた。わたしがものを言うと、それらがわたしの声に混じって彼の耳に聞え、その谺《こだま》が、わたしに答える彼のあらゆる言葉に響くのだ。

彼はわたしとの会話を避けようとはしなかった。それどころか、平常のように、毎朝わたしを呼んで、いっしょに机に向いさえした。あるいは、彼の内部に潜む背徳の男が、表面は平常通り振舞いながら、あらゆる動作と、あらゆる言葉とから、これまで彼の言動に威厳のある魅力を与えていた同情と好意とを、どんなに巧妙に抜きとることができるかを示そうという、清らかなキリスト教徒には思いもよらぬ一種の快楽を味わっていたのかもしれない。いま、わたしにとって、彼の体は、もう肉体ではなく、大理石でしかなかった。彼の目は、冷たく光る青い宝石、彼の舌は、もの言う道具——それ以上のものではなかった。

わたしには、これらのすべてが呵責《かしゃく》であった——洗練された、執拗な呵責であった。それは、いつまでも憤怒《ふんぬ》の火をくすぶらせ、痛惜の嘆きにおののかせ、わたしを苦しめ、わたしを完全にうち砕いた。もしわたしが彼の妻であったら、この善良な、陽光も差さぬ深い水源のように清らかなこの人は、わたしの血管から一滴の血をも奪うことなく、また水晶のような彼の良心に、微《かす》かな罪の汚点をさえ残すことなく、こうして容易にわたしを殺すことができるだろう、とわたしは思った。なんとかうち解けようと試みたとき、わたしは、とくにそう感じた。わたしのあけひろげた心に対して、なんの答えも得られなかったのだ。彼は、この仲たがいから、なんの苦痛も味わわず、和解を望む意志もなかった。一度ならず、二人でいっしょにのぞきこんでいる書物のページを、わたしの不覚の涙が汚《よご》すこともあったが、その涙も、心臓が石か金属であったほどにも彼には効果を及ぼさなかった。そのあいだ、彼は妹たちには、かえって以前よりも、いくらか優しくしていた。まったく見放され、締め出されたことをわたしに思い知らせるには、ただの冷淡では不十分だとでもいうように、彼は姉妹に優しく、わたしにはつらくという対照の圧力を、これに加えたのであった。これは悪意からではなく、信念の上からしたのだと、わたしは信じている。

彼が出発する前日の日没ころ、たまたま庭を歩いている彼を見かけて、いまこそ気まずくなっているが、かつては、この人に、命を救われたことを思いだし、また近親の間柄《あいだがら》であることを考えて、わたしは彼の友情をとり戻《もど》すため最後の試みをする気になった。わたしは出て行って、小さな木戸にもたれて立っている彼に近づいた。わたしは、いきなり用件にはいった。

「セント・ジョン、あなたがまだわたしをおこっていらっしゃるので、わたしは悲しくてなりません。仲なおりしましょうよ」

「わたしたちは、いつも仲よしです」という冷やかな言葉が、その答えであった。そのあいだにも、彼は、わたしが近づく前から見守っていた月の出から目をはなさなかった。

「ちがいますわ、セント・ジョン、わたしたちは前ほど親しくありません。おわかりのはずですわ」

「親しくない？　そんなことはない。わたしとしては、あなたの幸福を望みこそすれ、少しも悪意を持っていません」

「それはそうですわ、セント・ジョン、あなたは、どんな人にも悪意を持てない方ですもの。でも、わたしは、あなたの親類なのですから、多少、一般の人に向ける博愛といったもの以上の愛情を求めてもいいと思うのですけれど」

「もちろんです」と彼は言った。「あなたの希望は、もっともです。わたしは、けっして、あなたを一般の人と同じに見ているわけではありません」

この、冷たい穏やかな調子で言われた言葉は、とりつきようのない腹立たしいものであった。もし自尊心と反発心とのささやきに耳を傾けたとしたら、わたしは、すぐにその場を去るべきであった。しかし、わたしのなかのあるものが、これらの感情よりも、もっと強く作用した。わたしは、この従兄《いとこ》の天分と信念に、深い敬意を払っていた。彼の友情はわたしにとって貴重なものであった。わたしはそれをうしなうことに耐えられなかった。わたしは、それをとり戻す試みを、そう簡単にあきらめたくなかった。

「わたしたちは、こんなふうにしてお別れしなければならないのでしょうか、セント・ジョン？　このまま、優しい言葉もかけずに、あなたはインドへ行っておしまいになるおつもり？」

彼は、ようやく月から目をはなして、わたしに顔を向けた。

「わたしが、あなたを残してインドへ行く？　ジェーン、何を言うのだ！　あなたはインドへ行かないつもりですか？」

「結婚しないかぎりつれて行かない、とおっしゃったじゃありませんか」

「では結婚しないつもりですか？　あなたはまだ、あの決心を変えないのですか？」

読者よ、わたしと同じように、あなた方もまた知っておられるだろうか。このような冷静な人たちが、その氷のような質問のなかに、どんな脅威を忍ばせているのかを。彼らの怒りには、どんなすさまじい雪崩《なだれ》がともなうかを。彼らの不興は凍結した海をもうち砕くことができることを。

「そうです、セント・ジョン、わたしはあなたと結婚しません。わたしは決心を守り通します」

積雪は揺れて、少し前方にずれた。しかし、まだくずれ落ちはしなかった。

「あらためて訊《き》くが、なぜ拒むのですか？」

「前には」とわたしは答えた。「あなたがわたしを愛していらっしゃらなかったからでした。こんどは、あなたはわたしを、ほとんど憎んでいらっしゃいます。それで、お断わりするのです。もし結婚したら、あなたはわたしを殺してしまいます。いま、現にあなたはわたしを殺そうとしていらっしゃいます」

彼の唇と頬《ほお》が白くなった——真っ白になった。

「わたしがあなたを殺す？　あなたを殺そうとしている？　あなたの言葉は口にすべからざる種類のものだ。野蛮な、女らしくない、不逞《ふてい》な言葉だ。そういう言葉を口にするのは、頭が、ある不幸な状態にある証拠だ。聞き捨てにならぬ言葉だ。七度を七十倍するまでも人を許すのが人間の義務だが（訳注　新約マタイ伝十八章二十二節）、そうでさえなかったら、おそらく許すべからざるものだ」

　もうわたしの仕事は終った。衷心《ちゅうしん》、彼の心から、前にわたしが傷つけた跡を消しとろうと願ったのであったが、わたしは、その執拗な面に、新しく、さらに深い印象を刻みこんでしまったようだ。わたしはそれを焼きつけてしまったのだ。

「こんどこそ、あなたは、ほんとうにわたしを憎みますわ」とわたしは言った。「あなたと和解しようとしても、むだでした。わたしはあなたを永久に敵にしてしまったことを知りました」

　この言葉が、さらに事態を悪くした。事実に触れたために、いっそう悪かった。血の気のない彼の唇が、ぴくりと、痙攣《けいれん》した。わたしは、わたしがかきたてた鋼鉄のような怒りを知った。わたしは胸が迫った。

「あなたは、わたしの言葉を、まるで誤解していらっしゃいます」わたしは、さっそく彼の手をとって言った。「あなたを悲しませたり苦しめたりするつもりはありません――けっして、そんなつもりはありません」

このうえもなく苦々しく彼は笑った――このうえもなく決然と彼はわたしがとっていた手を引っこめた。「それであなたは、約束をとり消して、いずれにしてもインドへは行かないというのですね」と、かなりの間をおいてから、彼は言った。

「いいえ、まいります、あなたの助手としてなら」とわたしは答えた。

長い長い沈黙がつづいた。そのあいだ、彼のなかで、本能と教養との、どんな戦いが戦われたか、わたしは知らない。ただ、彼の瞳《ひとみ》に、ある異様な光がひらめき、彼の顔を、ある異様な影がすぎたのを知っただけである。ようやく彼は口を開いた。

「前にも説いた通り、あなたの年ごろの未婚の婦人が、わたしのような独身の男に対して、いっしょに外国へ行こうなどと申し出るのは非常識なことです。あのときの説明で、あなたは二度とそういうことを口にしまいと考えていたのに、結局あなたは言ってしまった。――あなたのために惜しみます」

わたしは彼をさえぎった。こういう、あからさまな叱責《しっせき》は、たちまちわたしを元気づける。「落ち着いて下さい、セント・ジョン、あなたは、なんでもないことに、いきりたっていらっしゃるのです。あなたはわたしの言ったことに憤慨しているかのように見せていらっしゃるけれど、ほんとうには驚いてはいらっしゃいません。あなたのような、すぐれた頭脳の方が、わたしの言葉を誤解するほど鈍感であったり、頑固《がんこ》であったりするはずはありませんもの。重ねて申しあげます。よろしかったら牧師補としてお供をいたします。けれども、あなたの妻にはなりません」

　ふたたび彼の顔が鉛色になった。しかし彼は前と同じように完全に感情を抑えた。彼は穏やかな口調で、はっきり答えた──

「妻でないかぎり、女の牧師補はわたしには不適当です。結局、あなたはわたしといっしょに行かないことになる。だが、どうしても行きたいという希望なら、この町にいるあいだに、妻帯している宣教師で、その夫人が助手を求めていますから、その人に紹介してあげましょう。あなたは財産があるから協会の世話になる必要がない。またそうすれば、約束を破ってインド行きの契約を履行しなかったという汚名を負わないで済むわけだ」

　読者も知っておられるように、わたしは、何一つ正式に約束したこともなく、どんな契約もしたおぼえはない。いまの場合、この言葉は、あまりにもきびしく、独断的であった。わたしは答えた──

「約束だの、契約だの、汚名だの、そんなことは、このさい関係がありません。わたしは、インドへ、しかも知らない人などといっしょに行かなければならない義務は、すこしもありません。あなたとなら、わたしはあなたを尊敬し、信頼し、妹としてお慕いしていますから、行きたいと思いますけれど、いつ、誰《だれ》と行くにしても、あんな気候の土地では長生きはできないと思っています」

「そうか！ あなたは自分の体が大事なのですね」と彼は、唇《くちびる》をゆがめて言った。

「そうです。神様は、投げ捨てるためにわたしに生命をお授けになったのではございません。考えてみると、あなたのお望みに従うことは、自殺するのと同じことだという気がしてきました。それに、イギリスをはなれると、はっきりきめる前に、はなれるのと残っているのと、どちらが大きな役にたつかをたしかめなければなりません」

「それは、どういう意味ですか？」

「説明したところで、なんにもなりますまい。ただ要点だけ申しますと、わたしは、ある疑問に責められて、長いあいだ苦しんでいます。どうにかして、この疑問を解くまでは、わたしは、どこにも行かれません」

「あなたの心が、どこに向っているか、なにに引かれているか、わたしには、わかっています。あなたがいだいている興味は、無頼《ぶらい》な、恥ずべきものです。あなたは、とうにそれをうち砕くべきであった。いま、それを口にするなら、あなたは、頬を赤らめるべきだ。あなたはロチェスター氏のことを考えているのでしょう？」

それは事実だった。わたしは沈黙によって、それを告白した。

「ロチェスター氏をたずねるつもりですか？」

「あの方がどうなったかをたしかめなければなりません」

「では、わたしに残されたことは」と彼は言った。「祈りを捧《ささ》げるとき、あなたの名を思い出すことだけだ。それと、あなたが見捨てられないように神に祈ることだ。わたしは、あなたのなかに『選ばれた人』を認めたと思っていた。だが、神の見たもうところは、われわれのとはちがうのかもしれぬ。神の御意に従うほかはない」

彼は木戸をあけ、それを抜けて、ゆっくりと谷の方へ降りて行った。やがて、その姿が見えなくなった。

居間に戻ると、ダイアナが、ひどく思いつめた表情で窓ぎわに立っていた。ダイアナはわたしよりも、かなり背が高かった。彼女はわたしの肩に手をかけ、体をかがめて、わたしの顔をのぞきこんだ。

「ジェーン」と彼女は言った。「近ごろあなたは、いつも心が乱れているようね。それに顔色が悪いことよ。きっと、何かあるのね。ねえ、あなたとセント・ジョンとのあいだに、いま、何があるのか、話して下さらない？　いま三十分ほども、わたしは、窓から、あなたのようすを見ていたのよ。こんなスパイのようなことをして悪いけれど、わたしは、ずっと前から、ありそうもないことまで想像していたのよ。セント・ジョンは変った人で――」

彼女は、言葉を切った――わたしは黙っていた。間もなく彼女は、先をつづけた――

「兄は、あなたに、敬意にも似た、ある特別の気持を持っているのですわ。きっとそうよ。ほかの人には、けっして見せない、ある関心と愛情とをもって、ずっと以前から、あなたを見つめつづけてきたのよ――なんのためだと思って？　あなたを愛しているのだといいけれど――そうではないの、ジェーン？」

わたしは彼女の冷たい手をとって熱したわたしの頬にあてた。「いいえ、ダイアナ、そういうことは絶対にありませんわ」

「それなら、どうして兄は、あなたから目をはなさないの？　どうして、いつも、あなたと二人きりでいるの？　いつも、あなたを、そばに引きとめておくの？　メアリもわたしも、兄は、あなたとの結婚を望んでいるという結論に達しているのよ」

「そうなのです――わたしは結婚を申しこまれました」

ダイアナは手をたたいた。「やっぱりわたしたちが想像した通り、希望した通りだったわ！　それで、あなたは兄と結婚するのね、ジェーン。そうでしょう？　そういうことになれば、兄はイギリスに残るわ」

「それが大ちがいなのよ、ダイアナ。あの方はインドでいっしょに働く相手がほしいという、ただそれだけの理由で、わたしに結婚を申しこんだのですわ」

「まあ！　あなたをインドへつれて行こうというの？」

「そうなのよ」

「とんでもない！」と彼女は叫んだ。「あんなところへ行ったら、三カ月と生きていられやしない。わたしは保証するわ。行ってはだめよ。まだ承諾はなさらないでしょうね――それとも承諾してしまったの、ジェーン？」

「結婚は、お断わりしました」

「それで兄をおこらせたのね？」と彼女は誘うように言った。

「ええ、とてもひどく。あの方は永久にわたしを許して下さらないと思いますわ。わたしは、妹としてならお供します、と申しあげたのです」

「そんなことをするのは、正気の沙汰《さた》ではないことよ、ジェーン。どんな仕事を受け持たされるか、考えてもごらんなさいな――疲労の絶え間がなくて、丈夫な人でも、まいってしまうのに、あなたは、体が弱いんですもの。ああいう人だから、きっと無理なことを強《し》いるにちがいないわ。あの人といっしょだったら、暑い最中にだって休ませてもらえないことよ、それに、悪いことに、わたしも気がついているけれど、あなたは兄に言いつけられると、どんな無理なことでもやろうとなさるのね。あなたに兄の申しこみを断わる勇気があったとは意外だわ。すると、あなたは兄を愛していないのね、ジェーン？」

「夫としては愛していません」

「でも、あの人、容貌《ようぼう》は悪くはないでしょう？」

「それなのに、一方、わたしは、こんな不器量ですから、釣合《つりあ》いがとれません」

「不器量？　あなたが？　とんでもない。あなたは、とても奇麗よ。それに善良だし、カルカッタで火《ひ》炙《あぶ》りになるには、もったいないくらいだわ」そして彼女は重ねて、兄と同行するというような考えは、きれいに思いきるようにと、熱心にすすめた。

「ほんとに、そうします」とわたしは言った。「なぜかというと、つい、いましがた、牧師補としてならお供しますと申しあげたのですけれど、それがひどくあの方のお気にさわったようでした。あの方は結婚せずにお供をするというのを、たいへん不埒《ふらち》なことのように思っていらっしゃるのです――初めからわたしは、お兄様としてお慕いするつもりでしたし、これまでも、それで通してきたのですけれど、そのことはぜんぜん考えて下さらないのです」

「兄があなたを愛していないというのは、何か根拠がありますか、ジェーン？」

「そのことは、あの方ご自身の口から聞いて下さい。相手がほしいのは、自分ではなくて仕事なのだ、と、あの方は、何度も、くりかえしおっしゃいました。ジェーンは仕事をするようにできている人だ、恋愛をする人ではない、ともおっしゃいました――まったく、その通りですわ。でも、わたしの考えでは、恋愛をするようにできていないならば、結婚をするようにもできていない、ということになると思います。人間を便利な道具としてしか認めない男の人と一生つながれているのは、不自然ではないでしょうか？」

「そんなことができるものですか――不自然にもなんにも――問題にならないわ！」

「それに」とわたしは、先をつづけた。「いまは妹としての愛情しか持っていませんけれど、もし、いやおうなしに、あの方の妻となったとしたら、あの方に対して、避けられない、異様な、苦しい、一種の愛情がわいてくることがわたしには目に見えるのです。あれほど力量があり、風采《ふうさい》といい、態度といい、話しぶりといい、堂々としたところのあるお方ですもの。でも、もしそういうことになったら、わたしの生涯《しょうがい》は、言いようのない、みじめなものになります。あの方はわたしの愛情をお求めになりません。ですから、わたしが愛情を示したりしたら、出すぎたことをするな、余計なことだ、自分の分を守れ、という意味のことを、わたしに思い知らせようとなさるでしょう。きっとそうなさいますわ」

「でもセント・ジョンは善良な人間よ」とダイアナは言った。

「善良で、立派な方ですわ。ですけれど、あの方は、ご自分の大きな目的を追うためには、小さな人間どもの愛情や要求を、すっかり忘れておしまいになります。ですから、とるにも足らぬ人間にとっては、踏みにじられぬ用心に、あの方の通り道にいないことが肝心なのですわ。ああ、あの方が、こちらへおいでになります！　わたし、失礼しますわ、ダイアナ」そして彼が庭にはいってきたのが見えたので、わたしは急いで階上へ去った。

しかし、わたしは夕食のとき、ふたたび彼と顔を合さなければならなかった。その食事ちゅう、彼は平常通り落ち着いているように見えた。わたしは、わたしとはほとんど口をきかないだろうと思い、また結婚問題について、これ以上追求することはないだろうと想像していたが、結局、この二つとも、わたしの想像がちがっていたことがわかった。彼は、はっきり、いつもの、というよりは、最近のいつもの——わざとらしい丁寧な調子で、わたしに話しかけてきたのである。わたしがかきたてた怒りを静めるために、彼は聖霊の助けを求めたものに相違ない。わたしは彼が、ふたたびわたしを許してくれたものと信じた。

祈禱《きとう》の前の朗読に、彼は黙示録第二十一章を選んだ。彼の口から流れる聖書の言葉を聞くのは、いつに変らず気持がよかった。神の言葉を伝えるときほど、美しい彼の声が、優しく力強く響くことはなく、とりつくろわぬ彼の姿が気高く見えることはなかった。この夜、家族の一団にとり巻かれた彼の声は、とくに荘重な調子をおび、その態度は、とくに厳粛なものをふくんでいた。（五月の月がカーテンを引かない窓から差しこみ、テーブルのロウソクの火を、ほとんど無用のものにしていた）――彼は、そこに席を占めて、古い大きな聖書に、のしかかるようにしながら、そのページから新しい天国、新しい地上のありさまを述べ、神が人とともに住みたもうこと、神は人々の目から涙をことごとくぬぐい去って下さること、さきのことは、すべてすぎ去ったがゆえに、そこには死もなく、悲しみも嘆きもなく、いかなる苦しみもないことを説いたのであった。

そして、つぎの言葉を彼が言ったとき、わたしは異様な感動にうたれた――とくに、微《かす》かな、言い表わしようのない声音の変化で、彼の目がわたしに向けられているのを感じたとき、そうであった。

「勝利をうるものは、これらのものを得てその業となさん。われ、彼の神となり、彼、われの子となるべし。されど」これを彼は、ゆっくりと明確に読んだ。「臆《おく》するもの、信ぜざるもの……は、火と硫黄《いおう》の燃ゆる池にて、その報いを受くべし、これ第二の死なり」

これでわたしは、セント・ジョンがどんな運命をわたしのために恐れているのかを知った。

この章の最後のかがやかしい章句を読む彼の声には、穏やかな、ひそかな勝利の響きが認められた。この読み手は、彼の名がすでに小羊の生命の書に記されているのを信じ、地上の王たちがその光栄を携え来たる聖都へ、彼もまた行くことを許される日を待ち望んでいるのであった。それは、神の栄光がこれを照らし、小羊がその灯火となるがゆえに、日月も照らす必要のない都であった。

朗読につづく祈禱で、彼のすべての力は、これに集められ、彼のすべての熱意は目ざめた。彼は全力をあげて神とともに戦い、勝利を待望した。彼は心弱きものに力を与え、檻《おり》を逃がれてさまようものを導き、狭い道から現世と肉との誘惑に呼びかけられている人々のためには、最後の瞬間においてでも、道にたち帰ることを祈った。燃え木が火から救い出される（訳注 旧約アモス書四章十一節）恩恵を、彼は求め、願い、訴えた。熱誠は、常に、きわめて厳粛なものである。初め、彼の祈禱を聞きながら、わたしは彼の態度を疑っていた。しかし、それが進み、いよいよ高まるにつれて、わたしは動かされ、ついに心服するにいたった。彼は、その意図の偉大さと正しさとを心から確信していた。だから、その祈りを聞いているものも、それを感じないではいられないのであった。

祈禱が終り、わたしたちは彼と別れた。彼は、あくる日の朝早く出発する予定であった。ダイアナとメアリは彼に接吻《せっぷん》して、部屋を出て行った――彼に、何か耳うちされて、それに従ったのだとわたしは思う。わたしは手を差し伸べて、よい旅をなさるようにと言った。

「ありがとう、ジェーン。前にも言ったように、わたしは二週間したらケンブリッジから戻《もど》ってきます。だから、そのあいだ、あなたは、ゆっくり考えることができるわけです。人間的な自尊心に耳を傾けるならば、わたしはもう結婚問題については、あなたに、何も言うべきではない。だがわたしの義務に耳を傾ける。そして最初の目標から目をそらせることはしない――神の栄光のためにはわたしは何事をも辞さないつもりです。主は長く耐え忍ばれた。わたしもこれにならうのです。わたしはあなたを『神罰の器《うつわ》』（訳注　新約ロマ書九章二十二節）として永劫《えいごう》の死にゆだねたくはない。いまのうちに悔い改め、決心して下さい。昼間のうちに働けと命じられていることを――『夜来たらん、そのときは誰も働くこと能《あた》わず』(訳注 新約ヨハネ伝九章四節)と戒められていることを忘れないで下さい。富める人の運命を忘れないで下さい。『富める人』は生きているうちに善行をしたのです。神があなたに、よりよき生き方を選ぶ力を、『奪うべからざるもの』を選ぶ力(訳注 新約ルカ伝十章四十二節)を与えて下さるようにとわたしは祈ります」

この最後の言葉のとき、彼はわたしの頭に手をのせた。真面目な、落ち着いた語調であった。彼のようすは、事実、恋人をいだく人のそれではなく、さまよう小羊を呼び戻す牧師のそれ――もっと適切にいえば、彼の守らねばならぬ人間を見守る守護天使のそれであった。すべて才能ある人というものは、感情家であると否《いな》とにかかわらず、また熱狂家、野心家、暴君であると否とにかかわらず――真摯《しんし》でさえあれば――人を心服せしめ、統御するとき、必ず崇高なものを示す一瞬があるものである。わたしはセント・ジョンに畏怖《いふ》を感じた――その畏怖は、あれほども長いあいだ避けつづけてきたものに、たちまちわたしを追いやったほど、強いものであった。わたしは彼との戦いを放棄しようとする誘惑――彼の意志の激流に身をまかせ、彼の生涯の深淵《しんえん》に落ちこみ、わたし自身の意志を捨てようとする誘惑を感じた。以前、別の形で、別の人によって経験させられたときと同様、わたしは彼のために、ほとんど動きがとれないほど押えつけられてしまった。二度ともわたしは愚かだった。あのとき屈服していたならば、信念を守れぬ誤りを犯すことになっただろう。いま屈服すれば、それは判断をあやまる過失を犯すことになる。いま、時という静かな介在物を隔てて、あのときの危機をかえりみて、わたしはそう思う。しかし、当時、わたしは、その愚かさに気がつかなかった。

わたしはわたしの導師の手の下に立ちつくしていた。わたしの拒否は忘れられ、わたしの恐怖は克服され、わたしの戦いは麻痺《まひ》してしまった。不可能が――セント・ジョンとの結婚のことである――たちまち可能になろうとしていた。すべてが、まったく一変しようとしていた。信仰が呼び、天使が招き、神が命じ、生命が巻物のように巻き納められ、死の門は開かれて、彼方《かなた》の永遠を示していた。そこの平安と祝福のためには、この世のあらゆるものを一瞬のうちに、犠牲にしてもよいというかのように思われた。暗い部屋が幻影に満たされた。

「いま決心がつきますか？」と伝道師はたずねた。この質問は、優しい声で言われた。彼は、それと同じように、優しくわたしを引きよせた。ああ、この優しさ！　力などより、なんと、はるかに効果的なことであろう！　わたしはジョンの怒りに抵抗することができたが、彼の優しさには、葦《あし》のように柔軟になってしまった。だが、そのあいだにも、もし屈服したら、他日、さきにロチェスター氏に対して反抗したのと同じように、やはり後悔させられるだろうという考えが頭をはなれなかった。一時間の厳粛な祈禱で、彼の性格が一変したはずはない。ただ高められたにすぎないのだ。

「確信さえすれば決心がつきます」とわたしは答えた。「あなたとの結婚が神の思《おぼ》し召しであると確信できさえすれば、いま、この場で、あなたと結婚することを誓います――後にどういうことがあろうとも！」

「わたしの祈りは報いられた！」とセント・ジョンは叫んだ。彼はわたしの頭にのせていた手に、あたかもわたしを求めるかのように力をこめた。そして、あたかも、ほとんど愛しているかのようにわたしを抱いた（わたしは、ほとんど、という――わたしには、その差異がわかるのだ――愛されるとは、どんなことかをわたしは知っていたからである。しかしこのときは、彼と同様、わたしは愛を問題にせず義務だけを考えていた）。わたしは心のなかの、まだその前に雲が渦巻《うずま》いている、おぼろげな幻影に悩まされていた。わたしは、正しいことをしよう、正しいことだけをしよう、と深く心から熱望した。「お示し下さい。わたしの行く道をお示し下さい！」とわたしは天に訴えた。わたしは、かつてないほど興奮した。そのあとで起ったことが、その興奮の結果であったかどうかは、読者の判断にお任せしたい。

家のなかは、ひっそりしていた。たぶん、セント・ジョンとわたしのほかは、みな寝てしまって、そのせいだったと思う。一本きりのロウソクの灯《ひ》が消えかかっていた。月光が、部屋にあふれていた。胸が、激しく動悸《どうき》をうち、わたしは、その響きを聞くことができた。突然、動悸がとまった。それはわたしの全身をつらぬき、たちまち頭と手足の端々にまで伝わった。ある説明のしようのない感動のためであった。その感動は電撃のようなものではなかったが、しかし、それと同じように、きわめて鋭い、不思議な、びっくりさせるようなものであった。それはわたしの神経に働きかけ、いままで麻痺していたその全能力に呼びかけて、無理にも目をさまさせようとするかのようであった。五官は気負いたった。目と耳は待ちかまえ、筋肉は骨の上で戦慄《せんりつ》した。

「何を聞いたのですか？　何を見ているのですか？」とセント・ジョンがたずねた。わたしは、何も見はしなかった。しかし、どこかで、ある声が叫ぶのを聞いた――

「ジェーン！　ジェーン！　ジェーン！」と、ただそれだけであった。

「おお、神様！　あれは、なんでしょう？」と、わたしはあえいだ。

わたしは「あれは、どこでしょう？」と言ったのかもしれない。なぜなら、その声がしたのは、部屋のなかでも、家のなかでも、庭のなかでもなかったらしいからである。また空から来たのでもなく、地の下からでもなく、頭上からでもなかった。しかし、わたしは聞いた――どこでとも、どこからとも、永久に知ることのできない声を！　そしてそれは、人間の声――聞きおぼえのある、なつかしい、忘れられない声――エドワード・フェアファックス・ロチェスターの声であった。苦痛と悲嘆に満ち、荒々しく、不気味で、急迫した調子であった。

「いま行きます！」とわたしは叫んだ。「お待ち下さい！　行きます！」わたしは入り口へ飛んで行って廊下を見渡した。真っ暗だった。わたしは庭へ走り出た。そこも空虚だった。

「どこにいらっしゃるのですか？」とわたしは叫んだ。

マーシュ・グレンの彼方の丘が、微かに答えを送り返してきた。「どこにいらっしゃるのですか？」わたしは耳を澄ました。もみの林で、風が低く吐息をもらした。そこにあるものは原野の寂寥《せきりょう》と深夜の静寂であった。

（去れ、魔もの！）門のわきの黒いいちいの近くに、その妖怪《ようかい》が黒い姿を現わしたかのようにわたしは心のなかで言った。（これは、おまえの瞞着《まんちゃく》でもなく、おまえの妖術でもない。大自然のなす術《わざ》だ。大自然が立ちあがって――奇跡ではない――その妙技を見せてくれたのだ）

わたしは、あとからついてきてわたしを引きとめようとするセント・ジョンの手を振りはらった。こんどはわたしが主役を演ずる番であった。わたしの力が登場し、活躍をはじめた。わたしは、何も訊かないでほしい、何も言わないでほしい、と言った。わたしにかまってくれるな、と頼んだ。わたしは、一人きりになりたかった。また、ならなければならなかった。彼は、すぐに、これに従った。十分な力があって命令する場合には、必ず服従がともなうものである。わたしは自分の部屋へはいって、ドアに錠をおろした。そして、膝《ひざ》をつき、わたしなりの形式で祈った。――セント・ジョンの形式とはちがうが、これはこれなりに効果があるのだ。わたしは聖霊のすぐ間近まで進み入ったように感じ、そしてわたしの魂は、その足もとに飛びついて、ひれ伏した。わたしは感謝の祈りを終えて立ちあがり、決意を固め、心の光明をえて、安らかな気持で床についた――朝の光を待つこと以外には、何も考えなかった。

36

夜が明けた。わたしは未明に起きた。しばらく留守にするあいだ、部屋を奇麗に片づけておくつもりで、一、二時間、自分の部屋や衣裳箪笥《いしょうだんす》や引出しのなかの持物を始末するのに追われていた。そのあいだに、わたしはセント・ジョンが、部屋を出たのを聞いた。彼はわたしの部屋の前で足をとめた。わたしは彼にノックされるのが恐ろしかった——だが、その音は聞えず、ドアの下から一枚の紙片が差しこまれた。わたしは、それを手にとった。それにはこう書いてあった——

「昨夜あなたは急にわたしのもとをはなれ去ってしまった。もうすこし待っていてくれたら、あなたはクリスチャンの十字架と天使の冠に手をおいたことでしょう。二週間後、わたしが帰ってきたときには、あなたは、はっきり決心がついていることと思います。そのあいだ、『誘惑に負けぬよう、目をさまし、かつ祈れ』、あなたは『心熱すれども肉体は弱きなり』（訳注　新約マタイ伝二十六章四十一節）なのです。わたしはたえず、あなたのために祈ります。——あなたのセント・ジョンより」

（わたしの魂は）とわたしは心のなかで答えた。（進んで正しいことをしようとしている。わたしの肉体は、神の意志がはっきりとわかったら、即座にそれに従うだけの強いものでありたい。ともかく、この迷いの雲から出口を捜し——求め——手探りして、確実という陽光を発見するだけ十分に強くならなければならない）

六月の一日であったが、その朝は曇って凍えるほど寒く、雨が、はげしく窓をうっていた。わたしは、玄関のドアがあいてセント・ジョンが出て行くのを聞いた。窓を通して、わたしは彼が庭を横ぎるのを見た。彼は、もやのかかった原野を、ウィットクロスの方角に向って越えて行った。ウィットクロスで彼は馬車に乗りこむはずであった。(従兄《いとこ》よ、あと何時間かしたら、おそらくわたしも、あなたにつづいて、その道を行くことでしょう)わたしは心のなかで言った。(わたしもウィットクロスで馬車に乗ります。わたしも永久にイギリスを去る前にたずねて会いたい人がいるのです)

まだ朝食までに二時間あった。そのあいだ、わたしは静かに、部屋のなかを歩きながら、わたしにこんどの計画を思いたたせた、あの訪れのことを考えていた。わたしは、あのときに経験した心の感動を思いかえしてみた。言いようのない驚異とともに、わたしは、それを思いかえすことができた。わたしは自分が聞いたあの声を思い起してみた。わたしはふたたび、あの声はどこから来たのだろうと考えてみたが、やはりむだだった。それは外の世界からでなく、わたしの内部から来たもののように思われた。わたしは自問自答した。あれは、ただの神経性の印象、ただの幻覚であったのか。しかし、それでは納得ができず、信じられなかった。むしろ、霊感に似ていた。あのすさまじい感激は、パウロとシラスの牢獄《ろうごく》の土台をゆるがせた地震のように(訳注 新約使徒伝十六章二十六節)わたしを襲った。それは魂の牢舎のとびらを開き、束縛《いましめ》の縄《なわ》を解いた——それは魂の眠りをさました。魂は、ふるえながら、耳をそばだてながら、びっくりしながら、とび起きた。それから、驚いているわたしの耳に、三声の叫びが、響いてきて、わたしの胸をおののかせ、わたしの魂をつらぬいた。しかもわたしの魂は恐れもせず、おののくこともなく、わずらわしい肉体にかかわりなく努力することを許され、その努力の成功したのを喜ぶかのように、小躍りしたのであった。

(間もなく)と、わたしは黙想をうち切って心に言った。(昨夜わたしを呼んだらしいあの方について、何か消息を知るだろう。手紙は役にたたなかった——直接行ってたずねてみたら、役にたたなかった手紙の埋め合せがつくだろう)

朝食のとき、わたしはダイアナとメアリに、これから旅に出る、それで、すくなくとも四日間ほど、留守にする、と告げた。

「一人で、ジェーン?」と、二人がたずねた。

「ええ、前から、ある知り合いの方のことが気にかかっていたので、会うなりようすを訊くなりしてきたいと思いますの」

二人は、あなたには自分たち以外に知り合いはないはずだ、と反問してもよかったのだ。事実、わたしは、何度か、くりかえして、そう言っていたのだから。すくなくとも彼女たちは、心のなかでは、そう思ったに相違ない。しかし生来の慎しみ深さから、二人は、何も言わなかった。ただダイアナが、旅行に耐える自信があるか、とたずねただけだった。ひどく顔色が悪い、と彼女は言った。わたしは、心に不安がある以外、どこにも悪いところはない、その不安も、ほどなく除かれるだろう、と答えた。

そのあと、わたしは容易に準備を進めることができた。というのは、質問や臆測《おくそく》に悩まされることがなかったからである。わたしの計画について、いまうち明けることができないわけを話すと、二人は親切に、また賢明に、わたしが黙って計画を実行に移すことを許してくれた。同じような状態におかれたなら、わたしも彼女たちに認めたであろうが、彼女たちはわたしに自由に行動する権利を認めてくれたのであった。

わたしは午後三時にムーア・ハウスを出た。そして、四時すこしすぎには、ウィットクロスの道標の下に立って、はるばるソーンフィールドまでわたしを運んでくれる馬車の到着を待っていた。これらの寂しい道と人気のない丘の寂寞《せきばく》のうちに、わたしは、はるか彼方から馬車が近づいてくるのを聞いた。それは、一年前、ある夏の夕べ、この同じ場所で乗り捨てた、あれと同じ馬車であった——あのときは、なんと寂しく、希望がなく、目的がなかったことだろう！　わたしが合図すると馬車はとまった。わたしは乗りこんだ——こんどは持合せの全財産を料金に払って降りなければならないというのとはちがっていた。ふたたびソーンフィールドへ向う道についたわたしは、家路につく伝書鳩《でんしょばと》のような思いであった。

三十六時間の旅であった。わたしは火曜日の午後ウィットクロスを出発した。木曜日の朝早く、馬車は、街道筋のある宿屋で、馬に水を飲ませるためにとまった。付近一帯の緑の生垣《いけがき》と、広い野原と、なだらかな牧畜用の丘とが（モートンの北中部地方特有のきびしい荒野と比べて、なんという穏やかな地形、なんというあざやかな緑であろう！）、むかし見なれた人の顔のようにわたしの目に映った。そうだ、わたしはこの風景の特徴を知っている。たしかに、わたしはもう目的地の近くまで来ているのだ。

「ソーンフィールド館《やかた》まで、ここから、どのくらいありますか？」と、わたしは宿屋の馬丁にたずねた。

「あの野原を越えて、ちょうど二マイルです」

（わたしの旅は終った）とわたしは思った。わたしは馬車を降り、とりにくるまで預かっておいてくれるようにと言って携帯品を馬丁に渡した。そして料金をはらい、御者に祝儀《しゅうぎ》をやって、歩き出した。明るい日差しが宿屋の看板を照らしていて、わたしは、それにメッキ文字で「ロチェスター・アームズ」と書かれてあるのを見た。わたしの心は躍った。わたしはすでにわたしの主人の領地へ来ているのだ。だが、心はふたたび沈んだ。ある考えが、それを沈ませたのである——

（ひょっとしたら、おまえの主人は、イギリス海峡を渡っているかもしれない。仮に、おまえの目ざすソーンフィールドにいるにしても、そのそばには、誰《だれ》がいるというのか？　発狂した妻がいるではないか。おまえは、おまえの主人を、どうすることもできないのだ。思いきって口をきくことも、あの人のいるところを捜すこともできないのだ。「おまえは、むだな骨折りをしているのだ――これ以上行かない方がよい」）と心のなかの訓戒者が勧めた。（宿屋の人たちに、訊いてみなさい。彼らが、お前の知りたいことを話してくれる。彼らが、すぐに、おまえの疑問を解いてくれる。あの男のところへ行って、ロチェスター氏が屋敷におられるかどうかたずねてみるがよい）

賢明な思いつきであった。だが、わたしは、わたしをそれに従わせることができなかった。わたしを絶望でうち砕くかもしれないような答えを聞くのが、わたしは、たまらなく恐ろしかった。疑問を延ばすのは希望を延ばすことであった。まだ希望の星の光に照らされたソーンフィールド館を、もういちど見ることがないとは、言いきれなかった。わたしの前には、木戸の踏段があった。――ソーンフィールド館をとび出したあの朝、執拗《しつよう》な怨霊《おんりょう》にとりつかれ、それに駆りたてられて心が乱れ、目も見えず、耳も聞えず、夢中で走り抜けた、あの原があった。どの道を通ったとも知らず、いつしかわたしはその原のなかほどまで来ていた。どんなにわたしは足を早めたことであろう！　あるときは、どんなに走りさえもしたことであろう！　見おぼえのある森を見つけだそうとして、どんなに目を凝らしたことであろう！　よく知っている木立ちと、そのあいだから見える、なつかしい草原と丘の姿とを、どんな気持で迎えたことであろう！

ようやく森が見えてきた。みやまがらすが、真っ黒に群がり、その高い鳴き声が朝の静けさを破った。不思議な喜びがわたしを元気づけた。わたしは、さらに足を早めた。別の原をすぎ、小径《こみち》を縫って行った。中庭の塀《へい》があり、別むねの小屋があった。本館は、そこに群がるみやまがらすが見えるだけで、まだ見えなかった。（まず正面から見ることにしよう）とわたしは心をきめた。（そうすれば、さっそく、あのいかめしい胸壁が毅然《きぜん》としてわたしの目をひきつけるだろう。そしてわたしは主人の部屋の窓を見わけることができるだろう。主人は、ちょうど、そこに立っていらっしゃるかもしれない――あの方は早起きだから。それとも、果樹園か、前の舗道を歩いていらっしゃるかもしれない。お目にかかれさえしたら！――一目でもいい！　そうしたら、わたしは夢中になって走りよりはしないだろうか？　なんとも言えない――自信がない。それで、もし走りよったとしたら――どうなる？　ああ、そうしたら、どうなるだろう？　しかし、もういちど、あの方の眼差《まなざ》しを受けて、生きる喜びを味わったとしても、そのために、誰が傷つくというのか？――わたしはどうかしている。た

ぶん、いま時分、あの方は、ピレネーの山頂か、潮の干満のない南の海で日の出をながめていらっしゃるかもしれないのに)

わたしは、果樹園の低い塀に沿って歩き——その角を曲った。ちょうどそこに門があって、それぞれ石の球をのせた二本の石柱のあいだから、草原へ出られるようになっていた。その門柱の陰から、わたしは、建物の正面を、ずっと、のぞき見することができた。どれか、寝室の窓で、早くも日よけが引きあげられているところがあるかどうかをたしかめようとして、わたしは、そっと首を伸ばした。胸壁、窓、長い正面——すべてが、この隠れ場から見渡すことができた。

こうして様子を探っているあいだ、頭上を舞う烏《からす》がわたしを見守っていたかもしれない。彼らは、なんと思ったことであろう。初めは臆病で、非常に注意ぶかかったのが、次第に大胆になり、無謀になった、と思ったに相違ない。のぞき見、つぎに長い凝視、さらに隠れ場から出て草原にはいりこんだ。それから大きな建物の正面で急に足をとめ、いつまでもじっとこれに目を据《す》えていた。「初めのうち、おまえさんは、なんと内気そうな様子だったことか」と彼らは言ったかもしれない。「そして、いまはまた、なんという馬鹿《ばか》げた大胆さだ」

読者よ、一つのたとえを、聞いていただきたい。

ある男が、苔《こけ》の生えている堤に愛人が眠っているのを発見したとする。彼は、彼女の目をさまさせずに、その美しい顔を、かいま見たいと思う。彼は、音をたてないように注意して、そっと草地を渡って行く。ふと、彼女が目をさましたかと思って、彼は足をとめる。彼は、あとずさりする——絶対に見られたくなかったのだ。なんの動きもない。彼は、ふたたび足を進める。彼女の上に身をかがめる。——薄いヴェールが彼女の顔を隠している。彼は、それをとりのけ、さらに低く腰をかがめる。いま、彼の目は、美しいもの——安らかに眠る、暖かい、花のような、かわいらしいものを期待する。その最初の一瞥《いちべつ》の、なんというあわただしさ！　だが、どんなに彼は見つめることであろう！　どんなに驚くことであろう！　一瞬前までは、指さえ触れようとしなかった彼女の体を、彼は、どんなにあわただしく、はげしく抱きしめることであろう！　どんなに声高く彼女の名を呼び、抱いた体をとり落し、どんなに呆然《ぼうぜん》と、それを見つめることであろう！　こうして彼は、抱きしめ、叫び、見つめる——それは、どんな声を出しても、どんな動作をしても、もはや彼女が目をさます恐れはないからである。彼は愛人が安らかに眠っているとのみ想像していた。ところが彼は、彼女がまったく息絶えているのを発見したのだ。

わたしは胸を躍らせながら、堂々たる建物を見渡した。——しかしわたしが見たのは黒焦《くろこ》げの廃墟《はいきょ》であった。

これなら、門柱の陰に身を潜める必要は、まったくなかったわけだ！　人が起き出てきはしないかと心配して、びくびく寝室の格子窓《こうしまど》を見あげることもなかった！　舗道や砂利道から聞えてくるかもしれない足音を気遣いながら、ドアの開く音に、聞き耳をそばだてる必要もなかった！　芝生も、庭も、踏み荒されていた。門は、うつろに口をあけたままだった。屋敷の正面は、かつて夢で見たのと同じように、貝殻《かいがら》でつくったような壁だけになって、いたずらに高く、いまにもくずれ落ちそうで、ガラスのない窓が、穴をうがったように、ぽっかりと口をあけていた。屋根もなく、胸壁もなく——何もかも、くずれ落ちていた。

そこには死の静けさと荒野の寂寥《せきりょう》があるばかりだった。この家の人にあてて出した手紙に、ついに返事が来なかったのも不思議はない——教会の側廊の円天井にあてて手紙を出したのと同じことなのだ。黒く、不機嫌《ふきげん》に、煤《すす》けた石は、どんな運命で、この建物が滅びたかを物語っていた——火災である。しかし、どうして出火したのだろう？　この災禍には、どんな物語がつきまとっているのだろう？　壁と大理石と木材のほかに、どんな損害が、これにともなっているのだろう？　家財とともに人命もうしなわれたのであろうか？　とすれば、誰の命が？　恐ろしい疑問だ。ここには、それに答えるものは、一人もいない――物言わぬ暗示も、無言の手がかりさえなかった。くずれた壁のまわりや荒れ果てた内部を歩きまわって、わたしはこの災禍が最近起ったものでないという証拠をかき集めた。冬の雪が、空洞《くうどう》の天井から降り積もり、冬の雨が、うつろな窓から降りそそいだに相違ない。その証拠には、ぬれた、がらくたの堆積《たいせき》のあいだに、春は植物を育てており、石と焼け落ちた垂木《たるき》のあいだのそこかしこには、雑草が茂っていた。そして、ああ、そのあいだ、この廃墟の不幸な主人は、どこにいたのだろう？　いずこの土地に？　どんな保護のもとに？　わたしは思わず門の近くの灰色の教会の塔に目をやった。そして心にたずねた。（あの方はご先祖のデイマー・ド・ロチェスターとともに、狭い大理石の家を、分け合っていらっしゃるのではないだろうか？）

何かの答えが、これらの疑問に与えられなければならなかった。しかし、例の宿屋以外には、どこにも、これを求めるところはなかった。それで、ほどなく、そこへ引きかえした。宿の主人が自分でわたしの朝食を、部屋へ運んできた。わたしはドアを締めさせ、たずねたいことがあるから、と言って腰をおろさせた。しかし主人が、それに従ったとき、わたしは、どう切りだしてよいか、ほとんど見当がつかなかった。わたしは、ひょっとして彼が口にするかもしれぬ答えが恐ろしくてならなかったのだ。

しかし、いま見てきたばかりの凄惨《せいさん》な光景によって、わたしは、ある程度、悲惨な物語に対する心がまえができていた。主人は人品の卑《いや》しくない中年の男だった。

「もちろん、あなたはソーンフィールド館をご存じですわね」とわたしは、やっとのことで口を切った。

「はい、わたしは以前、あそこに、ご厄介《やっかい》になっていたことがありますのでね」

「あなたが？」わたしがいたころではない、あなたの顔は知らない――わたしは心のなかで思った。

「わたしは、お亡《な》くなりになったロチェスター様の従僕《じゅうぼく》をしておりましたのですよ」と彼は、言葉をつけ加えた。

お亡くなりになった？　わたしは、身をかわそうとしていた打撃を、まともにくらったような気がした。

「お亡くなりになった？」わたしはあえいだ。「お亡くなりになったのですか？」

「わたしの申しますのは、ご当主エドワード様のお父上のことでございますよ」と彼は説明した。わたしは息をとり戻《もど》した――わたしの血は、ふたたび流れはじめた。この言葉で、エドワード様――わたしのロチェスター氏（どこにおられようと、神よ、あの方をお守り下さいますように！）――が、すくなくとも生きていることだけはたしかめられたのである。つまり、あの人が「ご当主様」なのだ。なんという嬉《うれ》しい言葉であろう！ そのあとにくるものを——どんなことが話されようとも、わたしは、かなり冷静に聞くことができるような気がした。あの人が、墓のなかにいるのでさえなければ、たとえ地球の反対側にいると聞かされても我慢することができると、わたしは思った。

「ロチェスター様は、いまソーンフィールド館にお住まいになっていますか？」とわたしはたずねた。もとより、その答えはわかっていたが、いきなり、実際の居所を訊《き》く勇気がなかった。

「いや、あすこには、いま、誰も住んでおりません。お客様は、この辺のお方ではないと見えますな。それでなければ、昨年の秋の出来事を、ご存じないはずがございません。ソーンフィールド館は、もう見る影もなくなりましたよ。ちょうど収穫時に、すっかり焼けてしまいました。恐ろしい災難でございました。莫大《ばくだい》な貴重品が、ことごとく灰になってしまいました。ほとんど、何一つ、家財を持ち出すことができませんでした。火が出たのは真夜中で、ミルコートから消防が駆けつけたときには、建物は一面火に包まれておりました。恐ろしい光景でございました。わたしは、この目で見たのでございます」

「真夜中に！」とわたしは呟《つぶや》いた。そうか、真夜中は、ソーンフィールドでは、いつも呪《のろ》いの時刻なのだ。「出火の原因はわかっていますの？」とわたしはたずねた。

「世間ではいろいろ取り沙汰《ざた》しております、いや、取り沙汰と申しましたが、わたしに言わせれば、もうわかりきったことで、疑問の余地はございません。たぶん、お客様はご存じでございますまいが」主人は、椅子《いす》を、いくらかテーブルに引きよせ、声を低めて、言葉をつづけた。「実は、あのお屋敷には、ひとりの――ひとりの頭の狂ったご婦人がかくまわれていたのですよ」

「わたしも、ちょっとそんなことを聞いたことがあります」

「そのご婦人は厳重に閉じこめられておりましたので、何年ものあいだ、そのことを、はっきりとたしかめた者はございませんでした。姿を見た者は、一人もございません。お屋敷に、そういうご婦人がいるという噂《うわさ》があるだけで、それが何者か、どういう人物か、それをつきとめることはできませんでした。なんでもエドワード様が外国からつれておいでになったとやらいう噂で、なかにはエドワード様の情婦だろうなどと申すものもございました。ところが、一年ほど前、妙なことが起りました――実に妙なことで」

わたしは自分の名前が出るのではないかと心配になった。わたしは彼を話の本筋にひき戻そうと努めた。

「それで、その女の人は」と主人は答えた。「ロチェスター様の奥様だということがわかったのですよ！　妙なことから、それがわかりました。というのは、お屋敷に若い女の家庭教師がおりまして、それにロチェスター様が、ぞっこん――」

「それよりも、火事の方は！」とわたしは促した。

「いずれ申しあげますよ――その家庭教師にロチェスター様が恋をなさいまして、召使たちのいうところでは、類のないほどの熱のあげかただったそうで、しょっちゅう、その娘のあとを追いまわしておられたそうでございます。召使たちは旦那《だんな》様のごようすを見張っておりましたが――召使などというものは、いつもそうしたものでして――旦那様以外に、誰一人その家庭教師を非常な美人だなどと思うものはございませんのに、旦那様は、まるでもう、その娘に夢中になってしまいました。小柄《こがら》な娘で、まるで子供みたいだったと申します。わたしは一度も見たことがございませんが、女中のリアから聞きました。リアもたいへんその娘が好きでございました。ロチェスター様は四十前後でございますが、女は二十歳にもなっておりません。あの年配の紳士が若い娘に惚《ほ》れたとなると、まるで、何かに憑《つ》かれたようになってしまうものでございまして、結局、旦那様は、その娘と結婚しようとなさいました」

「その辺のところは、改めて伺うことにして」とわたしは言った。「それよりも、とくに事情があって、火事のことを、お伺いしたいのですが、その、気が狂ったとかいうロチェスター夫人が、火事と、何か関係があるのですか？」

「お察しの通りで、あの女のほかに、火をつけるものなど、あろうはずがございません。その女には、プール夫人という世話をする女がついておりまして――プール夫人は、そういう仕事にかけては、よく間にあう、信用のできる女でございましたが、看護婦だの保母だのという連中にありがちな、一つの悪い癖がございました。というのは、いつもジンの罎《びん》を手もとに忍ばせていては、ときどき度をすごしてしまうのですよ。骨の折れる勤めでございますから無理もないとはいえ、やはりそれは危険なことで。というのは、夫人が水で割ったジンで、ぐっすり寝こんでしまうと、その狂女は、妖婆《ようば》のように悪賢い女でございまして、夫人のポケットから、鍵《かぎ》をとり出して、部屋をぬけ出し、勝手にお屋敷のなかを歩きまわって、思いつくまま、どんな恐ろしい悪さでもやらかしたからでございますよ。現に、あるときなどは、お休みになっているこの旦那様を、すんでのことで焼き殺そうとしたことがあったそうです。しかし、そのことはわたしは、よくは存じません。ところで、その晩、狂女はまず自分の隣の部屋の壁掛けに火をつけ、それから階下へ降りて、家庭教師の部屋へ行きました――（どうやら事情を知って、家庭教師を憎んでいたものとみえます）――そして、そこにあるベッドに火をつけたのです。しかし、幸い、その部屋には、誰も寝ておりませんでした。家庭教師は、その二カ月ほど前に、お屋敷から逃げてしまったのです。ロチェスター様は、世にもまれな貴重なものでもなくしたように、あらゆる手段をつくして、家庭教師の行くえを捜しましたが、ついに、わからずじまいでございました。それで旦那様は失望のあまり気が荒くなり、もともと穏やかな方ではございませんでしたが、娘が逃げてからというものは、まるで危険な人物になってしまいました。しかも旦那様は、まったく一人きりになろうとなさったのでございます。それで家政婦のフェアファックス夫人に暇を出して、遠国にいる夫人の知人のところへやっておしまいになりました。もっとも、夫人に対するお手当は、まことに行き届いたもので、夫人が一生食べて行かれるだけの年金をおきめになりました。たしかに、あの夫人には、それだけの資格がございます。いい人でございましたからね。それから旦那様が後見をしておられたアデールさんは学校へお預けになりました。そしてほかの地主方との交際も、すっかり断《た》って、隠者のように、ただ一人、お屋敷に閉じこもっておられました」

「まあ！　ではイギリスを去られたのではなかったのですか？」

「イギリスをはなれる？　めっそうな！　お屋敷の敷居をまたぐことさえ、なさいませんでしたよ。でも夜分には、まるで幽霊のように、お庭や果樹園のなかをお歩きになります——これはわたしの考えでございますが、旦那様は気が変になったのだと思います。なぜと申しまして、あの家庭教師のチビ娘に、いいように引きずりまわされる以前の旦那様ほど、元気な、大胆な、気性のはげしい人は、お客様にしても、おそらくご存じではないでしょう。旦那様は、世間の人たちのように、酒やカードや競馬に、憂身《うきみ》をやつす方ではございません。それに、大して好男子でもありませんしね。その代り、誰《だれ》にも劣らぬ勇気と意志を持っていらっしゃいました。わたしは、あの方が、まだ小さい時分から存じあげておりますが、わたしといたしましては、そのエアという娘が、ソーンフィールドへ来る前に海の底にでも沈んでしまえばよかったのに、と、幾度となく思ったことでございますよ」

「では、火事のときロチェスター様は、お屋敷においでになったのですね？」

「さようで。上も下も火に包まれているとき、旦那様は屋根裏へあがって行って眠っている雇い人たちを起し、ご自身手を引いて助け出し、それから気違いの奥様を助け出すために建物にはいって行こうとなさいました。このとき、人々が、奥様は屋根の上にいる、と声をかけました。奥様は胸壁の上に立ちはだかって腕をふりまわしながら、一マイル四方に響くような声で喚《わめ》いていたのです。大きな体つきの女で、長い黒い髪をしていまして、彼女が立つと、火炎の余勢で、その髪の毛が吹き流しのようになりました。わたしは、この目で、それを見、この耳で、その声を聞いたのでございます。わたしのほかにも何人か見ておりましたが、ロチェスター様は、天窓から屋根にあがり、『バーサ!』と声をおかけになりました。そして、奥様の方へ近づいて行かれましたが、このとき奥様は、大きな声で叫びながら、やにわに身を躍らせました。そして、あっというまに敷石の上にたたきつけられて倒れていました」

「死んで?」

「死んで? そうですよ。脳みそや血の飛び散ったその敷石同様に生命はありませんでした」

「まあ、なんということでしょう!」

「まったく恐ろしいことでございました」

主人は身ぶるいした。

「それから?」と、わたしは先を促した。

「はい、それから建物が焼け落ちました。いまでは壁がいくらか残って立っているだけでございます」

「ほかには死んだ人はありませんの？」

「はい――あるいは、あった方がよかったかもしれませんが」

「それはまた、どういうわけですか？」

「お気の毒なエドワード様！」と主人は叫んだ。「あんなことになろうとは夢にも思いませんでした！　旦那様が前の結婚を秘密になすったり、奥様が生きているのに別の女と結婚しようとなさったりした罰だなんていうものもございますが、わたしとしては旦那様がおかわいそうでなりません」

「だって、エドワード様は生きていらっしゃると言ったじゃありませんか？」とわたしは思わず高い声を出した。

「はい、はい――生きておいでですよ。しかし、いっそ、お亡くなりになった方がよかったと、誰しも申しております」

「なぜですか？　どうしてですか？」わたしの血は、また冷たくなった。「どこにいらっしゃるのですか？」とわたしは詰めよった。「イギリスにいらっしゃるのですか？」

「もちろん、イギリスにおられます。あれでは、イギリスをはなれることなど、とてもおできになりますまい――いま旦那様は動くことができないのです」

なんという責め苦であろう！　しかも宿の主人は、そのうえにも、これを長引かせようとしているかのように思われた。

「旦那様は、まるっきり目が見えないのです」と、彼は、ようやく口を開いた。「はい、まったくの盲目なのですよ――あのエドワード様が」

わたしは、もっと悪いことを想像していた。彼が発狂したのではないか、と恐れていたのである。わたしは、勇気をふるい起して、どうしてそんなことになったのか、とたずねた。

「みんなあの人ご自身の勇気のためでございます。なかには、あの方の親切心のためだと申すものもございますが、ともかく旦那様は、雇い人たちが全部避難するまで建物から出ようとなさいませんでした。最後に奥様が胸壁から飛びおりたあと、旦那様が大階段を降りようとなさったとき、建物が、もろにくずれ落ちました。何もかも焼け落ちてしまったのです。旦那様は破片の下から助け出されましたが、命は助かったものの、大怪我《おおけが》をなさいました。一本のはりが、いくらか旦那様をかばうようなぐあいに落ちていました。一方の目は飛び出し、一本の腕が、めちゃめちゃにつぶれ、外科医のカーターさんとしても、即座にそれを切断するより、仕方がございませんでした。残った方の目も炎症を起して役にたたなくなりました。旦那様は、盲目で、片手で――いまはもう、どうすることもできません」

「それで、いま、どこにいらっしゃるのですか？　どこに住んでいらっしゃるのですか？」

「ファーンディーンにおいでです――ご自分の農園の別邸に。ここから三十マイルほどの距離で、まことに寂しいところでございます」

「どなたかといっしょに、おいでになるのでしょうか？」

「ジョン老人と、そのおかみさんとがおります。旦那様は、この二人以外、誰も寄せつけません。健康も、すっかり衰えておしまいになったそうです」

「何か乗物はないでしょうか？」

「手前どもに二輪馬車がございます。奇麗な馬車でございますよ」

「では、さっそく馬車を仕立てて下さい。お宅の若い衆が、きょう、暗くならないうちにファーンディーンに着くように走らせて下さるなら、あなたにも若い衆にも、普通の倍額の料金を差しあげます」

37

ファーンディーンの別邸は、かなり古い、普通の大きさの、建築としては、なんの特徴もない建物で、深い森の奥に埋もれていた。わたしはこの家のことを前に聞いて知っていた。ロチェスター氏は、よくこの家のことを話したし、ときどき訪れてもいた。これは先代が遊猟の獲物の囲い場として買いとったもので、その後、人に貸すつもりであったらしいが、場所が不便で不健康なため借り手がつかなかったのである。それで猟のシーズンに主人が来る場合に備えて、二、三の部屋が、従者の便宜のために、しつらえてあるだけで、ファーンディーンの屋敷は、家具の設備もなく、住む人もないままになっていた。

暗鬱《あんうつ》な空と、冷たい風と、降りつづける冷たい、沁《し》みいるような小雨とを気にしながら、ある夕方、ちょうど暗くなる直前、わたしは、この家に向ってやって来たのであった。約束通り料金の倍額を払って御者と二輪馬車を返してから、わたしは最後の一マイルを歩いて、この旅を仕上げた。この屋敷は、うっそうと生い茂った森に囲まれているので、その間近まで来ても、樹木にさえぎられて、何も見えなかった。二本花崗岩の門柱のあいだの鉄のとびらが、入り口を示していた。そして、そこを通り抜けると、間もなくわたしは、薄暗い樹木の茂みのなかに、はいりこんでいた。その木立ちのなかを、色あせて節くれだった樹幹のあいだを縫い、枝のアーチをくぐって、草の茂った小径《こみち》が通じていた。わたしは、ほどなく建物に着くものと予想して、その小径を進んで行ったが、しかしその小径は、うねうねと、どこまでもつづいて果てしがなく、家らしいものも庭らしいものも見えてこなかった。

わたしは、方角をとりちがえて、あらぬところに迷いこんだのではないかと思った。森の暗さと同じに、ほんとうの夕やみが迫ってきた。わたしは、あたりを見まわして、別の小径を捜した。しかし小径はなかった。あるものは、円柱のような樹幹と、交錯する枝と、濃い夏の群葉ばかり――開けたところは、どこにもなかった。

わたしは足を進めた。ようやく、樹木が、ややまだらになって、道が開けてきた。まず、柵《さく》が見え、ついで建物が見えた。――もっとも、このたそがれの、薄明りでは、ほとんど樹木と区別がつきかねるほど、その古びた壁は、陰気な緑色をしていた。かけ金をおろしただけの門をあけて、わたしは、そこだけ樹木が半円形に切り払われている囲いのなかの空地の真ん中に立っていた。そこには花もなく、花壇もなく、ひろい砂利道が芝生を囲んでいるだけで、それが森という重苦しい枠《わく》のなかにはめこまれているのであった。建物の正面には二つのとがった破風《はふ》があり、窓は狭く、格子《こうし》がはまっていた。玄関のドアも狭く、一段だけの踏段がついていた。全体として、ロチェスター・アームズ家の主人が言ったように、「まことに寂しいところ」に見えた。ちょうど、平日の教会堂のように、ひっそりとしていた。木の葉をうつ雨の音が、この付近で聞える唯一《ゆいいつ》の音であった。

（こんなところに人が住んでいるのだろうか？）とわたしは自らに問うた。

そうだ、誰か人間がいるのだ。その証拠に、わたしは、ものの動く気配を聞いた。――狭い玄関のドアが開いて、誰か人影が建物から出ようとしていた。

ドアが静かに開き、人影が夕やみの中に現われて踏段の上に立った。――無帽の男の姿だ。雨が降っているのをたしかめるように、男は片手を前方にさしのべた。暗かったけれど、わたしはその男を見わけることができた――ほかならぬわたしの主人、エドワード・フェアファックス・ロチェスターその人であった。

わたしは足をとめ、ほとんど息までとめて、彼を見守りながら立ちつくしていた――自分の姿を見られずに、彼のようすをよく見るつもりであったが、しかし、ああ、彼に見られる恐れはなかったのだ。思いがけない対面であった。しかもまた、喜びが悲痛に抑えられた再会でもあった。わたしは叫びだそうとする声を抑え、駆けよろうとする足を抑えるのに、大して困難を感じなかった。

彼の体は、以前と同じように、たくましく、しっかりしていた。姿勢も依然としてまっすぐで、頭髪も、やはり黒々としていた。容貌《ようぼう》も、昔と変らず、憔悴《しょうすい》の色はなかった。この一年間の、どんな苦難も、彼のたくましい体軀《たいく》をむしばみ、または彼のさかんな活力を奪うことはできなかったのだ。しかし彼の容貌に、わたしは、ある変化を認めた。そこには絶望と苦悩の色があった——それは、縛りつけられ、虐待《ぎゃくたい》され、怨恨《えんこん》に燃え、そばへ近づくのも危険な野獣か猛禽《もうきん》を思わせた。残忍な所業のゆえに、金色のくまどりをした目を盲目にされた囚《とら》われの鷲《わし》は、おそらく、盲《めし》いたサムソン（訳注　旧約士師記十六章二十一節）のような様子をしていたことであろう。

しかし、読者よ、あなた方は、わたしが盲目の獰猛《どうもう》な顔をした彼を恐れたと考えるだろうか？——もし、そうだとすれば、あなた方はわたしというものを、ほとんど知らないのだ。悲しみに混じって、やがて、あの岩のようないかめしい顔に、また、その下の固く結ばれた唇に、なんとしても接吻《せっぷん》をしてあげたいという、ほのかな希望がわいてきたのであった。だが、まだそのときではなかった。まだ呼びかけるときではなかった。

彼は踏段を降りて、ゆっくりと手探りをするように芝生の方に歩いてきた。あの雄々しい歩き方は、どこへ行ってしまったのだろう？　彼はそれから、どう道を曲ってよいかわからぬというように、そこに立ちどまった。手をあげて、瞼《まぶた》を開いた。見えない目で、懸命の努力で、空と半円形に囲む木立ちとを見ようとした。しかし、彼にとっては、何もかも、むなしく真っ黒に見えたに相違なかった。彼は右手を差しのべた（切断した左腕の残った部分は内懐《ふところ》ろのなかに隠されていた）。その様子は、近くに何があるかを探ろうとしているようであった。しかし手に触れるものは虚空《こくう》だけであった。樹木は、彼がいま立っている場所から数ヤードほど隔たっていたからである。彼は、その試みをあきらめ、腕を組み、降りそそぐ雨に無帽の頭をうたせながら、じっと立ったまま考えこんでいた。このとき、どこからかジョンが彼に近づいてきた。「わたしの腕におつかまりなさいませんか、旦那様《だんなさま》」とジョンが言った。「雨が、ひどくなりそうでございますが、家へおはいりになった方がよろしくはございませんか？」

「ほっておいてくれ」というのが答えだった。

ジョンはわたしに気づかぬまま引きさがった。ロチェスター氏は、その辺を歩きまわろうとした――しかしむだだった。あまりに頼りないのだ。手探りで建物の方へ引きかえした。そして、なかにはいり、ドアを締めた。

わたしは、あとを追って行ってドアをノックした。ジョンの妻がドアをあけた。「メアリ」とわたしは声をかけた。「ご機嫌《きげん》よう」

彼女は、まるで幽霊でも見たように仰天した。わたしは彼女を落ち着かせた。「いま時分、こんな寂しい場所へおいでになるなんて、ほんとうにあなたなのでございましょうか?」という早口の質問に、わたしは彼女の手をとって答えた。そして彼女のあとから料理場について行った。ジョンが煖炉《だんろ》のそばに坐《すわ》っていた。わたしは、二人を前にして、わたしがソーンフィールドを去ってから起った事件を全部聞いて知っていること、そしていまロチエスター氏に会うために来たのだということとを手短かに話した。わたしはジョンに頼んで、馬車をかえした通行税取立所へ行って、そこに預けてきたトランクを取ってきてもらうことにした。それから帽子やショールをとりながら、メアリに、この別邸に今夜泊めてもらえるか、とたずねてみた。結局、泊るための設備を整えるのは困難ではあるが、必ずしも不可能でないことがわかった。わたしは泊めてもらいますと彼女に告げた。ちょうどこのとき、居間のベルが鳴った。

「旦那様のところへ行ったら」とわたしは言った。「旦那様にお目にかかりたいという人が来ている、と言って下さい。ただしわたしの名は言わないでね」

「お会いになりますまいよ」と彼女は答えた。「どなたも、お断わりしているのですから」

彼女が戻《もど》ってきたとき、わたしは彼がなんと言ったかとたずねた。

「お名前とご用件とを申さないといけないそうです」と彼女は答えた。そしてコップに水を満たし、ロウソクとともに、それを盆に載せた。

「お呼びになったのは、そのご用でしたの？」とわたしはたずねた。

「はい、いつも日が暮れるとロウソクを運ばせるのですよ。目にお見えになりませんけれど」

「そのお盆をわたしに貸して下さい。わたしが持って行きます」

わたしは彼女から盆を受けとった。彼女は居間の入り口を指さした。手に持った盆がふるえ、コップの水がこぼれた。心臓が音をたてて、はげしく肋骨《ろっこつ》をうった。メアリはわたしのためにドアをあけてくれ、わたしのうしろで、それを締めた。

居間は陰気に見えた。ほったらかしたままの、わずかばかりの火が、炉格子のなかで力なく燃えていた。その火の上に、おおいかぶさるようにして、高い、古風なマントルピースに頭を支えている、この部屋の盲目の主《あるじ》の姿が見えた。老犬のパイロットが、片隅《かたすみ》に横になって、うっかり通路から動いて踏みつけられでもしたらたいへんだというように、小さく丸くなっていた。わたしが部屋へはいったとき、パイロットは一瞬耳を立てた。だが、すぐに、くんくん鳴きながら起きあがってきて、わたしに飛びついた。わたしは、もうすこしで盆をとり落すところだった。わたしは盆をテーブルに置いた。そして犬の頭を軽くたたき、優しく「お坐《すわ》り！」と言った。ロチェスター氏は何事が起ったのかを見ようとして機械的に顔を向けたが、もとより見えようはずはなく、ふたたび顔を元に戻して吐息をもらした。

「水をくれ、メアリ」と彼は言った。

わたしは、もう水が半分しか残っていないコップを持って、彼に近づいて行った。パイロットが、まだ興奮してわたしについてきた。

「どうしたのだ？」と彼がたずねた。

「お坐り、パイロット！」とわたしは、ふたたび声をかけた。ロチェスター氏は口もとまで持っていったコップを、ちょっととめて、耳を澄ますふうであったが、飲み終ってからコップを下に置いた。「おまえ、メアリだろうね？　ちがうのか？」

「メアリは台所におります」とわたしは答えた。

彼は、すばやく手を伸ばした。しかし、わたしの位置がわからないのでわたしに触れることができなかった。「そういうおまえは、誰《だれ》だ？　誰なのだ？」彼は、そう言って、見えぬ目で見きわめようとした。——ああ、効果のない、痛ましい努力！

「返事をしなさい――もういちど、口をきいてみてくれ！」と彼は性急に声を高めて言った。

「もうすこし水を差しあげましょうか？　コップのなかのを半分ほどこぼしてしまいましたの」とわたしは言った。

「おまえは、誰だ？　おまえは何者だ？　誰が言っているのだ？」

「パイロットが知っています。それから、ジョンもメアリもわたしがここにいるのを知っています。今夜、着いたばかりなのです」とわたしは答えた。

「ああ、なんということだ！　なんという妄想《もうそう》がわたしを襲うのだろう！　なんという嬉《うれ》しい狂気がわたしを捕えてしまったのだろう？」

「妄想ではございません――狂気ではございませんわ。あなたの頭脳は妄想に襲われるには、あまりにしっかりしすぎています。狂気に捕えられるには、あなたのお体は、あまりに健康でございます」

「そして、その声の主《ぬし》は、どこにいるのだ？　声だけなのか？　おお、わたしは見ることができない。だが、さわってみなければならぬ。さもないと、わたしの心臓はとまり、わたしの頭は裂けてしまう。誰でもいい、何者であってもいい、さわることのできるものであってくれ。さもないとわたしは生きていられない！」

彼は手探りした。わたしは、その頼りなげに探る手を捕えて、両手のなかに、しっかりと握りしめた。

「彼女の指だ！」と彼は叫んだ。「彼女の小さな、ほっそりした指だ！　もし、そうなら、ほかにも、もっと彼女の物があるはずだ」

たくましい手が、握っているわたしの指をほどいた。わたしの腕は握られた。肩も、首も、胴もつかまれ――わたしはしっかりと彼に抱きよせられた。

「ジェーンか？　これは何者だ？　これは彼女の体の形だ。これはジェーンの体の大きさだ――」

「そして、これがジェーンの声ですわ」とわたしは言い添えた。「ジェーンは、ここに来ています。身も心もいっしょに。神様のお陰ですわ！　もういちどあなたのおそばに来ることができて、こんな嬉しいことはありません」

「ジェーン・エア！――ジェーン・エア！」としか彼は言うことができなかった。

「はい、おなつかしいご主人様」とわたしは答えた。「わたしはジェーン・エアでございます。わたしは、やっと、あなた様を捜しあてました。――あなたのところへ戻ってまいりました」

「真実？　生きて？　真実、生きているジェーンなのか？」

「わたしにさわっていらっしゃるではありませんか――しっかりとわたしを抱いていらっしゃるではありませんか。けっして死骸《しがい》のように冷たくもなく、空気のように手ごたえのないものでもないでしょう?」

「生きているわたしの大事な人! たしかにこれは彼女の手足だ。これは彼女の体だ。だが、あれほどのわざわいのあとに、こんな恵みのあろうはずはない。これは夢だ――夜、わたしは、いまのようにジェーンを胸に抱きしめる夢を見る。これも、その夢の一つだ。夢のなかで、わたしは、いつも、こんなふうに彼女に接吻する――そして彼女がわたしを愛しているのを感じ、彼女がわたしを捨て去りはしないと信じる。それと同じ夢だ」

「きょうからは、けっしてはなれませんわ」

「けっして行かないと夢は言うのか? だが、やがて目がさめる。あとに残るのはむなしい自嘲《じちょう》なのだ。わたしは、孤独で、見捨てられ――前途は暗く、寂しく、希望もなく――魂は渇いているのに飲むことを許されず――心は飢えているのに食うことができない。いまわたしの腕にいだかれている、優しい、いとしい夢よ、これまで、おまえの姉妹たちが、そうであったように、おまえもまた消えて行くのだろう。だが、消えて行く前に、わたしに接吻しておくれ――抱いておくれ、ジェーン」

「はい、こんなふうに——そしてまた、こんなふうに！」

わたしは、かつてかがやき、そしていま光をうしなった彼の目に、唇をあてた。額に垂れた頭髪をかきあげて、そこにも接吻した。突然、彼は、われに返ったように見えた。これらがすべて現実のものであるという確信が、彼を捕えたのである。

「あなたなのか——ジェーンなのか？　では、あなたはわたしのもとに帰ってきてくれたのか？」

「はい」

「すると、あなたは、どこかの流れの底に死骸になって横たわっていたのではなかったのか。家もなく、見知らぬ他人に混じって、さまよい歩いているのではなかったのか？」

「はい、いまでは独立した女でございます」

「独立したって？　それは、どういう意味だ、ジェーン？」

「マデイラの叔父が亡《な》くなりまして、五千ポンドの遺産が手にはいったのです」

「ああ、これは現実だ、実際のことだ！」と彼は叫んだ。「こんなことまで夢に見るはずはない。それに、これは、優しいなかにも、きびきびした、ジェーン特有の声だ。それはわたしのしぼんだ心を明るくし、わたしの心に、命を吹きこむ。——なんだって？　ジェーン、独立したんだって？——金持の婦人になったのだって？」

「はい、とてもお金持になりましたわ。ですから、もしあなたがわたしと一つ家に住むのをお許しにならないなら、わたしは、すぐお隣に自分の家を建てることもできますよ。夜分、お話相手がほしいときには、わたしの家へおいでになって、わたしの居間で、おすごしなさいましな」

「しかし、ジェーン、金持になったからには、もちろん、あなたの世話をする人があって、わたしのような盲目の不具者に身を捧《ささ》げることを許してはくれないだろう？」

「お金持になったばかりでなく、わたしは独立していると申しあげたではございませんか。わたし自身がわたしの主人なのでございます」

「それでわたしといっしょにいてくれるのか？」

「はい——あなたさえ、おさしつかえがなければ、わたしはあなたの隣人にもなり、看護婦にもなり、家政婦にもなります。お寂しそうですから、あなたのお相手にもなります。——あなたに本を読んであげたり、散歩のお供をしたり、あなたのおそばに坐ったり、あなたのお世話をしたり、あなたの目となり手となりますわ。そんな悲しそうな顔をなさらないで下さいな。生きているかぎりわたしはあなたを置き去りにはいたしませんわ」

彼は答えなかった。深刻な表情で考えこんでいた。彼は吐息をもらした。何か言おうとするかのように、なかば口を開きかけ――また閉じてしまった。わたしは、やや当惑を感じた。ひょっとしたら、わたしは軽率に世間並みの慣例を無視してしまったのではないだろうか。そして彼は、セント・ジョンと同じように、わたしの軽率を不作法と感じたのではないだろうか。事実、わたしがこう申し出たのは、彼がわたしに妻になることを望み、そのことを言いだすだろうという考えからであった。口にこそ出さね、彼がわたしを妻として求めるだろうという期待が、わたしの心を、浮き浮きさせていたのであった。しかし彼は、それらしい気配も見せず、いよいよ表情を暗くした。わたしはふと、とんでもないまちがいをやらかして、知らずに愚かしい役を演じていたのかもしれないと気がついた。それでわたしは、そっと彼の腕から身を引こうとした。しかし彼は、はげしくわたしを抱きしめた。

「いけない、ジェーン！　あなたは行ってはいけない。それはいけない。わたしは、あなたの体に触れ、あなたの声を聞き、あなたといっしょにいる楽しさ、あなたに慰められる嬉しさを感じた。わたしは、これらの喜びを捨てることはできない。わたしには、もう、そのような喜びは、何も残っていない――わたしは、どうしてもあなたがほしい。世間から笑われてもよい。馬鹿《ばか》と言われても、身勝手と言われてもよい

――わたしはかまわぬ。わたしの魂が、あなたを求めているのだ。それが、かなわなければ、わたしの魂は、くやしまぎれに、とりかえしのつかぬようなことをするかもしれぬ」

「ですからわたしは、いつまでもあなたのおそばをはなれません。さっき申しあげた通りですわ」

「うむ、だが、いっしょにいて、あなたは一つのことを了解する。いま、あなたは、わたしの手となり、椅子《いす》となり、優しい若い看護婦としてわたしに仕えようと決心した（あなたは優しい心と寛大な精神を持っている。それが、あなたを促して不幸な人たちのために、あなた自身を犠牲にさせるのだ）。そして、それがわたしに対しても十分なことをあなたにさせるだろう。わたしは、たぶん、あなたに対して、父親としての感情を持つだけで満足しなければならないのではないだろうか？　そう思わないかね、ジェーン。あなたの考えを訊きたい」

「あなたのお好きなようにとわたしは思っております。もし、その方がよいとお考えになるのでしたら、わたしは看護婦になるだけで満足いたしますわ」

「だが、あなたは、いつまでもわたしの看護婦になっているわけにはいかないだろう、ジャネット――あなたはまだ若い――いずれ結婚しなければならない」

「結婚のことなど考えておりません」

「それは考えなくてはいけないよ、ジャネット——わたしが、昔のわたしだったら、無理にも、あなたに考えてもらうところだ。だが——目の見えない不具者では！」

彼は、ふたたび沈鬱《ちんうつ》に戻った。一方わたしは、かえって明るくなり、新しい元気が出てきた。この最後の言葉が、どこに困難があるかをわたしに見破らせたからである。しかも、その困難は、わたしにとって、なんでもないことであった。だからわたしは、追いこまれていた窮地から完全に解放されたのであった。ふたたびわたしは、楽な気持で、言葉をつづけることができた。

「いまは、誰かが、あなたを、元のあなたに立ちかえらせるときですわ」と、わたしは、長く伸びほうだいになっている彼の濃い髪の毛を手でかき分けながら言った。「なぜなら、あなたはライオンか、そういったものに変ってしまったような気がするんですもの。まるでこのあたりの野原のネブカドネザル（訳注 旧約ダニエル書四章。バビロン王で、野に追われ鳥獣のようになった）そっくりですわ。あなたの頭髪といったら、まるで鷲《わし》の羽根みたいよ。爪が鳥の爪のようになっているかどうかは、まだ見ていませんけれど」

「この方の腕には指も爪《つめ》もないのだ」と彼は上着の下から、切断した残りの部分を引き出してわたしに見せながら言った。「まるで木の切り株だ——気味のわるい格好だ！　そう思わないかね、ジェーン？」

「お痛ましい気がしますわ。あなたの目も、額のやけどの跡も、痛々しく見えます。けれども、もっと悪いことは、そういうものにかかわりなく、人が、あまりにも、あなたを愛しすぎ、あまりに、あなたを大事にしすぎる危険があることですわ」

「この腕と、このやけどの跡を見たら、あなたは身ぶるいしただろうとわたしは思っていた」

「まあ、そんなふうにお思いになったのですか？　そんなことはおっしゃらないで下さいな。さもないと、あなたのお考えを軽蔑《けいべつ》するようなことを言わなければならないかもしれませんから。さあ、ちょっと手をはなして下さいな。火をかきたてて、もっとよく燃えるようにしますから。火がよく燃えていたら、おわかりになりますか？」

「うむ、右の目に、ぼうっと明るく見える――赤いかすみのようにね」

「ロウソクの火は？」

「ごく微《かす》かに、一つ一つが光った雲のように見える」

「わたしの姿は？」

「見えないよ、妖精《ようせい》さん。だが、わたしは、あなたの声が聞え、体にさわることができるだけで十分だ」

「お夕食は何時になさいます」

「わたしはぜんぜん夕食をとらないわ。わたしは、おなかがすいていても、食べられるときには、なにかかたいものも食べていますわ。わたしは、おなかがすいていなくてはいけませんわ。わたしは、おなかがすいています。あなたも、きっとそうですわ。ただ忘れていらっしゃるのですわ」

「でも今夜は、何か、おあがりにならなくてはいけませんわ。わたしは、おなかがすいています。あなたも、きっとそうですわ。ただ忘れていらっしゃるのですわ」

　わたしはメアリを呼んで、部屋をもっと奇麗に片づけさせた。そして彼にも気持のよい食事を用意した。わたしは、浮き浮きと、楽しく、また気軽に、食事中も、それが終ってからも、長いあいだ彼に話しかけた。彼とともにいると、うっとうしい遠慮もなく、浮きたつ気持を抑制するものもなかった。それは、わたしが彼にぴったり適合していることがわかり、完全に安らかな気持でいられたからである。わたしの言うこと、わたしのすることは、すべて彼を慰めるか元気づけるかするらしかった。なんという喜ばしい意識！　それはわたしの心に生命の光明をもたらした。彼という存在のなかにこそ、わたしは生き、わたしのなかにこそ彼は生きるのだ。目は見えなかったが、彼の顔には微笑が浮び、歓喜は額にかがやいた。彼の顔の表情は和らげられ、赤味が差してきた。

　夕食が終ると、彼はわたしに向って、こんな質問をした。どこにいたのか、何をしていたのか、どうして彼を捜しあてたのか、などについて。しかしわたしは、ごくわずかしか答えなかった。その夜、詳しく話すには、もうあまり時刻が遅すぎた。それにわたしは、奥深い彼の心の弦に触れたくなかったし、彼の心に、新しい感情の泉を送りたくもなかった。彼の気を浮きたたせること、これが現在のわたしの唯一《ゆいいつ》の目的であった。その通り、彼は快活にはなった。しかし、まだそれは発作的にそうなるのでしかなかった。一瞬でも会話がとぎれて沈黙がくると、彼は不安そうにわたしに触れ、「ジェーン」と声をかけるのである。

「たしかに、あなたは生きて血のかよった人間なのだね、ジェーン? まちがいはないね?」

「もちろん、まちがいありませんわ、ロチェスター様」

「だが、この暗い陰気な夜、あなたは、どうしてわたしの寂しい炉辺に現われることができたのだろう? わたしは召使の手から受けとるつもりで水を入れたコップに手を伸ばした。しかも、それをわたしに渡したのは、あなただった。わたしはジョンの細君の返事を期待して声をかけた。それなのにわたしの耳は、あなたの声を聞いたのだ」

「メアリの代りに、わたしがお盆を持ってはいってきたのですわ」

「それでいま、魔法にかかったように、こうしてあなたといっしょにいる。この数カ月、わたしが、どんな暗い、恐ろしい、希望のない生活をつづけてきたか誰《だれ》が知っていよう？　何もせず、何も期待せず、むなしく夜と昼を送り迎え、火が消えても寒さを感じない、食事を忘れてもひもじさを感じなかった。わたしのこの果てしのない悲しみ、ときどき、もういちど、わたしのジェーンを見たいと願う気も狂うほどの気持——。ほんとうに、あなたをとり戻《もど》すことが、わたしにとっては、視力をとり戻すことよりも、はるかに切実な願いだった。ほんとうに、ジェーンがわたしとともにいて、わたしを愛するというのだろうか？　来たときと同じように、ふっとまた、どこかへ行ってしまうのではないだろうか？　あすジェーンがふたたびいなくなるのかもしれぬのがわたしは恐ろしい」

彼自身の混乱した考えからはなれて、日常的な、実際的な答えをするのが、こういう精神状態にある彼を落ち着かせるには、もっとも適切なものであるに相違ないとわたしは思った。それでわたしは、彼の眉毛《まゆげ》の上を指でなでて、それが焦《こ》げてしまっていることに気がつき、これを以前のように濃く太くするために、何か方法を講じよう、と言った。

「ありがとう。しかし、どんなに親切にしてくれても、それがわたしに、何になるのだろう？　いずれあなたが、ふたたびわたしを残して行く悲しいときが来る——影のように、あなたは消えて行く。どこへ行くのか、どんなふうにして行くのか、わたしにはわからない。わたしには、捜しようもないのだ」

「ポケット用の櫛《くし》を持っていらっしゃいますか？」

「どうするの、ジェーン？」

「このたてがみのようにもつれた黒髪を、梳《す》いてあげますわ。そばで、つくづくあなたを見たときには、あきれるほどでした。わたしのことを妖精だとおっしゃるけれど、あなたの方が、よっぽどブラウニー（訳注　夜、農事を手伝うという善良な黒鬼）のようですわ」

「見苦しいか、ジェーン？」

「とっても。もっとも、あなたは昔からそうでしたわね」

「ふん！　どこへ行っても口の悪いのは直らなかったとみえる」

「でも、わたしといっしょにいた人たちは、みんないい人たちでしたわ。あなたなんぞより、ずっと、百倍もいい人たちでしたわ。あなたなどの思いもよらないような思想と見識を持ち、あなたなんぞより、はるかに洗練された、上品な人たちでしたわ」

「どんなやつといっしょにいたのだ？」

「そんなふうに首をねじると、髪の毛を抜いてしまいますことよ。でも、そうしたら、あなたの疑いが晴れて、わたしが本物であることがおわかりになるでしょうけれど」

「誰といっしょにいたのだ、ジェーン？」

「今夜はお預けにしておきましょう。あすまでお預け。お話を半分にしておくことは、いわば、その残りをお話しするために、必ずわたしが、あすの朝食の食卓に出てくるという一つの保証みたいなものになるでしょう？ ところで、そのときにはコップの水だけ持って、あなたの炉辺に現われるつもりはございません。フライにしたハムは、どうかわかりませんけれど、すくなくとも鶏卵一つは持ってまいりますわ」

「この口の悪いとり換えっ子め――人間の形をした妖精め！ あなたはまるで、この十二カ月というものが、わたしには存在しなかったかのような気持にさせる。ダビデの代りに、もしあなたがいたら、サウルは竪琴《たてごと》の力を借りなくても悪霊《あくりょう》を追いはらうことができただろう」（訳注 旧約サムエル前書十六章二十三節）

「さあ、これでさっぱりしましたわ。では失礼いたします。わたし、この三日間、旅をつづけましたので、きっと疲れていると思いますの。おやすみなさい」

「ちょっと、一言だけ、ジェーン。あなたがいた家には女だけしかいなかったのか？」

わたしは笑って、逃げるように、部屋を出た。階段を駆けあがりながらも笑いがとまらなかった。（妙案だわ！）と、わたしは嬉しくなって思った。（ここ当分あの人を

じらして憂鬱を追いはらう方法が見つかった)

あくる日の朝早く、わたしは、彼が起きて、部屋から部屋へと落ち着かぬ足どりで歩きまわっている気配を聞いた。また、メアリが降りてくるが早いか、こう訊いているのを聞いた。「エアさんはいるか?」それから、「あの人を、どの部屋に泊めたのだ? 部屋は、よく乾いているか? あの人は、もう起きたのか? あの人のところへ行って、不自由なことがないかどうか、訊いてごらん。それから何時に階下へ来ますかと訊いてくれ」

朝食の用意ができたらしいので、わたしは、さっそく階下へ降りて行った。そして、そっと、部屋へはいって行って、気づかれないように彼の様子を見た。あのたくましい精神が肉体の弱さに屈伏せしめられたのを見るのは、悲しいことであった。彼は、椅子に腰をおろして――じっとしていたが、しかしそれは休んでいるのではなかった。明らかに、何かを待っているふうであった。いかめしい顔に、いまは習慣となった苦悩の筋が刻みこまれていた。彼の容貌《ようぼう》は、いま灯《ひ》が消えて、ふたたび、ともされるのを待っているランプを思わせた。だが、ああ、それに灯をともして、いきいきと顔をかがやかすことのできるのは、彼自身ではなかった。そのためには、誰かの力を借りなければならないのだ! わたしは明るく気軽にしているつもりであった。けれども、あの強かった人の無力さが痛いほどわたしの胸をうった。それでもわたしは、できるだけ快活に声をかけた。

「よく晴れた明るい朝でございますよ」とわたしは言った。「雨はもうあがり、穏やかに日が照っています。あとで散歩に行きましょうね」

わたしは光を呼びさました。彼の顔がかがやいた。

「おお、あなたは、ほんとうにいるのだね、わたしの雲雀《ひばり》さん！ ここへ来ておくれ。あなたは逃げてしまわなかったのだね？ 一時間ほど前、森の空高くで、あなたの仲間が鳴いているのが聞えたが、わたしには、朝日が光でないと同様、その歌も音楽ではなかった。わたしの耳には、地上のあらゆる曲がジェーンの舌に集中されているのだ（その舌がよく動くのがわたしは嬉しい）。わたしの感じる日の光は、すべてジェーンの存在のなかにあるのだ」

わたしにすがりつくこの告白を聞いて、わたしの目には涙が浮んだ。鳥の王者である鷲がとまり木につながれて、一羽の雀《すずめ》に向って餌《えさ》を運んでくれるようにと哀願しているようにも思われた。だが、わたしは、めそめそしてはいけない。わたしは塩からい涙をふりはらい、朝食の仕度にとりかかった。

午前の大部分をわたしは戸外ですごした。わたしは彼を、雨にぬれた陰気な森から、ひろびろとした野原へつれ出した。そして、どんなに野原が青々としているか、どんなに花と生垣《いけがき》が、あざやかに見えるか、どんなに空が青くかがやいているかを説明した。わたしは人目につかぬ居ごこちのいい場所に、彼の休む席を捜した——乾いた木の切り株である。彼が、それに腰をおろして、わたしをその膝《ひざ》の上にのせようとするのを、わたしは拒まなかった。はなれているより寄り添った方が二人とも楽しいのに、どうしてそれを拒む必要があろう？　パイロットがわたしたちのそばに寝そべっていた。あたりは、ひっそりとしていた。わたしを抱きしめたまま、彼は突然口を開いた。

「残酷な、残酷な逃亡者！　おお、ジェーン、あなたがソーンフィールドから姿を消したと知ったとき、わたしの気持が、どんなだったか、あなたには想像がつくだろうか。そして、どこを捜しても、あなたはいず、あとで、あなたの部屋を調べて、あなたが、少しも金を持って行かず、金に換えられるものも何一つ身につけて行かなかったことをたしかめたとき、わたしは、どんな気持だったと思う！　わたしが贈った真珠の首飾りは、手も触れられず小箱のなかに残っていた。あなたのトランクは、新婚旅行の準備をしたときのまま、縄《なわ》をかけ錠をおろしてあった。一文無しで、着のみ着のままで、わたしの大事な人は、いったいどうするのだろう、とわたしは自分にたずねた。あれから、あなたは、どうしたのだ？　聞かせておくれ」

こう促されて、わたしは、この一年間に経験したわたしの物語をはじめた。ただし、彷徨《ほうこう》と飢餓のうちにすごしたあの三日間については、ある程度柔らかくぼかして話した。ありのままうち明けては、彼に不必要な苦痛を与えるかもしれぬと思ったからである。わたしのいう些細《ささい》なことが、誠実な彼の心を予想以上に苦しめる恐れがあったのだ。

生活の方法を講じないで、そんなふうに出て行くという法はない、と彼は言った。わたしは彼に本心をうち明けるべきだった。彼を信頼すればよかったのだ。彼はわたしに情婦になれと強《し》いる気は、すこしもなかったのである。彼は絶望のあまり、凶暴に見えたけれど、彼自身をわたしの暴君にするには、あまりにも親切に、あまりにも優しく、わたしを愛していたのだ。寄るべのないひろい世界にとび出して行くくらいなら財産の半分を、その代償に一回の接吻《せっぷん》も望むことなく、わたしに与えたであろう。いま話した以上の苦しみにわたしが耐えてきたことを、彼は推察していたのである。

「とにかく、どんな苦しみであったにしても、それは、ごくわずかのあいだでした」とわたしは答えた。そして、言葉をつづけて、どんなふうにムーア・ハウスに迎えられたか、また、どうして女教師の職についたかというようなことについて語った。当然の順序として、遺産を相続したこと、血縁の者を発見したことなどが、これにつづいた。もちろん、話の進むにつれて、何度かセント・ジョン・リヴァーズの名が出た。

話が終ると、彼は、さっそくその名をとりあげた。

「そのセント・ジョンという男は、あなたの従兄《いとこ》なのだね」

「はい」

「何度も、その名が出たが、あなたは、その男に好意を持っていたの？」

「いい人でした。好意を持たずにはいられませんわ」

「いい人！ というのは、尊敬に価《あたい》する品行方正な五十歳前後の紳士という意味？ それとも別の意味？」

「セント・ジョンは、まだ二十九歳ですわ」

「フランス人のいわゆるジューヌ・アンコール（訳注 青二才の意）というやつだね。背の低い、ぐずの、不器量な男かね！ 善良というのは、徳を行うのに積極的であるよりは、むしろ悪いことをしないというような人物の意味かね？」

「あの人は疲れを知らぬ活動家ですわ。偉大な崇高な行為、それを理想にして生きている人です」

「だが頭脳は？ いくらか鈍い方ではないのか？ 意図はよしとしても、その言いぐさを聞くと、こっそり肩をすくめたくなるような人ではないのか？」

「あの人は、あまり話をしません。彼の言うことは要領を得ています。頭脳は一流ですわ。もっとも、鋭敏というよりは、強健といった方がいいと思いますけれど」

「では有能な人物だというのだね？」

「たしかに有能ですわ」

「教育のある人物なの？」

「セント・ジョンは博学な学者ですわ」

「その男の態度が、あなたの趣味に合わないと、あなたは言ったように思うが？――つまり気障《きざ》で、坊主《ぼうず》臭いと……」

「わたしは、あの人の態度については、まだ何も申しあげていませんわ。でも、わたしの趣味が、よほど低くないかぎり、それに合わないことはないと思います。上品で、穏やかで、紳士的なんですもの」

「風采《ふうさい》は――風采について、あなたが、どう説明したかを忘れてしまったけれど――白いネック・クロスを、くびれんばかりに巻きつけて、厚底の編上靴《あみあげぐつ》をはいてそっくりかえっている青二才の牧師補、まずそういったところかね？」

「セント・ジョンは、正しい服装をしていますわ。背が高くて、色が白くて、目が青色で、横顔がギリシャ型で――好男子ですわ」

（傍白で）「畜生！」――（わたしに向って）「あなたはその男が好きだったのだね、ジェーン？」

「はい、ロチェスター様、好きでした。でも、そのことなら前にもおたずねになりましたわ」

もちろん、わたしは、この質問者の心の裏がわかっていた。嫉妬《しっと》が彼を捕えているのだ。嫉妬が彼を刺しているのだ。しかし、この刺激は彼には有益であった。それは、彼をかみ減らす憂鬱《ゆううつ》の牙《きば》から、しばらく彼を引きはなして休息を与えるものであった。だからわたしは、その蛇《へび》を、すぐには、なだめようとしなかった。

「あなたは、たぶん、これ以上、わたしの膝の上にいたくはないだろうね、エアさん」というのが、それにつづく、いささか思いがけない彼の言葉であった。

「なぜですの、ロチェスター様？」

「いまあなたが描いてみせたものは、ほとんど問題にならぬほどの対照を暗示している。あなたは、まざまざと、一人の優美なアポロの姿を描き出した。その男――背が高くて、色白で、青色の目の、ギリシャ型の横顔をしている、その男のことで、あなたの心は占められている。一方、いまあなたが見ているのは、一人のヴァルカン（注訳　ローマ神話の火と鍛冶の神）だ――色が黒くて、肩幅の広い、本物の鍛冶屋《かじや》だ。しかも目も足も不自由ときている」

「わたしは、そんなこと、すこしも考えませんでしたけれど、そういえば、あなたはほんとにヴァルカンですわ」

「うむ、そうだろう——もう行ってよろしい。だが、行く前に」(と言って彼は、さらに力をこめてわたしを抱きしめた)「一つ二つ、わたしの質問に答えてもらいたい」

「どんな質問ですの、ロチェスター様?」

こうして、意地の悪い尋問がはじめられた。

「セント・ジョンは、あなたを、従妹《いとこ》と知らずに、モートンの女教師にしたのですね?」

「はい」

「あなたは、たびたび彼に会いましたか? 彼は、ときどき学校へ来ましたか?」

「毎日来ました」

「彼は、あなたのやり方に賛成しましたか? あなたは才能のある人だから、うまい方法を用いたことと思うが」

「賛成してくれましたわ」

「彼は、あなたに、予想もしなかった、いろんなものを発見したでしょうね? あなたの、ある種の才能には、非凡なものがあるのだから」

「そんなこと知りませんわ」

「あなたは学校の近くの小さな家に住んでいたというが、彼はそこへ訪ねてきたことがありますか？」

「ときどきまいりました」

「夜も？」

「一度か二度」

沈黙。

「従兄妹《いとこ》同士ということがわかってから、セント・ジョンやその妹たちと、あなたは、どのくらいいっしょにいたのですか？」

「五カ月ほどです」

「リヴァーズは、その家族の女の人たちと、しじゅういっしょにいたのですか？」

「はい、奥の居間は、あの人とわたしたちが共同で使う書斎になっていました。あの人は窓ぎわに、わたしたちはテーブルのそばに席をとっていました」

「彼は非常によく勉強しましたか？」

「とても」

「何を？」

「ヒンドゥースタン語を」

「そのあいだ、あなたは、何をしていたのです？」

「初めはドイツ語を勉強していました」

「リヴァーズが教えたのですか？」

「あの人はドイツ語はできません」

「では彼は、あなたに、何も教えなかったのですか？」

「ヒンドゥースタン語を、すこし教わりました」

「リヴァーズが、あなたにヒンドゥースタン語を教えたというのですね」

「はい」

「自分の妹たちにも？」

「いいえ」

「あなたにだけ？」

「わたしにだけですわ」

「あなたが希望して教えてもらったのですか？」

「いいえ」

「ではリヴァーズの希望で？」

「はい」

第二の沈黙。

「なぜリヴァーズは、そんなことを希望したのですか？　あなたにヒンドゥースタン語が、なんの役に立つのです？」

「あの人は、わたしをインドへつれて行くつもりだったのです」

「ああ！　それで問題の根元に達することができた。彼は、あなたと結婚するつもりだったのですね？」

「結婚してくれと申しました」

「それは、嘘《うそ》だ――わたしを苦しめるための、意地の悪いつくりごとだ」

「お言葉ですけれど、それは正真正銘ほんとのことですわ。一度ならず、あの人は結婚を求めました。しかも、いつかのあなたと同じように、粘り強く、どこまでも自分の意志を通そうといたしました」

「もういちど言うが、エアさん、あなたはもうわたしを置き去りにして行ってもいいのですよ。わたしは、何度同じことを言わなければならないのだろう。どうして、いつまでもわたしの膝の上にのっているのです。もう行ってもよいと言っているのに」

「だって、この方が気持がいいんですもの」

「嘘だ、ジェーン、ここにいて楽しいはずはない。あなたの心はわたしのところにはない。あの従兄――セント・ジョンのところにあるのだ。ああ、たった今までわたしは、わたしのかわいいジェーンは、すっかりわたしのものだと思っていたのに！　わたしを残して行ってしまったときでさえ、わたしを愛していると信じていた。それが、耐えられぬ苦しさのなかの、たった一滴の甘味だった。長いあいだはなれていても、別れている寂しさに熱い涙をそそぎはしても、わたしが思い焦《こ》がれているあいだに、ジェーンが、ほかの男を愛していようとは、夢にも思わなかった！　だが、嘆いても益ないことだ。ジェーン、行きなさい、行ってリヴァーズと結婚しなさい」

「では、わたしを振り落して下さい。わたしを押しのけて下さい。わたしは自分からあなたを捨てて行くつもりはございませんから」

「ジェーン、いつでもわたしはあなたの声の調子が好きだ。その調子は、いまなおわたしに希望をわき立たせる。いかにも真実に聞える。それを聞くと、わたしは一年前のわたしにかえった気がする。あなたが新しい縁を結んだことを忘れる。だが、わたしは愚か者ではない。行きなさい――」

「どこへわたしは行かなければなりませんの？」

「あなた自身の道を――あなたが選んだ夫とともに」

「それは、誰《だれ》のことですか」

「わかっているじゃないか――セント・ジョン・リヴァーズだ」

「あの人はわたしの夫ではありません。これから先も夫にはならないでしょう。あの人はわたしを愛していません。わたしも、あの人を愛していません。あの人が愛しているのは(あの人は、あの人なりの愛し方で、愛することはできるのです。あなたの愛し方とはちがいますけれど)ロザモンドという美しいお嬢様です。わたしと結婚しようとしたのは、宣教師の妻として、わたしの方が、そのお嬢様よりも適当だと考えたからなのです。善良で、立派な人ですけれど、あの人は厳格な人間です。わたしには氷山のように冷たいのです。あなたのようではありません。あの人とでは、横にいても、近くにいても、いっしょにいても、わたしは幸福ではありません。あの人はわたしに対して、おぼれることもありませんし、愛情も持っていません。わたしに、なんの魅力も――若ささえも認めていません。ただ、いくらか役に立つ精神に興味を持っているだけなのです。――それでもわたしは、あなたを残して、あの人のところへ行かなければならないのでしょうか？」

わたしは思わず身ぶるいした。そして本能的に、わたしの盲目の、いとしい主人に、しっかりと、すがりついた。彼は微笑した。

「なんだって、ジェーン！　それは、ほんとうか？　ほんとうに、あなたとリヴァーズとのあいだは、そんな事情なのか？」

「そうですわ！　それに、もう、嫉妬は不必要ですわ。あなたの悲しみを、いくらかでもまぎらそうと思って、わたしは、わざと、あなたをやきもきさせたのです。悲しみよりも、まだ怒りの方がいいと思ったものですから。ともかく、わたしに、あなたを愛させたいとお望みでしたら、そして、わたしがどんなに愛しているかを、わかって下さったら、あなたは、きっと誇りを感じ、満足なさることと思いますわ。わたしの心は、あなたのものです――全部あなたの所有物です。万一、運命がわたしの体を、あなたから引きはなすときがきても、心だけは、いつまでも、あなたのおそばに残っています」

わたしに接吻《せっぷん》しながらも、ふたたび、せつない思いが彼の顔を曇らせた。

「この見えない目！　この不具の腕！」と彼は、くやしそうに呟《つぶや》いた。

わたしは彼を慰めるつもりで抱きしめた。わたしには彼が、何を考えているかが、わかっていた。彼に代ってそれが言いたかったが、言えなかった。彼が、ちょっと顔をそむけたとき、わたしは、その閉じた瞼《まぶた》のあいだから涙がにじんで、彼の男らしい頰《ほお》をつたって流れ落ちるのを見た。わたしは胸がせまった。

「わたしはソーンフィールドの果樹園の、雷にうたれた、栗《くり》の大木のようなものだ」と、間もなく彼が言った。「そんな廃木が、まだ若いすいかずらに向って、その朽ち目を、いきいきした若さでおおえと命じる権利が、どうしてあるだろう？」

「あなたは廃木ではありません――雷にうたれた木ではありません。青々として、力強く茂っています。植物は、あなたが生えろとおっしゃっても、おっしゃらなくても、あなたの根元に生えますわ。だって植物は、あなたの大きな陰にいることが嬉しいのですもの。そして生長するにつれて、あなたに寄り添い、あなたのまわりに、からみつきます。だって、あなたの力が、このうえもない安全な支えになって下さるのですもの」

ふたたび彼は、ほほえんだ。わたしは彼を慰めることができた。

「あなたは友だちのことを言っているのだね、ジェーン」と彼が言った。

「ええ、お友だちのことを」とわたしは、ためらいがちに答えた。というのは、実はわたしは友だち以上のもののつもりであったのだけれど、どういう言葉を使ったらいいかわからなかったからである。すると彼がわたしを救ってくれた。

「ああ、ジェーン！　しかしわたしは妻がほしいのだ！」

「それは真実でございますか？」

「うむ、意外かね？」

「もちろんですわ。だって、これまで一度もおっしゃらなかったんですもの」

「好ましくない知らせかね？」

「内容によりますわ――あなたのお選びになる人によりますわ」

「その選択を、あなたにしてもらいたいのだよ、ジェーン。わたしは、あなたの決定に任せる」

「では、お選び下さい、あなたを、もっとも愛する人を」

「わたしは、すくなくともわたしがもっとも愛する人を選ぶ。ジェーン、わたしと結婚してくれるか？」

「はい」

「手を引いてつれ歩かねばならぬこんな哀れな盲人と？」

「はい」

「二十も年上の、しかも、あなたが万事世話をしてやらなければならぬこんな不具者と？」

「はい」

「真実、ジェーン？」

「真実、心から」

「おお、いとしいジェーン！　あなたに神の恵みと報いがありますように！」

「ロチェスター様、これまでにわたしが、何か善行をしたとしますなら――よいことを考えたことがあるとしますなら、心からの真心をこめた祈りを捧《ささ》げたことがあるとしますなら、正しい望みをいだいたことがあるとしますなら――いまこそわたしは報いられたのですわ。あなたの妻となることは、わたしにとって、この世で無上の幸福なのです」

「それは、あなたが犠牲になるのが好きだからだ」

「犠牲？　わたしが、どんな犠牲になりますの？　ひもじさの代りに食物をとり、はかない望みの代りに満足を得ましたのに。大事な人の体を手に巻きつけることができ――愛する人に、唇《くちびる》をあてることができ、信頼する人に、よりかかることができ――それが犠牲になることなのでしょうか？　もしそうなら、わたしは、喜んで犠牲になりますわ」

「そればかりではない。わたしの無力を忍び、わたしの欠陥を見逃がしてくれねばならないのだ」

「そんなこと、わたしには、なんでもございません。昔、あなたが与え手であり保護者であること以外の立場を軽蔑《けいべつ》して、毅然《きぜん》として独立の状態にいらしった時代よりも、わたしが、ほんとうに、あなたのお役に立つことのできるいまの方が、より強く、あなたを愛しています」

「これまでわたしは他人に助けられたり手を引かれたりするのを嫌《きら》っていたけれど、これからはもう、そういうことはあるまい。わたしは雇い人たちに手をとられるのを好まなかった。しかしわたしの手がジェーンのかわいい手に握られていると思うと、わたしは嬉しい。いつも雇い人たちにつきまとわれているよりは、むしろ、一人きりでいる方がよかった。しかし、優しいジェーンの心遣いは、わたしの不断の慰めになるだろう。ジェーンはわたしに合っているのだ。だがわたしは、はたしてジェーンに合っているだろうか？」

「それはもう目に見えぬ細かい部分まで」

「それならば、待つ理由は、何もない。さっそく結婚しなければならぬ」

顔にも言葉にも、熱をおびてきた。昔の性急さが目ざめてきたのだ。

「さっそくわたしたちは一体にならなければならぬ。必要なのは認可証をとるだけだ――それが手にはいり次第式をあげよう」

「ロチェスター様、いま気がつきましたけれど、もう日は、とうに正午をすぎていますわ。パイロットも、昼食を食べに帰って行きました。ちょっと、あなたの時計を見せて下さいません？」

「帯にくくりつけて、これからはずっとあなたがもっていなさい、ジャネット。わたしには用のないものだ」

「もう、かれこれ四時ですわ。おなかがおすきになったでしょう？」

「きょうから三日めが、われわれの結婚式の日だよ、ジェーン。もう衣裳《いしょう》や宝石に気を遣う必要はない。あんな物は三文の値うちもない」

「日光が雨のしずくをすっかり乾かしてしまいましたわ。風がなくて、暑いこと」

「ジェーン、あなたはわたしがいま、あなたのあの小さな真珠の首飾りを、ネクタイの下の黒い首に巻きつけているのを知っているかね？　わたしは、わたしの唯一《ゆいいつ》の宝をうしなったあの日から、これを形見につけているのだ」

「森を抜けて帰りましょうね。それが一番涼しいでしょうから」

彼はわたしの言うことに耳を貸さず、自分の考えだけを追いつづけた。

「ジェーン、おそらくあなたはわたしを信仰のない人間だと思っているだろう。しかし、いまわたしの心は、神の恩恵に対する感謝で、いっぱいなのだ。神は人間とは見方がちがう。人間よりも、はるかに明瞭《めいりょう》に、ご覧になる。神は人間のような裁き方はなさらぬ。はるかに賢明にお裁きになる。わたしは誤りを犯し、あやうく無垢《むく》の花を汚《けが》そうとした――その清浄さに罪の息吹《いぶ》きを吹きかけようとした。それで神は、それをわたしからとりあげてしまわれたのだ。頑固《がんこ》で反抗心の強いわたしは、腹立ちまぎれに、この天の配剤を呪《のろ》おうとさえした。神意に服するどころか、これに挑戦《ちょうせん》しようとしたのだ。だが神の裁きは着々と進行した。わたしは災禍をうけ、暗い死の影の谷間を通らねばならなかった。神の懲罰は偉大だ。わたしは永久に立ちあがることができないまでに、たたきふせられた。あなたも知っているように、わたしは自分の力を誇っていた。しかし、子供のように他人の手にたよらなければならないいま、わたしの力など、なんであろう？　最近のことだがね、ジェーン――ほんの最近になってからだが――わたしはようやく、わたしの生涯《しょうがい》に作用する神の手を認めるようになったのだ。後悔と、ざんげを経験し、造物主に従うことを願うようになった。ときどき神に祈りを捧げるようになった。ごく短い祈禱《きとう》だが、わたしの心からの祈りなのだ。

「数日前――いや、数えることができる――四日前だ、月曜日の夜のことだ、わたしは、ある不思議な気持に襲われた。狂おしさが憂愁に変り、怒りが悲哀に変った。ついに行くえがわからずに終って以来、わたしは、あなたを死んだものと思いこんでいたのだが、その夜おそく――たぶん十一時から十二時までのあいだだったと思う――冷たい寝床につく前にわたしは神に祈りを捧げた。もし神の御意にかなうならば、どうぞわたしをこの世から召されて、ジェーンに会える希望のある未来の世界に導きたまえ、と――。

「わたしは、自分の部屋の、あけはなした窓の近くに、膝《ひざ》をついていた。もちろん星を見ることはできなかったが、さわやかな夜の空気に触れてわたしは心が静まるのを感じた。ぼんやりと明るい、もやのような光で、月の出ているのがわかった。ジェーン、わたしは、あなたに会いたかった！　あなたの身と心と、そのどちらも恋しかった！　悲哀と謙遜《けんそん》のなかから、わたしは、これでもまだ苦しみ方が足りないのか、悩みが足りないのか、責められ方が足りないのか、わたしは、もはや、ふたたび幸福と平和を味わうことはできないのか、と神にたずねた。自分が耐え忍んだすべての苦痛と悲しみが当然であることを認め――しかし、もうこれ以上は耐えられそうもないことを訴えたのだ。そしてわたしの胸に終始していたすべての願いが、思わず『ジェーン！　ジェーン！　ジェーン！』という言葉になって口からほとばしったのだ」

「それを大きな声でおっしゃいましたの？」

「そうだよ、ジェーン。誰かが聞いていたら、わたしを狂人と思ったかもしれない、気が狂ったような大きな声で、あなたの名を呼んだのだ」

「そしてそれは、この月曜日の夜——十二時近くでしたのね？」

「そうだ。しかし時間などは、どうでもよい。そのあとで起ったことが問題なのだ。あなたはわたしを迷信家と思うかもしれない。さよう、——ある程度の迷信は、わたしの血のなかにある。また以前からあった。しかし、それにもかかわらず、これは事実なのだ——すくなくとも、あの声、これから話すことをわたしが聞いたのは事実なのだ。

『ジェーン！　ジェーン！　ジェーン！』と叫んだとき、ある声が——どこから来たのかはわからないが、誰の声かはわかっている一つの声が——いま行きます、お待ち下さい、と答えた。そして、そのすぐあとで、風に混じってささやくように、『どこにいらっしゃるのですか？』という声が聞えた。

「できることなら、これらの声がわたしの胸にくりひろげた絵なり感情なりを、あなたに伝えたい。しかし、わたしが言い表わしたいことは、説明するのがむずかしい。あなたも見て知っている通り、このファーンディーンは深い森に埋もれていて、ここでは声が反響することなく、そのまま消えてしまう。『どこにいらっしゃるのですか？』という声は、山のなかから言われたもののように思われた。というのは、山彦《やまびこ》になって、その言葉が、ふたたび聞えてきたからだ。そのとき、前よりも、いっそう涼しく、さわやかな風が、わたしの額を撫《な》でたように思われた。わたしは、どこか荒れ果てた、寂しい場所で、ジェーンと会っているような気がした。いまでもわたしは、二人が霊的に会っていたものに相違ないと信じている。もちろん、その時刻に、あなたは、何も知らずに眠っていただろう。おそらく、あなたの魂がわたしを慰めるために、あなたの肉体を抜け出して、さまよってきたのだろう。なぜなら、あの言葉は、たしかに、あなたのアクセントだったからだ。わたしの生きていることが事実であるように、たしかにあれはあなたの声だった!」

読者よ、月曜日の夜——十二時近く——わたしも同じように、あの不思議な呼び声を聞いたのだ。そして彼が聞いたという、その言葉は、わたしがそれに答えて言った言葉の通りなのだ。わたしはロチェスター氏の物語に耳を傾けているだけで、わたしの経験については、何も言わなかった。その符合は、話したり論じたりするには、あまりに恐ろしく、説明しがたいことのように思われたからである。もし、すこしでも語ったならば、わたしの話は、必ずや聞き手の心に深い感動を起させるようなものであったろう。しかし、これまでの苦悩のために、とかく沈みがちなその心に、さらに深い神秘なものの陰影を加える必要はなかった。それでわたしは何も言わず、胸のなかで考えるだけにとどめた。

「これであなたにもわかったと思うが」とわたしの主人は言葉をつづけた。「昨夜、思いがけなくあなたが現われたとき、わたしには、あなたが、ただの声とまぼろし――あの真夜中のささやきと山彦が消えてしまったのと同じように、やがて沈黙と静寂のなかに消えてしまうものとしか思えなかったのだ。いまわたしは神に感謝する！　わたしは、それが夢でも幻でもないことを知った。そうだ、わたしは神に感謝する！」

彼はわたしを膝からおろして立ちあがった。そして、うやうやしく帽子をとって、見えぬ目を地に伏せて黙禱を捧げた。その最後の数語だけがわたしには聞きとれた――

「わが造り主が、裁きのさなかにも慈悲を忘れたまわなかったことを感謝いたします。わが救世主よ、今後、これまでよりも、もっと清らかな生活を送る力を与えて下さることを、ひたすらお願い申します！」

それから彼は手を伸ばして案内を求めた。わたしは、そのいとしい手をとって、ちょっと唇に押しあててからわたしの肩にまわした。わたしは彼よりもずっと背が低いので、彼の案内人として、杖《つえ》として、役に立った。わたしたちは、森のなかにはいり、家路についた。

38

（むすび）

読者よ、わたしは彼と結婚した。わたしたちは、ひっそりと式をあげた。出席したのは彼とわたしと、牧師と書記と、それだけであった。いっしょに教会から帰ると、わたしは屋敷の料理場へ行って、そこで食事の仕度をしているメアリと、ナイフをみがいているジョンとに言った——

「メアリ、けさわたしはロチェスター様と結婚しました」この家政婦とその夫は、二人とものに動ずることのない落ち着いた人物で、どんなときでも、耳をつんざくばかりの金切り声をあげられる心配もなく、また、それについで、とめどもない仰山な驚きで耳を聾《ろう》される危険を招くこともなく、安心して非常の知らせを伝えることのできる人たちであった。メアリは顔をあげて、わたしを見つめた。火にかけて焼いていた一羽の雛鳥《ひなどり》に肉汁《にくじゅう》をかけていた柄杓《ひしゃく》が、およそ三分ほどのあいだ、宙につき出されたままになっていた。また、これとほぼ同じ時間、ジョンのナイフも、みがかれることなく、そのままになっていた。やがてメアリは焼肉の方に身をかがめて、「そうでしたか、それはまあ！」とだけ言った。

ちょっと間をおいて彼女はつけ加えた。「あなたが旦那《だんな》様とお出かけになったのは知っていましたが、結婚式をあげるために教会へおいでになったとは存じませんでした」そして肉汁を垂らす仕事にとりかかった。ジョンは、歯をむき出して、にやにや笑っていた。

「そんなことだろうと、メアリに言ったことでさ」と彼は言った。「エドワード様のなさることは（ジョンは古くからいる雇い人で、彼の主人が家を継ぐ前から知っているので、しばしば洗礼名《クリスチャン・ネーム》で呼ぶのであった）、わしには、よくわかっています。あの旦那様が長いこと待っておいでになるはずがありません。旦那様にとってもけっこうなことで、ともかく、おめでとうございます！」そして彼は、うやうやしく祝意を表した。

「ありがとう、ジョン。ロチェスター様が、これをあなたとメアリにあげるようにとおっしゃいましたよ」わたしはそう言って、彼の手に五ポンド紙幣を渡した。そして、そのうえ二人が何か言いだすのを待たず、そのまま料理場を出た。その後しばらくして、その部屋の前を通ったとき、こんな言葉が耳にはいった。「うちの旦那様には、どんな立派な貴婦人方よりも、あの人の方がいいよ」また、「ずばぬけて美人というわけにはいくまいが、醜いという方ではないし、たいへん気立てのいい人だ。それに旦那様の目には、えらく美しく見えるようだ。それは、誰《だれ》にもわかるよ」

わたしは、さっそくムーア・ハウスとケンブリッジに手紙を出して、わたしがしたことを知らせ、また、なぜわたしがこんな行動をとったか、その理由を、詳しく書いて知らせた。ダイアナとメアリは率直にわたしの処置に賛成してくれた。ダイアナはわたしが蜜月旅行《ハネムーン》を済ますのを待って、さっそく会いに行く、と言ってよこした。

「待たない方がいいね、ジェーン」と、わたしがその手紙を読んで聞かせると、ロチェスター氏は言った。「待っていると、間にあわなくなるよ。なぜなら、我々の蜜月《みつげつ》は一生涯我々を照らすのだから。蜜月の光は、あなたかわたしかが死んだとき、初めて薄らぐのだ」

セント・ジョンが、どんな気持でこの知らせを聞いたか、わたしは知らない。わたしが出した通知状に、彼は、ついに返事をよこさなかった。もっとも六カ月ほどたってから手紙をよこしたが、ロチェスター氏の名や、わたしの結婚には、一言も触れていなかった。そのときの彼の手紙は、落ち着いた、そして、ひどく堅苦しくはあったが、親切なものであった。それ以来、たびたびというほどではないが、彼は規則正しく通信をつづけてきている。彼はわたしが幸福であることを願い、わたしがこの世に神のあることを知らず、ただ地上のことにのみ心を奪われるような人間ではないことを信じている、と書いてよこした。

読者よ、あなた方は小さなアデールのことを、まったく忘れてしまってはいないだろうと思う。わたしは忘れなかった。わたしはロチェスター氏に願ってその許しを請《こ》い、彼女のはいっている学校へ行って会ってきた。わたしと再会したときの彼女の狂おしいほどの喜びぶりが、いたくわたしの心を動かした。彼女は顔色がわるく、やせて見えた。幸福ではないと彼女は言った。すぐにわたしは、この学校の規則が、あまりにも厳格で、学課の課程も、この年ごろの子供には重すぎることを知った。わたしは彼女をいっしょにつれて帰った。それは、もういちどわたしが彼女の家庭教師になる考えからであったが、しかし、すぐにそれが不可能であるのを知った。わたしの時間も関心も、いまは別の人物にとられていたからである――わたしの夫が、そのすべてを必要としていたのだ。そこでわたしは、もっと校則のゆるやかな、そして近くて、いつでも彼女に会いに行け、またときどき屋敷へもつれてこられるような学校を見つけた。わたしは彼女の慰めになりうるものは、何一つ不足することがないようにと心を配った。彼女は、すぐ新しい学校に慣れ、たいへん幸福になり、学課にも、見事な進歩を見せた。成長するにつれ、健全なイギリスふうの教育は、すくなからず彼女のフランス的な悪癖を矯正《きょうせい》した。そして彼女が学校を卒業したとき、彼女はわたしにとって、快活で親切で、素直で、愛想《あいそ》がよく、教養のあるお友だちとなった。それ以来、彼女は、ずっとわたしの主人に、よく尽くしてくれ、それによって、わたしが彼女にできるかぎり尽くしたどんな小さな親切にも、立派に報いたのであった。

わたしの物語も、もう終りに近づいた。わたしの結婚生活の経験について一言、そしてこれまでこの物語のなかに、その名がもっともしばしば出てきた人たちの運命に簡単な一瞥《いちべつ》を与えれば、それで、この一編は完全に終ることになる。

わたしは結婚してから十年になる。わたしは、この世でもっとも愛する人のために生きること、もっとも愛する人とともに暮すことが、どんなことであるかを知っている。わたしは、このうえもない幸福――言葉では表わすことのできぬほどの幸福を受けてきた。なぜなら、彼がわたしの命であるように、わたしは夫の命であるからである。いかなる婦人も、わたし以上に、その伴侶《はんりょ》に近づきえたものは、一人もいないだろう。また、いかなる婦人も、わたし以上に彼の「骨の骨、肉の肉」（訳注　旧約創世記二章二十三節）となったものはいないだろう。わたしはエドワードとともにあって飽きることを知らず、彼もまたわたしとともにいて飽きることを知らない。それはわたしたちが、それぞれの胸に脈うつ心臓の鼓動に飽きることがないのと変るところがない。したがって、わたしたちは、いつもともにいる。ともにいることは、わたしたちにとっては、一人でいるときのように自由であり、また多くの人々とともにいるときのように楽しい。わたしたちは一日じゅうでも語り合っている。わたしたちが、互いに語り合うということは、よりいきいきとした、耳に聞える思考にほかならない。わたしの信頼はすべて彼に捧《ささ》げられ、彼の信頼は、すべてわたしに捧げられている。わたしたちは、ぴったりと性格が合っている——完全なる一致、これがその結果である。

ロチェスター氏は、わたしたちが結婚してから最初の二年間、盲目のままであった。おそらくこうした事情が、わたしたちを、こうも接近させ、わたしたちを、こうもしっかりと結びつけたのであろう。なぜなら、いまでもわたしが彼の左手であるように、そのころわたしは彼の目であったからだ。文字通りわたしは（彼がよくそう呼んでいたように）彼の瞳《ひとみ》であった。わたしを通じて、彼は自然を見、書物を読んだ。わたしは飽きることなく、彼のために、野や樹木や、町や川や、雲や日光など——わたしたちの前にある風景、わたしたちを包む気象の趣を、言葉に写し——どんな光も、もはや彼の目に印象を残すことがないので、彼の耳に音によって印象づけた。わたしは、かつて彼のために本を読むことに飽きたことは一度もなかった。わたしは、かつて彼が行きたいと望む場所に彼を導き、彼がしてほしいと望むことを彼のためにすることに飽きたことは一度もなかった。わたしのこの奉仕には、悲しいうちにも、このうえもなく充実した、比べるものもないほど、すぐれた喜びがあった。なぜなら彼は、痛ましく恥じることもせず、沈鬱《ちんうつ》な屈辱を感じることもなく、これらの奉仕をわたしに求めたからである。心からわたしを愛していたため、彼はわたしにかしずかれることに、すこしも反発を感じなかったのだ。彼は、わたしが心から彼を愛しているので、わたしのこうした奉仕を受けることは、わたしのもっとも楽しい望みを満足させることだと感じていたのである。

二年目の終りころのある朝、わたしが彼の言いつけで手紙を書いていると、彼が来てわたしの上に身をかがめて言った――

「ジェーン、君は首のまわりに何かぴかぴか光る飾りをつけているね」

わたしは金の時計鎖をかけていたのであった。そこで「はい」とわたしは答えた。

「そうして、空色のドレスを着ているね？」

その通りだった。彼は、しばらく前から一方の目をふさいでいた暗さが薄らいだような気がしていたが、いま、それがはっきりとたしかめられた、と言った。

彼とわたしはロンドンへ行った。彼は、ある有名な眼科医の診断を受けた。そしてその結果、ついに片方の目の視力を回復した。いま、彼は非常に明瞭《めいりょう》には見ることができないし、読み書きも、そう十分にはできない。しかし手をとられなくても歩くことができるようになった。もはや空は彼にとって空白ではなく——地は、もはや空虚ではない。わたしたちの最初の子供が彼の腕に置かれたとき、彼は、この男の子が、彼自身の目を——昔の彼の目と同じように大きくかがやいた黒い目を受け継いでいるのを見ることができた。このとき、彼は、ふたたび心から神が慈悲をもって裁きをゆるめてくれたことを認めた。

　こうして、わたしのエドワードもわたしも幸福である。また、わたしたちがもっとも愛する人々もまた同じように幸福であるので、わたしたちは、いっそう幸福である。ダイアナとメアリ・リヴァーズとは、それぞれ結婚した。毎年一回、交代で彼らはわたしたちに会いに来る。わたしたちも彼らに会いに行く。ダイアナの夫は海軍大佐で、立派な士官で、善良な人物である。メアリの夫は牧師で、彼女の兄の大学時代の学友である。学識や信念からいっても、彼女の一族と結ばれるのにふさわしい人物である。フィッツジェームズ大佐もフォートン師も、それぞれ妻を愛し、それぞれ妻に愛されている。セント・ジョン・リヴァーズはというと、彼はイギリスを去った。インドへ行ったのである。彼は自分できめた道にはいって行った。いまなお、その道を行きつつある。断崖《だんがい》絶壁の危険の真っただ中に、彼以上に堅忍不抜の開拓者は、かつてなかったであろう。確固たる精神をもって、忠実に、献身的に、精力と誠意と真実に満ちて、彼は人類のために働いている。彼は苦難の道を切り開いて改善に向わせ、途上に立ちふさがる教義や階級の偏見を、巨人のごとく切り倒している。彼は峻厳《しゅんげん》であるかもしれない。苛酷《かこく》であるかもしれない。野心家であるかもしれない。しかし彼の峻厳は魔王アポリオンの襲撃から巡礼者を護送するように見張っている戦士「偉大な心《グレート・ハート》」（訳注『天路歴程』の登場人物）のそれである。彼の苛酷は、「人もしわれに従い来たらんと思わば、おのれを捨て、おのが十字架を負いてわれに従え」（訳注 新約マタイ伝十六章二十四節）といったキリストのためにのみ説く使徒のそれである。彼の野心は、この世から救われ、罪なくして神の座の前に立ち、神の子の最後の偉大なる勝利をともに与《あずか》り、召され、神に選ばれた、信仰あつき人々のなかで、第一位に席を占めようとする偉大な高潔な精神のそれである。

　セント・ジョンはまだ結婚していない。もう結婚することはないだろう。これまで彼は単身苦難に耐えてきた。そして、その苦難は終ろうとしている。彼のかがやかしい太陽は、いま、あわただしく沈もうとしているのである。彼から受けとった最近の手紙は、わたしの目に人間としての涙を流させたが、しかしわたしの胸を聖なる喜びで満たした。わたしは彼の、たしかな報い、不滅の栄冠を期待している。やがて、未知の人の手でこの善良で篤信《とくしん》の神の下僕《しもべ》が、ついに主の喜びのうちに召された、と書かれた知らせが届くだろうと思っている。何を泣くことがあろう。死の恐怖がセント・ジョンの最後の一刻を暗くすることはないだろう。彼の精神は曇ることがなく、彼の心は脅《おびや》かされることがないだろう。彼の希望は最後まで不変であり、彼の信念は、ゆるぐことがないであろう。彼自身の言葉が、これを誓っている――

「主は」と彼は言う。「あらかじめわたしにお告げになった。日々、ますます明瞭にお告げになる。『必ず、われすみやかに到《いた》らん！』、刻々、ますます熱心にわたしは答える。『アーメン、主イエスよ、来たりたまえ！』」（訳注　新約黙示録二十二章二十節）

解説

大久保康雄

1

姉妹三人が一国の文学史に名をつらね、しかもそのうちの二人までが不朽の名作を書きのこしているということは、英文学史のみならず、おそらく世界でも類例がないであろう。姉シャーロット・ブロンテの『ジェーン・エア』と、つぎの妹エミリの『嵐《あらし》が丘』は、それぞれの意味で英文学史に特異の位置を占めており、いまなお多くの読者を持っているのである。

シャーロット、エミリ、アンの三人の姉妹の生活は、彼女らの小説以上に興味がある。現在でも彼女らの「人と作品」に関する研究、伝記のたぐいがあとを絶たぬ所以《ゆえん》であろう。けっして波乱に富んだ生涯《しょうがい》ではなかった。むしろ事件のない、もし小説の筋書にでもしたら単調にすぎるくらいの人生ではあった。しかし彼女たちのおかれた環境、三人が終生変ることなく持ちつづけた文学への異常な執念、三人が時としてはなれて暮していながら、呼び合う魂のごとく、いつしか一つにかたまる孤独な精神、これらは、なまなかの心理小説を読むより、はるかに我々の興味をそそるものがある。

どのような作家の評伝の場合にも、その幼年期からはじめるのが普通であるが、ブロンテ姉妹の場合には、その生い立ちと環境とが、とくに重要であるように思われる。幼年期から少女期へかけての生活が、彼女たちの後年の生活と芸術との形成に、決定的に作用していると考えられるからである。

ブロンテ姉妹の父パトリック・ブロンテはアイルランドの貧農の十人兄妹《きょうだい》の長男として生れ、徒弟奉公をしたり小学教師になったり家庭教師をしたりした後、二十五歳のときケンブリッジ大学へはいった。そして卒業するとすぐイギリス教会の牧師に任じられた。

パトリックの本来の姓はブランティというのだが、大学卒業当時、自分で勝手にギリシャ語式のブロンテと変えてしまった。偏屈で、頑固《がんこ》で、陰気で、寡黙《かもく》で、外面は静かだが内面には爆発的な激情を秘めた、きわめて非社交的な変りものだったらしいが、それも、彼がアイルランド農民の出であり、しかも子供のころから、つねに逆境とたたかいながら、ついに大学を出て聖職についた、その経歴を考えるなら、べつに異とするには当らないかもしれない。十年ほどつれ添っていた妻に先立たれてからは、妻の姉に当るエリザベス・ブランウェルという老嬢に家政を任せて独身を通し、一家のなかで一番最後まで生き残った。娘たちの結婚をすら阻《はば》んだこの気むずかしい、また健康上のことで何かと娘たちに世話をやかせた父親が早く死んでいたら、あるいはブロンテ姉妹の生涯も、もっとちがったコースをとっていたかもしれない。

母マライアはペンザンスの商人の娘で、非常に小柄《こがら》の、地味な女性であった。それほど美人というのではなかったらしいが、牧師のブロンテの熱心な求婚に応じて結婚したのは、二十八歳のときである。彼女は六人の子供を生んだ。そのうち五人までが年子である。すなわち長姉マリア、次姉エリザベスとつづき、一年おいてシャーロットが生れ、あとは毎年、弟のパトリック・ブランウェル、妹のエミリ、アンとつづいている。

この相つぐ多産と、さらにシャーロットが四歳のとき移り住んだホワースの不健康地がたたって、母マライアは、その翌年、シャーロット五歳のとき、三十九歳にしてこの世を去った。したがってシャーロットには母の記憶はほとんどない。

長姉マリアは、聡明《そうめい》で早熟、生れつき体が弱く、つぎのエリザベスと、ほとんど同時に、幼くして死んだ。虚弱な体質は六人の子供たちすべてがそうであって、あとの四人も、死んだ順に並べると、弟パトリックが三十一歳、エミリが三十歳、アンが二十九歳で、いずれも肺患で夭折《ようせつ》しており、一番あとまで残ったシャーロットですら三十九歳で死んでいる。

さて、『ジェーン・エア』の作者シャーロット・ブロンテは、一八一六年四月二十一日に生れた。三姉妹のなかで一番美しかったのはエミリだが、一番おしゃべりだったのはシャーロットであった。おしゃべりとはいっても、二人の妹たちと比較してのことで、一般的にいうと、むしろ無口に近い方であった。この家族に共通の孤独な性格を、彼女もまた持っていた。たえず絶望にさいなまれている暗い、悲劇的な性格であった。それを支えていたのは彼女の不屈の意志力と神への深い信仰であった。E・F・ベンリは、つぎのように述べている。「体つきは非常に小柄であった。きわめて地味、異常なほど内気、困惑するほど無口、穏和とかユーモアとかいったものは、いささかもなく、他人を判断する点においては、きわめて批判的で辛辣《しんらつ》であり、神には揺るぎなき信仰をいだき、不屈の勇気の持ち主であると同時に、深い愛着、愛情を、人に与えることも、人の心にかきたてることもできた」――これによっても、彼女が、孤高、そしてやや独善的な婦人であったらしいことが想像できる。

彼女の作中の人物が、異常なほどかたよっていると同時に、小説の結末のもって行き方に例外なく悲劇的な要素、暗さをたたえている特徴は、作者自身のこのような性格の投影ではないかとも考えられる。体つきが非常に小柄であったということについては、ハリエット・マーティノウ女史なども、「見世物は別として自分がかつて見た最も小さな婦人」と言っているし、また小説家サッカレーと相知って、大男の彼が腕を貸したとき、まるでそれにぶらさがるような格好だったと書いてあることなどから考え、シャーロットがいかに小女であったかがうかがえる。彼女はまた、かなりの近視眼でもあった。

はじめは家庭で父から教育を受けていたが、マリア、エリザベスの二人の姉についで妹エミリとともにカウアン・ブリッジ寄宿学校へ入れられた。この学校が『ジェーン・エア』に出てくるローウッド学院のモデルである。小説に書かれてあるとおり、施設の悪い、きわめて非人道的な学校であった。シャーロットが、はげしい非難をこめて、これを小説のなかでとりあげたため、モデルとなったカウアン・ブリッジ寄宿学校の内幕が明るみに出て物議をかもし、のちに社会的問題にまで発展した。しかし、このおかげで、世の不良学校に対する関心と監視が強くきびしくなり、その後、各種の学校施設が著しく改善されたということである。

『ジェーン・エア』に出てくる陰険悪徳の学校経営者ブロックルハースト、平気で生徒に折檻《せっかん》を加える女教師のスキャチャード、天使のごときミス・テンプルなど、いずれもカウアン・ブリッジ寄宿学校の実在の人物を、そのまま作中に生かしたものであり、またジェーンの親友ヘレン・バーンズは姉マリアの性格を写したものだといわれている。ローウッド学院を襲った悲惨なチブスの流行も、やはり事実あったことであり、姉マリアとエリザベスは、カウアン・ブリッジ寄宿学校の不健康な環境、不完全な設備、劣悪な食事、冷たい待遇などが原因で肺を冒され、相ついで世を去っているのである。

姉たちの死後、シャーロットは妹たちとともに学校を退いて、ホワースの牧師館にかえった。それからの七年間ほどは、彼女たちにとっては、比較的幸福な時代であった。ささやかな家事を済ましてしまうと、あとは自由に好きな文学書に読みふけることもできたし、荒涼たるヨークシャーの原野を歩きまわることもできた。彼女たちが、それぞれすばらしい空想の王国をつくりあげ、そのなかに、それぞれの多彩な夢を織りこんで、それを詩や散文に表現しようと試みたのも、このころである、シャーロットと弟ブランウェルの合作『アングリア物語』や、エミリとアンの合作『ゴンドル年代史』など、多くの詩や物語や戯曲が書かれた（それらは大部分手稿のまま保存されていて、二十年ほど前からぼつぼつ公刊され、ブロンテ研究家を喜ばせている）。いずれも英雄、美女、豪傑、悪漢、入り乱れて大活躍を演じる冒険恋愛のロマンスであ活の生活るが、彼女たちが、このような空想の世界に、慰めと楽しみ——あるいは現実の生活からの逃避——あるいは現実の生活への復讐《ふくしゅう》——を見いだしたというのも、彼女たちが、一人の友だちもなく、完全に社会から隔絶されて、母もない家庭に、父親らしい愛情を示すこともない偏屈な父とともに、ヒースの原のなかのわびしい牧師館のなかで、ひっそりと身を寄せ合って暮さなければならなかったことを考えるならば、きわめて自然であったと思えるのである。

一八三一年、十五歳のとき、シャーロットは、ミス・ウーラーという老嬢の経営する私塾《しじゅく》へはいった。生徒わずかに七人という小さな私塾であったが、シャーロットはここで彼女の生涯の親友となったエレン・ナッシー、メアリ・テーラーという二人の少女を知った。十八カ月の塾生活を終えて、いったん家へ帰ったが、一八三五年には、自活の必要に迫られて、こんどは助教師としてミス・ウーラーの私塾へ赴任した。この助教師生活は、三年ほどつづいた。その後は家庭にとどまり、二人の妹と相談して、自宅の牧師館で私塾の経営を思いついた。だが、それには、さらに教師としての実力を養わなければならぬ、とくにフランス語を勉強しなければならぬというので、ベルギーのブリュッセル留学を計画し、妹エミリといっしょに大陸へ渡った。二人はブリュッセルのエジェ夫妻の寄宿学校に身を寄せて仏独語の勉強にいそしんだ。ときに一八四二年、シャーロット二十六歳であった。

2

この留学生活は、長くはつづかなかった。親しい友と伯母の相つぐ死の報知に接し、二人は急遽《きゅうきょ》故国へ帰った。しかしシャーロットのみは、ほどなく、ふたたびブリュッセルへ戻《もど》った。なぜ彼女だけ戻ったのか。

エミリはエジェを好まなかった。というよりも、彼女は、ヒース生い茂る荒涼たる沼地《ムーア》のホワースを、あまりにも愛していたのである。『嵐が丘』全編にみなぎるあの凄烈《せいれつ》の気は、彼女がこよなく愛着した故郷の自然そのものにほかならないのだ。

シャーロットに対しては、エジェから英語教師として迎えたい旨《むね》の手紙がきた。しかし彼女の再度のブリュッセル行きは、単にそれだけの理由からではなかった。二度目のブリュッセル生活は、彼女にとって、いかにも彼女にふさわしい暗い恋を意味していたのだ。エジェと二人だけの個人教授のひととき、それは彼女の胸の恋の対象としての一人の男性とすごす愛のひとときでもあった。彼女の胸のといったのは、相手のエジェは、彼女の秘めた恋を、ついに悟り得なかったらしいからである。エジェは三十五歳、シャーロットは二十七歳であった。しかしこの恋はエジェ夫人の看破するところとなり、夫人は、いち早く二人の離間策をとった。かくてシャーロットの二度目のブリュッセル生活は、なまなましい傷跡を心に残して帰国することに終った。帰国後も、たびたび彼女はエジェに手紙を出したが、すべて夫人の手に握りつぶされ、ついに一片の返事すらもらえなかった。このときのいたましい経験が、のちに小説『ヴィレット』に再現された。ヴィレットはブリュッセルのことであり、女主人公ルーシー・スノウは作者自身と見てよい。『プロフェッサー』という小説も、この時代を写したものである。

この心の痛手を忘れるため、シャーロットは妹たちと相談して、かねての懸案である私塾を牧師館で開くことにした。しかし、彼女たちの意気ごみにもかかわらず、ついに一人の入学申込者もあらわれなかった。

こうして、最後に彼女たちが考えついたのは、文筆で収入を得ようということであった。そこで、とりあえず各自が書きためていた詩をまとめて一冊の本にしようということになり、三人の頭文字をとってカーラー（シャーロット）エリス（エミリ）アクトン（アン）という仮名をつくり、姓をベルとして、この名で自費出版した。結果は、たった二部売れただけで、なんの反響もなく終った。この詩集に集められた三人の作品のなかではエミリの詩が一番光っている。本来シャーロットの本領は、詩にはなく、あくまで散文にあったもののようである。「シャーロット女史は、十三歳の少女として書いたもののなかに、すでにその将来を暗示するものを見せている。にもかかわらず女史は、二十五歳になってもまだ、その資質が散文にあることを自覚せずに、詩を書いたりしていたのである」と、メイ・シンクレア女史は書いている。

ところで、詩集のこのようなみじめな失敗にもかかわらず、彼女たちの文学への情熱は消えることはなかった。三人はこんどはそれぞれ小説を書きはじめた。昼間は三人とも家事や父親の世話で机に向う暇もなかったが、夜になると一室に集まって、各自が書こうとしている作品の構想を話し合ったり、内容を批評し合ったりして、互いに励ましあっては、ひたすら創作の筆をすすめた。こうしてできあがったのが、シャーロットの『プロフェッサー』エミリの『嵐が丘』アンの『アグネス・グレイ』である。これらの作品は、書きあげてから約一年半のあいだ、いろんな出版社に送ってはすげなく（時には礼儀にかなった断り状とともに）送り返されてきた。こんなことが幾度もつづいた後、『嵐が丘』と『アグネス・グレイ』は、さいわいある出版社に拾われて出版契約がととのったが、シャーロットの『プロフェッサー』だけは、ついに引受け手がなかった（この作品は、作者の死後、はじめて世に出た）。

シャーロットはこれに挫《くじ》けず、ただちに第二作の執筆に着手し、一八四七年十月、これを「カーラー・ベル」の匿名《とくめい》で発表した。これが『ジェーン・エア』であり、ときに作者は三十一歳であった。『ジェーン・エア』は発表と同時に非常な評判となり、文学的に注目されたばかりでなく、社会的にもまた、やかましい論議の的となった。この作品には全巻にわたってシャーロット・ブロンテその人がはげしく生きているといってよい。全編、彼女自らの生活経験が、驚嘆すべき力強さ、鮮やかさをもって再現されている。ローウッド学院、そこの教師たち、姉マリアをモデルにしたヘレン・バーンズなどについては、さきに記したが、作品の初めの方に、ジェーンが「赤い部屋」に押しこめられ、そこの壁面に動く光線を見て恐怖にうたれる場面がある。これは作者がロウ・ヘッドで教師をしていたとき、化粧部屋で経験した恐怖の心理を生かしたものだという。ロチェスターがベッドの中で焼き殺されようとする場面は、作者の弟で放蕩《ほうとう》に身をもちくずしたパトリック・ブランウェルの身の上に実際あったことで、そのとき最初にこれを発見したのがシャーロットであった。つづいてエミリ、アンが駆けつけてきてパトリックを火のなかから救い出した。さらにロチェスターの半失明は、父の眼疾、一時は失明をさえ危ぶまれた父の病苦に対する作者の観察、感情が小説において生かされているのであろう。

『ジェーン・エア』を発表して、しばしばロンドンへ出るようになって、彼女はサッカレーと相知り、彼から非常な賞讃《しょうさん》と激励をうけた。彼女のよき伝記作者ギャスケル夫人と知ったのも、このころである。

この作品の初版が出て評判をとっているころに『嵐が丘』と『アグネス・グレイ』が出版された（出版契約とは逆に、後の雁《がん》が先になってしまったわけである）。『嵐が丘』は、最初は、ほとんど注目を受けなかった。学者や伝記作家の一部には、『嵐が丘』の最初の二章は弟パトリック・ブランウェルの筆になったのではないかという推測もあるが、これはつまびらかでない。姉妹三人の中で美貌《びぼう》と文学的才能とをもっとも豊かに恵まれていたと思われるエミリは、この一作を残して他界し、つづいて、シャーロットが『シャーリー』を執筆している最中に、アンもまたエミリのあとを追った。弟パトリックも、それよりすこし前に死んでおり、ついに彼女は、年老いた父とともに、まったく孤独のなかにとり残されたのであった。『シャーリー』は妹エミリを描いた作品である。作者は『ジェーン・エア』以上に、この作品には苦心を払ったようであるが、世評は、あまりかんばしくなかった。

シャーロットの作品は、（少女時代のものは別として）右に述べた四編がすべてである。もし姉妹たちが牧師館で開いた私塾が、一人も生徒の申込みがなかったというみじめな失敗に終らず、逆に成功していたら、あるいは『ジェーン・エア』も『嵐が丘』も生み出されなかったかもしれない。

3

『ジェーン・エア』は、当時のイギリスで、いろんな意味で問題になった。それはこの小説がヴィクトリア朝イギリスの保守的な文学的伝統と社会的常識に対して、はげしい抗議と反逆を含んでいたからである。

この小説のヒロインは、みずからすすんで男に恋をうち明けている。どんな好もしい男性からプロポーズされても、すくなくとも三度くらいまでは決定的な意思表示をせず、四度目ほどになってから、はじめて控えめにイエスと応諾するのがレディーとしてのたしなみとされていたヴィクトリア朝の社会にあって、このように女性の側から進んで求愛するなどということは、まさしく「ありうべからざる破廉恥《はれんち》的行為」であった。「絶対に良家の子女に読ませてはならぬ小説である」として社会的に非難されたというのもけっして理由のないことではなかったのである。

もう一つ、この小説は女の激情を真正面からとりあげ、力をこめて描写しているが、これもまた当時の文学的、社会的通念からすれば、驚くべき横紙破りであった。女性の感情——女の憤怒《ふんぬ》や悲嘆や情熱を、このように赤裸々にさらけ出し、これと正面からとり組むというようなことは、当時の「小説」の常識にはなかったことなのである。ついでながら、この小説の二人の主人公が、いずれも美男美女でないことも、当時の小説としては破格なものであった。それまで小説の主人公というものは、必ず若く美しき男女でなければならなかったのである。ロチェスターは、むしろ醜男《ぶおとこ》の部類にはいる中年の紳士だし、二十歳のジェーン・エアもまた、きわめて特徴的な顔だちはしているがけっして美人ではない。この小説があらわれて以来、イギリスやアメリカでは、若くもなく美男型でもない男性を恋人に選ぶことがはやったという話さえ伝わっている。

シャーロットは、一八五四年、三十八歳のとき結婚生活にはいったのだが、それまでにも幾度か結婚の申込みを受けている。しかし他人を常にきびしい批判の眼《め》で見ていただけに、結婚というものに対しては極端に臆病《おくびょう》であったらしい。「オールド・ミスの汚名をのがれるために偽装的な結婚をする」などということは、もちろん彼女に戦慄《せんりつ》を感じさせるだけであった。しかし最後に、永年のあいだ彼女を見つめつづけてきたという一つ年上のアーサー・ニコルズの求婚を受けいれた。彼はホワースの牧師補をしていた。彼の深い愛に感動して応諾はしたものの、父親の頑固《がんこ》な反対にあい、ついにニコルズはこの結婚を断念してホワースを去った。しかし数カ月後に父の心は折れた。二人は六月に結婚式をあげた。父ブロンテは、ついに娘の結婚式に姿をあらわさなかった。

シャーロットの結婚生活は短かった。新婚一カ年足らず、正確にいえば、わずか九カ月にして、満三十九歳の誕生日を迎える少し前、一八五五年三月三十一日、風邪がもとで、彼女はついにこの世を去ったのである。

この結婚生活が、はたしてシャーロットにとって幸福であったかどうか。ギャスケル夫人は、新婚当時の彼女の手紙を引証して、満足した幸福な結婚生活であったといっているが、夫ニコルズは、彼女の性格とは反対の、きわめて実際的な人物であった。文学とはおよそ縁遠い性格で、新婚旅行から帰って新家庭をはじめるとき、妻に執筆の禁止を申し渡した。妻シャーロットは、これをもっともな正しいものと受けとり、以後小説の筆をとらぬことを誓った。シャーロットは、当時すでに文学的には名声を得て、少女時代からの好きな道で一家を成していたのである。文学と家庭は女性の場合なかなか両立しがたい。まして十九世紀のことである。家庭を選ぶことによって文学を捨てた彼女が幸福であり得たかどうかは、いちがいに言いきれぬ問題であろうと思う。しかし彼女は、幸か不幸か、かりに執筆を禁じられなくても、大して執着するひまもないほどあわただしく死んでしまったわけである。

4

十九世紀の中ごろ、ヴィクトリア朝前期におけるイギリス文学の特色は、大ざっぱにいって写実主義の勃興《ぼっこう》ということであろう。スタンダール、バルザックなどのフランス自然主義文学の風潮が、ようやくイギリスにも波及して、厳密な写実を重んじるいわゆる現代小説へと足を踏み出したわけである。

とはいうものの、十九世紀初頭のロマンティシズムが、まったく消えてしまったわけではなく、ディケンズ、サッカレーなど、当時のイギリス文学を代表する作家たちにしても、そのリアリズムの要素は、まだ底が浅く、依然として古いロマンティシズムの色彩が拭《ぬぐ》うべくもなくその作品をいろどっていたのである。このなかで、シャーロット・ブロンテの作品は、やや異質のようにも見えるが、しかしリアリズムとロマンティシズムとの混淆《こんこう》という点では、けっして当時の文学風潮と無縁ではない。主人公ジェーンが、義理の伯母に引きとられて虐待《ぎゃくたい》をうけ、ついでローウッド学院へやられ、その後家庭教師となってソーンフィールド館《やかた》に住みこむまでの前半の叙述は、疑いもなくリアリズムの手法で描かれているし、ロチェスターとの出会いから、謎《なぞ》の女中の出現、狂った本妻の焼死、失明したロチェスターとの再会など、後半の波乱万丈の物語は、これはもう完全に大時代的なメロドラマ調であり、むしろ空想と戦慄を基調とした十八世紀の恐怖小説を思わせるものがある。しかも、これがこの小説を典型的な「小説らしい小説」（フィクション）としている所以《ゆえん》であり、また今日まで多くの読者を引きつけている所以でもあるのだ。いわば『ジェーン・エア』は、ロマンティシズムからリアリズムへと移行しつつあった十九世紀中期のイギリス文学の過渡期を飾る大作といっていいだろう。

（一九六〇年夏）

本作品中には、今日の観点からみると差別的表現ととられかねない箇所が散見しますが、作品自体のもつ文学性ならびに芸術性、また訳者がすでに故人であるという事情に鑑み、原文どおりとしました。

（新潮文庫編集部）

E・ブロンテ
鴻巣友季子訳
嵐が丘
狂恋と復讐、天使と悪鬼――寒風吹きすさぶ荒野を舞台に繰り広げられる、恋愛小説の恐るべき極北。新訳による〝新世紀決定版〟。

デュ・モーリア
茅野美ど里訳
レベッカ
（上・下）
貴族の若妻を苛む事故死した先妻レベッカの影。だがその本当の死因を知らされて――。ゴシックロマンの金字塔、待望の新訳。

ディケンズ
加賀山卓朗訳
オリヴァー・ツイスト
オリヴァー8歳。窃盗団に入りながらも純粋な心を失わず、ロンドンの街を生き抜く孤児の命運を描いた、ディケンズ初期の傑作。

ロレンス
伊藤整訳
完訳チャタレイ夫人の恋人
森番のメラーズによって情熱的な性を知ったクリフォド卿夫人――現代の愛の不信を描いて、「チャタレイ裁判」で話題を呼んだ作品。

ワイルド
福田恆存訳
ドリアン・グレイの肖像
快楽主義者ヘンリー卿の感化で背徳の生活にふける美青年ドリアン。彼の重ねる罪悪はすべて肖像に現われ次第に醜く変っていく……。

シェイクスピア
福田恆存訳
お気に召すまま
美しいアーデンの森の中で、幾組もの恋人たちが展開するさまざまな恋。牧歌的抒情と巧みな演劇手法がみごとに融和した浪漫喜劇。